전자시리즈  7

KB092996

전자제어엔진

김 민 복 ◆ 著

자동차문화의 자존심
골든-벨

책을 펴내며

국내에 전자제어엔진 차량이 보급되기 시작한 것은 불과 서울 올림픽이 치러진 1988년 전후이다. 그동안 주류를 이루고 있던 카브레터 방식의 가솔린 엔진 차량은 이제는 거의 자취를 감추게 되었다.

전자제어엔진의 급속한 보급은 대기 환경의 심각성과 화석 연료의 제한성이라는 시대적 요구에 따라 그동안 계속 진화되어 왔다. 그러나 전자제어엔진이 일반화 되었음에도 불구하고 기술을 배우는 많은 학생들이나 산업 현장의 기술인들은 아직도 전자제어엔진에 대한 시스템이 정립되지 않아 많은 어려움을 호소하는 것을 필자는 그들 가까이에서 보아왔다.

늦게나마 저의 생각을 전자제어엔진을 공부하려는 분은 물론 자동차 실무를 담당하는 분들에게 조금이나마 현장 실무에 도움이 될 수 있도록 그들 입장에 서서 평소 생각해 온 것을 정리하여 집필하게 되어 감사하게 생각한다.

이 책의 특징은 전자제어엔진의 시스템을 정확히 이해하고 실무에 적용할 수 있도록 전자제어엔진의 적용 목적과 시스템의 이해를 돕기 위해 기능 중심으로 설명하여 놓았다.

특히 마이크로컴퓨터의 시스템 구성과 ECU(전자제어장치)의 입·출력 회로를 설명하여 놓아 실무에 접근할 수 있도록 하였다. 또한 필자는 매 항마다 핵심 포인트를 정리하여 학습을 하는 분들에게 조금이나마 도움이 되도록 노력하였지만 독자의 눈에는 부족한 점이 많이 있으리라 생각한다.

저를 아끼는 기술인과 독자 여러분의 많은 관심과 조언을 부탁드리며 앞으로도 독자 중심에 서서 기술인이 좋아하는 책을 만들도록 노력하겠다.

끝으로 이 책이 탄생하기까지 필요성을 공감하고 많은 조언으로 협조해 주신 골든벨 출판사의 김길현 대표님과 편집부 여러분께 깊은 감사를 드린다.

2005년 6월
지은이

차 례

제1장

ECU의 회로

제2장

시스템 구성

제 3 장

구성부품의 기능과 특징

제 4 장

전자제어엔진의 기능

제 5 장

자기 진단

01

ECU의 회로

1 CHAPTER

ECU의 회로

 ## 마이크로 컴퓨터

■1. 마이크로 컴퓨터의 개요

마이크로 컴퓨터(micro computer)에는 하나의 칩에 CPU(Center Process Unit) 와 ROM, RAM 메모리를 내장한 원칩 마이크로 컴퓨터(one chip micro computer)와 CPU 칩과 별도로 외부 메모리(ROM & RAM)를 사용한 마이크로 컴퓨터가 사용되고 있다. 일반적으로 마이크로 컴퓨터는 원칩 마이크로 컴퓨터와 CPU를 총칭해 마이크로 컴퓨터라 부르기도 하며 줄여서 마이컴이라 부르기도 한다. 이와 같은 마이크로 컴퓨터는 제어소자(컨트롤 소자)로 산업용 제어기기 외에 일반용 전자 제품에 널리 이용하고 있는 데 자동차에도 예외는 아니어서 ECU(전자 제어 장치)에 핵심적 구성 부품인 제어 소자 로 사용되고 있다.

마이컴(마이크로 컴퓨터)은 그림[1-1]과 같이 외부의 입력 정보를 받아 ROM(읽기 전 용 메모리)에 미리 기억된 데이터(data)에 의해 프로그램 순으로 CPU에 의해 연산 처리 한다. 이렇게 처리된 정보는 원하는 목표 제어값을 출력할 수 있도록 프로그램 할 수 있어 서 뛰어난 컨트롤 유닛(control unit)으로 각광 받고 있는 반도체 부품이다. 이와 같이 마이크로 컴퓨터는 목표 제어값을 액추에이터(actuator)를 통해 인간을 대신해 위험한 기계 조작이나 정밀 제어를 할 수 있게 한 메카트로닉스(mechatronics)의 컨트롤 구성 부품으로 폭넓게 응용되고 있다.

마이크로 컴퓨터는 자동차의 컨트롤 유닛으로 전자제어 엔진의 ECU, 자동미션의 TCU, 전자제어 브레이크 장치인 ABS, 전자제어 현가장치인 ECS, 자동 공조 장치인

오토 에어컨, 각종 편의 장치인 BCM ECU, 전자 계기판 등 다양한 제어 장치에 컨트롤 유닛 부품으로 사용되고 있어 자동차 전자 제어 장치의 기술을 습득하기 전에 마이크로 컴퓨터가 자동차의 각종 제어 장치의 데이터를 어떻게 처리 되는지 이해할 수 있도록 마이컴(마이크로 컴퓨터)에 대해 기본적인 시스템 구성과 정보 처리를 간단히 소개하고자 한다.

사진1-1 8비트 원칩 마이컴

사진1-2 ETACS 내부의 마이컴

2. 마이크로 컴퓨터의 구성

그림〔1-1〕은 마이크로 컴퓨터의 내부 블록 다이어그램을 나타낸 것으로 CPU(중앙 연산 처리 장치) 내에 ROM(영구 저장 기억 소자)과 RAM(임시 저장 기억 소자)이 내부에 내장되어 있는 것을 원-칩 마이크로 컴퓨터라 하며 ROM과 RAM이 CPU 밖에 내장되어 있는 것을 마이크로 컴퓨터라 한다.

센서로부터 입력된 데이터 값과 ROM내에 있는 데이터 값을 CPU는 연산하여 목표 제어값을 출력하는 마이컴

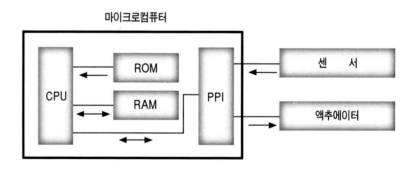

그림1-1 마이컴(마이크로 컴퓨터)의 구조

마이크로 컴퓨터(micro computer) 내에는 정보를 저장하는 ROM(영구 기억 소자)과 RAM(임시 기억 소자)이 있으며 CPU 내에 있는 ALU(산술 처리 장치)는 ROM과 RAM 및 레지스터에 있는 데이터를 내부 버스 라인(bus line)을 통해 불러와 처리하고 처리된 데이터를 다시 버스 라인(bus line)을 통해 ROM과 RAM 및 레지스터에 저장하거나 마이컴의 출력 포트(port) 등으로 출력하게 된다. 이 데이터 버스 라인(bus line)에는 그림[1-2]의 마이크로 컴퓨터 내부 구성도와 같이 ALU(산술 처리 장치) 및 어큐뮬레이터(accumulator), 플래그 레지스터(flag register), 명령 레지스터(instruction register) 및 데이터 버스(data bus)를 컨트롤(control)하는 타이밍 엔드 카운터 로직(timing & counter logic) 및 출력 포트(port)가 연결되어 버스 라인(bus line)을 통해 정보를 주고받도록 하고 있다.

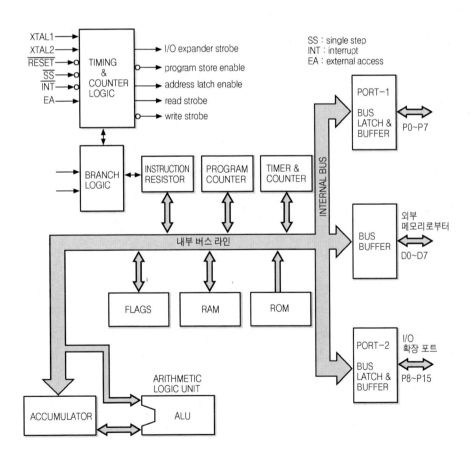

🔺 그림1-2 마이크로 컴퓨터의 블록 다이어그램

여기서 ALU(arithmetic logic unit)은 2개의 오퍼랜드(operand)간의 데이터를 레지스터(register)를 통해 논리 AND, 논리 OR, 논리 XOR, 논리 NOT 등의 논리 연산과 데이터 비트의 자리이동(shift) 조작을 통해 산술 연산 및 논리 연산을 실행하는 기능을 갖는 것이 CPU(중앙 연산 처리 장치)이다.

마이크로 컴퓨터(micro computer)의 내부에는 ROM과 RAM 같은 기억 소자 외에 데이터를 임시 기억하는 여러 가지 레지스터(일시 기억 소자)를 사용하고 있는데 그 이유는 ROM에 있는 데이터(data)를 끌어내어 처리하는 것보다 마이컴(마이크로 컴퓨터)의 내에 있는 일시 저장 레지스터(register)에서 데이터를 불러와 처리하는 편이 데이터 효율적으로 처리할 수 있기 때문이다.

이들 레지스터(register)의 대표적인 기능을 살펴보면 플래그 레지스터(flag register)는 ALU(산술 처리 장치)가 산술 연산 및 논리 연산을 실행하면 ALU의 실행한 결과를 상태로서 나타내는 레지스터(register)이다.

예를 들어 ALU가 2개의 오퍼랜드를 가산 하였다고 가정하면 가산한 결과가 마이너스 인지 플러스 인지를 나타내는 것이 플래그 레지스터이다. 여기서 오퍼랜드(operand)란 연산 대상이 되는 수 또는 데이터를 말하며 플래그 레지스터(flag register)에는 carry flag, half carry flag, zero flag, overflow flog, sign flag, subtract flag를 가지고 있는 8비트(bit) 레지스터로 구성되어 있어 ALU의 연산 결과 상태를 나타내고 있다. 프로그램 카운터(program counter)는 ALU가 ROM내에 있는 데이터를 처리하는 순서를 가리키는 레지스터(register)로 프로그램 카운터는 다음에 처리할 명령의 번지수(address)를 가리키며 ALU는 현재 실행 중인 명령의 바이트(byte) 길이에 따라 프로그램 카운터는 그 만큼 번지수(address)를 증가시켜 지시 하도록 되어 있다.

프로그램 카운터(program counter)는 다음에 실행 될 명령의 번지수를 지시하는 메모리에 대한 포인터(pointer) 인 반면 스택 포인트(stack pointer)는 메모리(memory)의 저장에 대한 포인터(pointer)이다. 스택 포인터는 마이크로 컴퓨터가 갖고 있는 컴퓨터의 독특한 기능으로 서브루틴(subroutine) 명령을 사용할 때 이용하게 된다. 즉 점프(jump) 명령이나 브랜치(branch) 명령으로 서브 루틴을 실행할 때 점프(jump) 또는 브랜치(branch) 명령의 번지수를 나타내는 프로그램 카운터의 어드레스(adderss)를 자동으로 스택 포인터(stack pointer)라는 레지스터(일시 기억 장치)에 저장(save) 해 두게 되고 프로그램 카운터는 서브르틴의 번지수(address)를 카운트하게 된다.

이 동작을 실행하는 것은 리턴(return) 명령에 의해 나중에 점프(jump) 또는 브랜치(branch) 명령이 끝부분으로 이어지는 장소로 돌아가기 위해 필요한 번지수(address)를 저장하여 두는 것이다. 이 같은 동작은 인터럽트(interrupt)의 경우에도 마찬가지로 적용하게 된다. 인터럽트(interrupt) 동작이란 ALU(CPU)가 현재의 프로그램을 실행하여 나가다. 외부 또는 내부에 정보에 의해 현재 수행하는 프로그램을 중단하고 인터럽트(interrupt)를 부른 것부터 프로그램을 수행하라는 명령으로 인터럽트에는 우선순위를 결정하여 인터럽트가 동시에 들어와도 우선순위에 의해 처리하도록 되어 있어서 프로그램의 처리에 의한 충돌은 발생하지 않는다.

마이크로 컴퓨터에 사용되는 인덱스 레지스터(index register)는 ALU (CPU)가 명령을 수행하기 직전 그 번지수를 변경할 필요가 있는 경우에 연산을 통해 번지수를 변경하여 변경된 번지수를 인덱스 레지스터(index register)가 기억하고 있도록 하는 레지스터(register)이다. 즉 인덱스 레지스터는 메모리의 번지수를 계산하는데 이용하는 레지스터이다. 또한 인터럽트 벡터 레지스터(interrupt vector register)는 인터럽트(interrupt)를 건 디바이스(device)의 데이터와 ALU(CPU) 데이터의 조합에 의해 인터럽트를 처리하는 서브 루틴(sub routine)으로 갈 수 있는 번지수(address)를 만드는 레지스터이다.

이와 같이 마이크로 컴퓨터(micro computer)는 디바이스(device)의 여러 정보를 그림[1-2]와 같이 데이터 버스 라인(data bus line)을 통해 정보를 주고받는데 데이터의 충돌없이 정보를 주고받기 위해서는 제어 신호를 컨트롤하기 위해 신호의 타임을 맞추고 동기 시켜야 하는 타임 엔드 컨트롤 로직(timing & control logic)이 필요하다. 또한 마이크로 컴퓨터의 외부로부터 들어오는 정보를 입력하거나 출력하도록 창구 역할을 하는 데이터 포트(data port)로 구성되어 있다.

그림[1-3]은 ROM 메모리와 RAM 메모리의 사용자 저장 장소의 배정을 예로서 나타낸 것으로 실제 사용자가 마이크로 컴퓨터의 프로그램을 수행하기 위해서는 그림[1-3]과 같이 반도체 메이커가 제공하는 메모리(memory)의 맵핑(mapping)을 결정하고 용도에 맞는 프로그램을 수행해야만 메모리로서 사용할 수 있다.

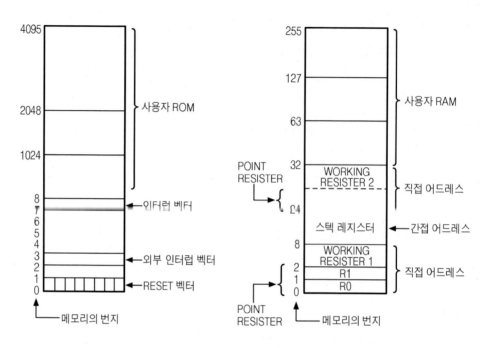

(a) ROM데이터의 메모리 MAP   (b) RAM데이터의 메모리 MAP

🔺 그림1-3 메모리의 저장장소 배정

point ●

● 　　　**마이크로컴퓨터의 디바이스**

1 **CPU(중앙 처리 장치)**

① ALU : 논리 연산 레지스터

② 프로그램 카운터 : 다음 실행할 프로그램의 번지수 지정 레지스터

③ 플래그 레지스터 : ALU가 연산한 결과의 상태를 나타내는 레지스터

④ 스택 포인터 : 서브루틴을 진행할 때 점프나 브랜치 명령의 위치를 나타내는 현재의 PC 내용을 자동으로 기억해 두는 레지스터

⑤ 인덱스 레지스터 : 메모리의 번지수를 연산하여 번지수를 지정할 필요가 있을 때 이용하는 레지스터

⑥ 인스트럭션 레지스터 : ROM 내에 있는 명령을 CPU가 읽고 명령을 실행하기 위해 명령을 일시적으로 기억해 두는 레지스터

2 메모리(기억 장치)

① ROM : 영구 기억 장치(읽기 전용 메모리) – 전원을 OFF하여도 ROM 내의 데이터 값을 그대로 보존하고 있는 메모리

② RAM : 임시 기억 장치(읽기 쓰기 전용 메모리) – 데이터 값을 처리하기 위해 임시 보관하기 위한 메모리로서 전원을 OFF 하면 RAM 내의 데이터 값이 지워지는 메모리

③ 레지스터 : 일시 기억 장치(읽기 쓰기 전용 메모리) – 산술 연산이나 논리 연산을 하기 위해 일시에 기억해 두거나 사용하는 일시 기억 소자

기억소자

1. ROM(읽기 전용 메모리)

ROM(read only memory)는 읽기 전용 메모리로 전원을 OFF 하여도 기억 내용이 날아가지 않는다 하여 이러한 메모리를 비휘발성 메모리(nonvolatile memory)라 부르며 ROM(read only memory)는 MOS FET의 게이트(gate)에 형성되는 포유 용량에 데이터를 축적하기 위해 드레인 층과 소스 층 사이에 산화막의 두께를 제조 과정에서 1비트(2진수의 1)를 기억하기 위해 기억하고자 하는 셀(cell)의 산화막을 얇게 하여 만든다.

이렇게 만든 ROM을 마스크 ROM이라 하며 마스크 ROM은 동일한 데이터를 다량으로 마스크 ROM에 기억시키고자 할 때에는 편리 하지만 사용자가 데이터(data)를 저장하고 싶은 경우에는 불편함이 따름으로 데이터를 쉽게 저장 할 수도 있고 필요시 삭제 할 수도 있는 메모리(memory)가 필요하게 되는데 이것이 읽거나 쓰기가 가능한 EPROM 메모리이다.

EPROM(electrically erasable read only memory)은 드레인(drain)과 산화막 기판 사이에 역 바이어스 전압을 주어 반도체의 PN 접합의 브레이크 다운을 일으키면 PN 접합면에 생긴 높은 전자의 에너지가 플로팅(floating) 상태가 되어 게이트의 포유 용량에 축적이 되는 것을 이용한 것으로 기억된 데이터를 삭제 할 때는 자외선 투과창을 통해 자외선을 약 8분~20분 정도 가해야 지워지는 불편함이 따르고 반복하여 여러 번 지웠다 쓸 수가 없으며 자연 상태에서도 장기간 보관시 데이터의 손실이 일어날 수 있는 단점을 가지고 있다. 따라서 이와 같은 단점을 보완하기 위한 ROM(read only memory) 메모

리가 EEROM(electrically erasable read only memory) 이다. EEROM은 전기적으로 데이터(data)를 삭제 할 수가 있어서 EPROM과 같이 자외선에 의한 데이터의 삭제 시간을 단축 할 수가 있는 이점이 있어 프로그래머가 프로그램을 수정할 때 별도의 ROM 소켓이나 모듈 없이도 쉽게 가능하여 많이 사용하고 있는 메모리이다.

2. RAM(임시 저장 메모리)

ROM(read only memory)은 그림[1-4]의 (a)의 같이 다량의 정보를 기억하기 위해 cell(1비트를 저장할 수 있는 flip flop에 해당)을 메트릭스(matrix) 화하여 정보를 저장하고 어드레스 버퍼(address buffer)를 통해 지정된 정보를 읽어 낼 수 있도록 되어 있는 일종의 메모리 셀(cell)의 그룹(group)이다.

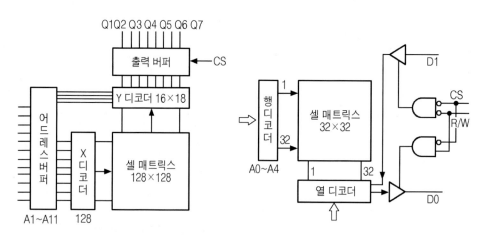

(a) 8비트 ROM 블록 다이어그램   (b) 1024워드 1비트 RAM 블록 다이어그램

그림1-4 ROM & RAM의 블록 구성도

RAM(random access memory)은 데이터를 임시 저장하기도 하고 불러내기도 할 수 있는 임시 저장 메모리(memory)로 전원을 차단하면 기억된 내용이 날라 가버린다 하여 휘발성 메모리(volatile memory)라 부르기도 하는 메모리(memory)이다. RAM 메모리에는 정보를 셀(cell)의 용량(콘덴서)에 저장하여 두는 다이내믹 RAM(DRAM)과 MOS FET를 바탕으로 플립플롭(flip flop)을 이용한 스태틱 RAM(SRAM)이 사용되고 있는데 DRAM(dynamic random access memory)의 경우는 포유 용량에 저장된 정보가 방전에 의해 삭제되지 않도록 리프레시(refresh) 신호를 주어야 하는 문제로 사용상

SRAM 보다 복잡함이 따른다. RAM 메모리의 구성은 그림[1-4]의 (b)와 같이 다량의 정보를 기억하기 위해 셀 메트릭스(cell matrix)가 있고 2차적으로 배열해 X, Y 어드레스(열 디코더와 행 디코더)에 의해 정보를 액세스(access)하는 것이 보통이다.

그림[1-5]는 RAM의 데이터를 읽을 때와 쓸 때의 타이밍을 나타낸 것으로 읽어 내기의 경우에는 어드레스(address) 신호를 주면 RAM은 어드레스를 디코딩하게 되고 이때 CS(chip select) 신호를 주면 데이터는 읽어지게 된다. 어드레스 신호를 주어 출력 데이터가 나오기까지 걸리는 시간을 ta(address access time)이라 한다. 데이터를 메모리로 써 넣기 하는 경우에는 어드레스 신호가 주어지고 R/W(read & write) 신호와 CS 신호가 동기 되어 주어지면 데이터(data)는 데이터 셋업 시간(td : data set up time) 동안 써넣기 동작을 실행하게 된다.

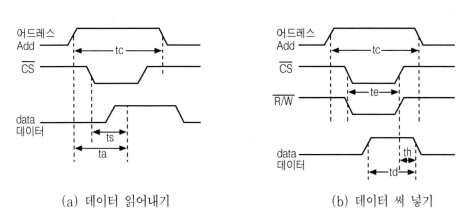

(a) 데이터 읽어내기   (b) 데이터 써 넣기

🔺 그림1-5 메모리의 동작 타이밍

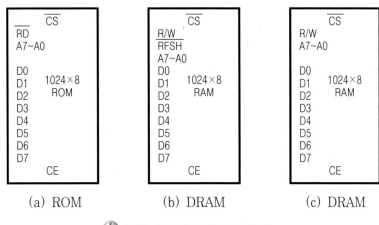

(a) ROM   (b) DRAM   (c) DRAM

🔺 그림1-6 메모리 IC의 핀 구성(예)

전자 제어 엔진

point ●

● 메모리IC의 읽기와 쓰기 동작

1 읽기(READ)

CPU가 메모리로부터 데이터를 불러 오는 동작

CPU는 불러 올 데이터의 번지수를 지정하고 메모리 IC의 CS(칩 선택) 신호를 주면 데이터 라인을 통해 읽기 동작을 실행한다.

2 쓰기(WRITE)

CPU로부터 데이터를 메모리로 입력하는 동작

입력 될 메모리의 번지수를 지정하고 메모리 IC의 W/R(read & write) 신호와 CS (칩 선택) 신호를 주면 써넣기 동작을 실행한다.

 **3 마이크로컴퓨터의 동작**

■ 1. 마이크로 컴퓨터 핀의 구성

　그림〔1-7〕은 마이크로 컴퓨터(micro computer)의 대표적인 반도체 업체인 인텔(사)의 원칩 마이크로 컴퓨터(INS 8050)의 핀 구성을 나타낸 것이다. 마이크로 컴퓨터의 핀 구성을 살펴보면 데이터(data)를 주고받는 데이터의 창구 기능을 하는 입출력 포트(port)라는 것이 보이며 이 포트(port)는 래치(latch) 회로로 구성되어 있어서 데이터(data)를 래치(latch)할 수가 있는 버퍼(buffer)이다. 만일 이 포트를 통해 I/O 디바이스(device)를 확장하기 위해서 어드레스 포트(address port)로 사용할 수 있으며 자동차의 전자 제어 장치(ECU)의 실제 입·출력 단자로 사용되는 단자이다.

　또한 8비트(bit)의 데이터 버스(data bus)가 있는데 이것은 외부 메모리와의 정보를 교환하기 위해 또는 외부 메모리의 정보를 위해 사용되는 데이터 버스 단자이다. 이 단자는 자동차 전자 제어 장치(ECU)에 실제 입·출력 단자로도 사용할 수 있는 단자이기도 하다. T0, T1 입력 단자는 조건부 점프 명령을 수행하기 위해 사용하는 단자로 이 단자의 신호가 들어오면 주어진 점프 명령의 어드레스(address)로 점프하기 위해 사용하는 단자이다.

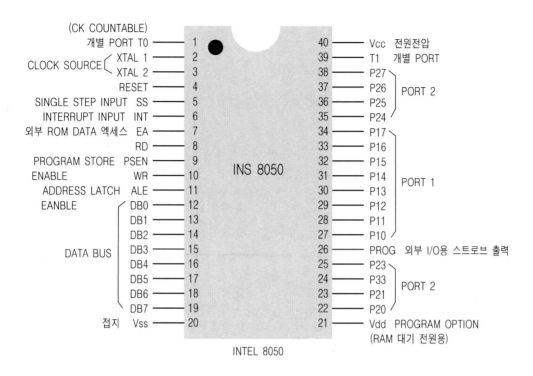

```
(CK COUNTABLE)
             개별 PORT T0 ──── 1        40 ──── Vcc  전원전압
CLOCK SOURCE ⎰ XTAL 1 ──── 2        39 ──── T1   개별 PORT
             ⎱ XTAL 2 ──── 3        38 ──── P27 ⎱
                RESET ──── 4        37 ──── P26  ⎱ PORT 2
     SINGLE STEP INPUT  SS ──── 5        36 ──── P25  ⎰
       INTERRUPT INPUT  INT ──── 6        35 ──── P24 ⎰
   외부 ROM DATA 엑세스  EA ──── 7        34 ──── P17 ⎱
                   RD ──── 8        33 ──── P16  ⎱
   PROGRAM STORE  PSEN ──── 9        32 ──── P15  ⎱
        ENABLE     WR ──── 10       31 ──── P14  ⎰ PORT 1
   ADDRESS LATCH  ALE ──── 11       30 ──── P13  ⎰
        EANBLE  ⎱ DB0 ──── 12       29 ──── P12  ⎰
                  DB1 ──── 13       28 ──── P11 ⎰
                  DB2 ──── 14       27 ──── P10
      DATA BUS    DB3 ──── 15       26 ──── PROG  외부 I/O용 스트로브 출력
                  DB4 ──── 16       25 ──── P23 ⎱
                  DB5 ──── 17       24 ──── P33  ⎱ PORT 2
                  DB6 ──── 18       23 ──── P21  ⎰
                ⎰ DB7 ──── 19       22 ──── P20 ⎰
         접지   Vss ──── 20       21 ──── Vdd  PROGRAM OPTION
                                              (RAM 대기 전원용)
              INTEL 8050
```

INS 8050

🔺 **그림1-7 마이크로컴퓨터의 핀 구성**

XTAL 1 및 XTAL 2 단자는 클럭 소스(clock source)를 발생하는 단자이며 주로 크리스털 발진기 및 세라믹 레저네이터를 사용하고 있는 단자이다. RESET 단자는 마이크로 컴퓨터(micro computer)를 리셋(reset) 하기 위한 단자이며 SS 단자는 싱글 스텝 입력(single step input) 단자로 프로그램의 실행을 통해 싱글 스텝으로 ALU와 결합하기 위해 사용하는 단자이다. INT(interrupt) 단자는 액티브 로우(active low) 상태가 되면 ALU에 메인 인터럽트 요구(main interrupt request)를 알게 되고 ALU는 현재 수행하는 명령의 끝에서 INT 신호를 확인하게 하는 단자이다.

1. 입·출력 포트 : 래치 회로로 되어 있어 입력신호 및 출력신호를 래치할 수 있다 하여 포트(port)라 부른다.
 • ECU는 센서 및 액추에이터 신호는 입·출력 포트를 통해 정보를 주고받게 된다.
 ※ 래치(latch) : 다음 신호가 오기까지 데이터를 유지하는 기능.
 ※ 스트로브(stroube) : 데이터가 버스 상에 올라올 때 발생하는 enable 신호 또는 다음 데이터를 래치하기 위한 클리어 신호를 말함.

2. 마이크로 컴퓨터의 동작

컴퓨터(micro computer)를 작동시키기 위해서는 컴퓨터(computer)의 하드웨어만 가지고는 작동할 수 없다는 것은 잘 알고 있는 사실이다. 마이컴(마이크로 컴퓨터)도 이와 마찬가지로 컴퓨터라는 하드웨어(hard ware)만 가지고는 동작이 불가능하다. 따라서 프로그램(program)을 한 소프트웨어(soft ware)가 필요한데 마이크로 컴퓨터(micro computer)의 소프트웨어(프로그램)를 하기 위해서는 마이크로 컴퓨터가 제어하기 위한 각종 입·출력 정보는 물론 언제, 어떻게, 무엇을, 제어할 것인가를 정확히 알지 못하면 하드웨어는 물론 소프트웨어도 만들 수 없다. 따라서 마이크로 컴퓨터가 어떤 목적으로 사용되는지 제어 대상과 목적을 정하고 이에 맞는 하드웨어를 설계하고 프로그램(소프트웨어)을 짜 나가야 하는데 이렇게 만든 소프트웨어(soft ware)는 ROM 메모리에 내장하게 되어 비로소 마이크로 컴퓨터(micro computer)를 동작 시킬 수 있는 시제품이 탄생하게 된다.

ROM 메모리 내에는 하드웨어(hard ware)를 작동 시킬 수 있는 명령어(OP CODE)와 오퍼랜드(operand)의 데이터(data)가 저장 되어 있어서 마이크로 컴퓨터의 입·출력 정보에 따라 프로그램(program)이 순차적으로 처리되어 나가도록 한 것이다. 마이크로 컴퓨터는 클록 펄스(clock pulse) 신호에 의해 칩(chip)이 활성화 되면 ALU(CPU)의 PC(프로그램 카운터)는 스타트 명령의 번지수(address)를 시작으로 프로그램 카운터는 ROM 메모리의 번지수(address)를 지시하면 ALU(CPU)는 ROM 메모리에 있는 OP CODE(operation code)의 바이트(byte)를 읽고 데이터를 디코드(해독)하여 OP CODE에 의한 명령을 수행하게 된다. ALU(CPU)가 OP CODE을 디코드(해독)하면 프로그램 카운터는 데이터 버스 라인(data bus line) 상에 게이트(gate) 되어 다음 명령의 OP CODE의 추출을 준비하게 된다. 즉 ALU(CPU)는 명령을 디코드(해독)하면 프로그램 카운터는 ROM 메모리에 저장된 다음 명령을 수행 할 번지수를 가리키게 된다.

예를 들어 자동차 전자 제어 장치의 입력 신호가 마이컴(마이크로 컴퓨터)의 입·출력 포트(port)에 입력되면 ROM에 내에 저장된 프로그램은 OP CODE에 의해 ALU(CPU)에 입력되고 다음 OP CODE의 명령에 의해 논리 연산 및 산술 연산을 통해 마이크로 컴퓨터의 입·출력 포트(port)로 출력하게 된다. 이렇게 출력된 마이크로 컴퓨터의 데이터(data)는 미약한 신호원으로 전자 제어 장치의 솔레노이드 밸브나 스텝 모터 같은 액추에이터를 구동 할 수 없기 때문에 버퍼(buffer) 장치 및 증폭 장치를 통해 ECU(전자 제어 장치)의 출력으로 내보내게 돼 액추에이터를 구동하게 하고 있다. 마이크로 컴퓨터에 사 되는 OP코드(명령어)는 반도체 메이커의 마이크로 컴퓨터 종류마다 다르지만 지금 지 설명한 동작의 흐름은 크게 다르지 않기 때문에 마이크로 컴퓨터의 학습은 한 가지 모델을 기준으로 습득해 나가는 것이 좋다.

3. 머신 사이클

마이크로 컴퓨터는 모든 명령을 수행하는 데에는 1개 또는 2개의 머신 사이클(machine cycle)이 필요하게 되는데 이 머신 사이클은 ALU(CPU)가 ROM 메모리에 있는 OP 코드(operation code)를 읽고 그 것을 디코드(해독)하여 그 명령을 실행하는 기본 사이클을 말한다. 이 동작은 ALU(CPU)가 머신 사이클(machine cycle)에 들어가면 머신 사이클은 LOW로 출력되어 외부 디바이스에 머신 사이클에 들어갔다는 것을 알리게 되고 이 때 PC(프로그램 카운터)는 내용이 어드레스 버스(address bus)상에 게이트(gate) 되어(내 보내지게 되어) ROM 내에 있는 다음 명령의 OP CODE를 추출 fetch) 준비를 하게 된다. 이때 CS(칩 선택) 신호와 RD(읽기) 신호가 LOW로 되어 어드레스 버스 상에 유효 어드레스가 나와 있다는 것을 ROM 메모리에 알린다. 이와 같은 동작에 의해 ROM 메모리에 있는 저장 내용(데이터)이 데이터 버스(data bus) 상에 내보내 지게 되는 것이다.

point ⊙

마이크로컴퓨터의 동작

1 **마이크로 컴퓨터의 기본 동작**

1. 마이컴의 기본 동작 : ALU(CPU)는 ROM 메모리에 있는 명령어를 읽고 디코드(해독)하여 명령을 실행하여 입 · 출력 포트를 제어하는 장치이다.

※ 머신 사이클 : ALU(CPU)가 ROM 메모리에 있는 OP 코드를 읽고 디코드 하여 명령을 실행하는 기본 단위의 사이클을 말함

※ fetch(추출) cycle : ALU는 ROM 메모리에 있는 명령어를 읽고 그 내용을 추출하기까지 걸리는 기간

 **ECU의 회로**

1. ECU의 내부 회로 구성

ECU(전자 제어 장치) 내부 회로의 구성을 살펴보면 ECU의 목표 설정값을 제어하기 위해 프로그램이 내장되어 있는 ROM(읽기전용 기억장치)과 입력 정보와 연산하여 목표 설정값을 출력하기 위한 CPU(중앙 처리 장치)를 갖고 있는 마이크로 컴퓨터가 내장되어 있나. 이 마이크로 컴퓨터에는 입력과 출력 정보 신호가 들어오고 나가는 래지(latch) 회로로 구성되어 있어서 외부 신호의 입출력 역할을 하는 포트(port) 단자가 있다. 또한 마이크로 컴퓨터는 MOS(metal oxide semiconductor) IC로 제조되어 있어서 정전기에 취약 할 뿐만 아니라 전기적으로 외부 회로와 포트(port)가 연결되기 위해서는 마이크로 컴퓨터의 포트(port)가 허용하는 전기적 신호 레벨로 바꾸어 주어야 한다.

🔺 사진1-5 엔진ECU 내부

🔺 사진1-6 흡기포트의 입력센서

따라서 마이크로 컴퓨터의 입력측에는 그림[1-8]과 같이 마이크로 컴퓨터의 포트(port)와 정합할 수 있는 입력 인터페이스(interface) 회로가 필요하게 되고 출력측에는 포트에서 출력되는 신호를 전류 증폭하여 출력 드라이브 회로를 구동할 수 있는 버퍼(buffer) 회로가 필요하게 된다. 이렇게 구성된 버퍼 회로는 출력측에 TR(트랜지스터)나 FET(전계효과 트랜지스터)와 같은 출력 드라이브 회로를 두어 그림[1-9]와 같이 ECU(전자제어장치)의 솔레노이드 밸브 및 인젝터, 모터, 릴레이 등과 같은 액추에이터를 구동 할 수 있게 하고 있다.

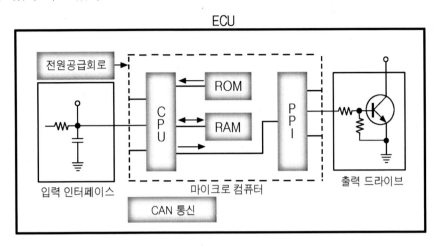

🔺 그림1-8 ECU의 내부회로 구성도

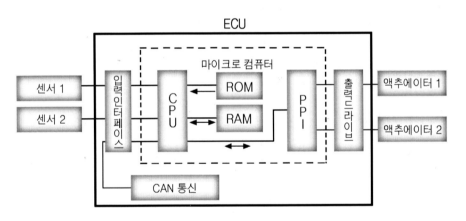

🔺 그림1-9 ECU(전자제어장치)회로의 블록 다이어그램

2. ECU의 입력 회로

ECU(전자 제어 장치)의 내부에는 마이컴(마이크로 컴퓨터)의 입·출력 포트(port)를 통해 ECU의 입력 신호를 마이컴(마이크로 컴퓨터)이 인식할 수 있도록 입력 인터페이스 회로가 구성되어 있다. 따라서 ECU의 외부 입력측에는 위치를 감지하는 센서, 온도를 감지하는 센서, 회전수를 감지하는 센서, 압력을 감지하는 센서 등을 연결하고 출력 측에는 ON, OFF 제어를 하기 위한 릴레이(relay), 듀티 제어를 하기 위한 솔레노이드 밸브

(solenoid valve), 통전 시간 제어를 하기 위한 인젝터(injector), 회전각을 제어하기 위한 스텝 모터 등의 액추에이터(actuator)를 연결하고 있다. ECU에 연결된 각종 입력 센서 신호는 ECU(전자 제어 장치)에 입력 돼 ECU 내에 있는 마이컴(마이크로 컴퓨터)의 포트(port)가 센서 신호를 수신할 수 있도록 변환하여 주는 회로를 인터페이스(interface) 회로라 한다. 반면 마이컴(마이크로 컴퓨터)의 포트(port)를 통해 출력된 신호가 ECU(전자 제어 장치)의 액추에이터를 구동 할 수 있게 만든 회로를 드라이브 회로라 한다.

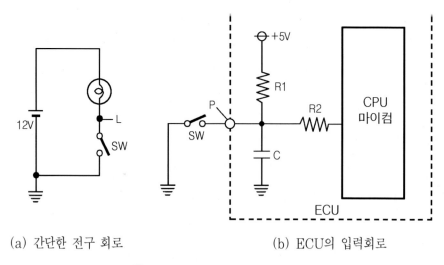

(a) 간단한 전구 회로   (b) ECU의 입력회로

그림1-10 ECU의 스위치 입력회로

　그림〔1-10〕의 회로는 ECU(전자 제어 장치) 회로의 대표적인 입력 스위치 회로의 인터페이스(interface) 회로를 나타낸 것으로 마이컴(마이크로 컴퓨터)의 입력 포트에는 저항 R1, R2와 콘덴서(condenser)가 연결된 회로이다. 이 회로의 경우에는 저항 R1을 통해 정전압 전압 +5V가 공급되는 풀업 저항(pull up resistor)이 연결 되어 있어서 스위치(switch) OFF시에는 P점의 전압은 항상 5V가 되며 스위치 ON 시에는 0V가 된다. 즉 이것은 그림〔1-10〕의 (a)회로에서 스위치(switch)를 OFF 시에는 L점의 전압이 항상 12V가 되지만 스위치를 ON시에는 L점의 전압은 0V가 되는 것과 같은 이치이다

　여기에 사용된 콘덴서(condenser) C는 P점에 노이즈(noise)가 발생시 어스(earth)를 통해 바이 패스(by pass) 하기 위한 필터용 콘덴서 이며 저항 R2는 마이크로 컴퓨터의 포트(port)를 보호하기 위한 전류 제한 저항을 포트와 직렬로 삽입하여 입력 포트를

보호하고 있다. 마이컴(마이크로 컴퓨터)은 주로 NMOS형 반도체로 만들어져 있어서 마이컴의 포트(port)가 입·출력할 수 있는 전압 레벨(level)은 0.8V 이하의 경우에는 0(low) 상태로 인식하고, 2V 이상인 경우는 1(high) 상태로 인식하게 된다. 예를 들어 그림[1-10]의 (b)의 회로에서 스위치(switch)가 자동차의 도어 스위치라 가정하면 도어(door)가 열리면 도어 스위치의 접점은 닫혀 P점의 전압은 0V가 되고 도어(door)가 닫히면 도어 스위치의 접점이 열려 P점의 전압은 5V가 되어 마이컴(마이크로 컴퓨터)의 입력 포트(port)는 도어(door)가 열리고 닫힘을 인식할 수 있게 하는 회로이다.

그림[1-11]의 (b)에 나타낸 회로도는 ECU(전자 제어 장치)의 입력 스위치 인터페이스(interface) 회로로 많이 사용되고 있는 회로로 그림[1-10]의 (b)의 회로와 다른 점은 입력단 스위치에 배터리(battey)의 +12V가 연결 되어 있어서 스위치를 ON, OFF 함에 따라 P점의 전위가 12V 또는 0V가 되어 ECU의 스위치 입력 신호 전압으로 입력된다는 점이다. 이 회로는 마이크로 컴퓨터(micro computer)의 포트(port)와 직렬로 저항 R과 다이오드 D가 연결 되어 있으며 포트(port)와 병렬로 콘덴서 C와 제너 다이오드 Dz가 연결되어 있는 인터페이스(interface) 회로이다.

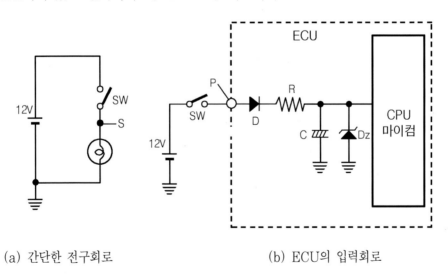

(a) 간단한 전구회로   (b) ECU의 입력회로

🔺 그림1-11 ECU의 스위치 입력회로

여기서 다이오드 D는 역방향 전류를 차단하기 위해 삽입하여 놓은 것이며 저항 R은 마이컴의 입력 포트를 보호하기 위한 전류 제한용 저항이다. 콘덴서(condenser) C는 노이즈(noise) 신호에 대한 바이 패스(by pass)용이며 제너 다이오드는 입력 스위치 ON시 배터리의 전압 12V를 약 5V로 정전압 시키기 위한 정전압 다이오드이다. 여기서 사용하는 제너 다이오드(zener diode)는 제너 전압이 5.1V 용이나 4.8V용 제너 다이오드를 사용하고 있다. 따라서 ECU의 입력측 스위치를 ON시키면 P점의 전위는 12V가 입력 되지만 마이크로 컴퓨터의 포트(port) 단자에는 제너 다이오드(zener diode)에 의해 약 5V의 전압이 입력하게 돼 마이컴(마이크로 컴퓨터)은 신호 전압 레벨을 인식하게 된다.

반면 스위치(switch) OFF시 P점의 전압은 0V가 돼 마이컴(마이크로 컴퓨터)은 0(low)레벨로 인식하게 된다. 이것은 마치 그림〔1-11〕의 전구 회로(a)와 같이 스위치를 ON시 S점의 전압은 12V가 되고 스위치를 OFF시는 0V가 되는 것과 같다.

그림〔1-12〕의 회로는 엔진 ECU의 TPS(throttle position sensor)의 입력 인터페이스 회로로 사용되는 회로로 스위치(switch)의 입력 인터페이스 회로와 달리 마이크로 컴퓨터의 포트(port)에는 A/D 변환기(analog to digital converter)가 내장되어 전압 레벨 변화에 따른 신호를 디지털 신호 전압으로 변환하여 마이크로 컴퓨터의 입력 포트 (port)에 입력하도록 되어 있다. 또한 최근에는 마이크로 컴퓨터(micor computer)내에 A/D 컨버터가 내장 되어 있는 컴퓨터가 발매되어 있어 회로의 하드웨어가 한결 간편하게 설계 할 수 있도록 되어 있다.

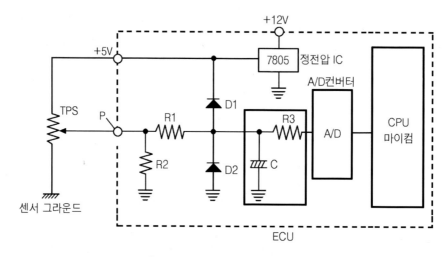

🔺 그림1-12 ECU의 저항 입력회로

　그림〔1-12〕의 TPS 입력 인터페이스 회로를 살펴보면 ECU의 입력단에는 액셀러레이터(accelerator)의 개도에 따라 TPS의 저항값이 변화하는 가변 저항이 연결되어 있다.

　TPS의 가동 접점 단자에는 저항 R1을 거쳐 다이오드 D1과 D2가 연결되어 있고 A/D 컨버터의 입력에는 저항 R3과 콘덴서 C가 연결되어 있는 것을 볼 수가 있다. 여기서 ECU 입력단의 가변 저항 회로를 살펴보면 가변 저항 한쪽에는 정전압 IC(7805 IC)에 의해 일정한 +5V의 전압이 공급되어 있고 다른 한쪽에는 센서 그라운드(sensor ground)와 연결되어 있어서 P점의 전압은 가변 저항 값이 변화에 따라 전압값이 변화하는 것을 알 수가 있다. 이렇게 변환된 P점의 전압은 전류 제한 저항 R1을 통해 R3에 가해지 된다.

　여기서 다이오드 D1과 D2는 클램프(clamp)용 다이오드로 입력 신호 전압이 그림〔1-13〕과 같이 +(양)극성과 -(음)극성을 가지고 있는 경우는 +(양)극성의 전압 만을 마이컴(마이크로 컴퓨터)에 입력하기 위해 삽입하여 놓은 것이다. 콘덴서 C와 저항 R3는 입력 신호의 잡음을 제거하기 위해 노이즈 필터(filter) 용으로 삽입하여 놓았다. 따라서 가변 저항의 변화에 따라 P점의 입력 신호 전압은 전류 제한 저항 R1 노이즈 필터(noise filter)를 통해 A/D 컨버터의 입력 단자로 입력하게 되는 인터페이스 회로이다.

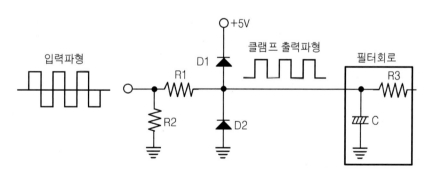

　🔻 그림1-13 다이오드 클램프 회로(예)

　그림〔1-14〕의 회로는 엔진 ECU의 WTS(냉각 수온 센서)의 입력 인터페이스 회로 사용되는 회로로 그림〔1-12〕회로와 같이 가변 저항을 사용한 TPS(스로틀 포지션 센서)의 입력 인터페이스 회로와 유사한 것을 알 수 있다. 입력 인터페이스 회로에는 저항 R1를 통해 정전압 전압 +5V를 수온 센서에 공급하여 수온 센서의 저항값이 변화에 따 라 P점의 전위가 변화하는 것을 마이컴(마이크로 컴퓨터)이 판독 할 수 있도록 되어 있는 회로이다. 여기서 저항 R2는 페일 세이프(fail safe) 저항으로 수온 센서의 단선에 의 해 엔진 회전이 불안정하거나 시동이 꺼지는 것을 방지하기 위해 수온 센서의 중간 정도 범위의 저항값을 설정하여 수온 센서의 저항값 대신 사용하고 있는 저항이며, 저항 R3는 회로 보호를 위한 전류 제한용으로 사용하고 있는 저항이다.

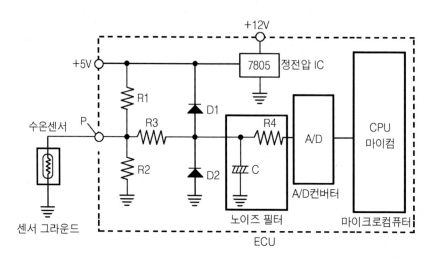

🔺 그림1-14 ECU의 저항 입력 회로(수온센서 예)

다이오드 D1과 D2는 클램프(clamp)용 다이오드로 입력 신호 전압이 +(양)극성과 −(음)극성을 가지고 있는 경우는 +(양)극성의 전압만을 마이컴(마이크로 컴퓨터)에 입력하기 위해 삽입하여 놓은 것이다. 콘덴서 C와 저항 R3는 입력 신호의 잡음을 제거하기 위해 노이즈 필터(filter) 용으로 삽입하여 놓았다. 이 회로의 동작은 수온 센서가 엔진 냉각수의 온도 변화에 따라 저항값이 변화하면 P점의 전압은 저항 R1과 수온 센서의 저항값의 분압에 따라 변화하게 되어 노이즈 필터를 통해 A/D 컨버터로 입력하게 된다. 이렇게 입력된 수온 센서의 신호 전압은 A/D 컨버터에 의해 디지털 신호로 변환되어 마이컴(마이크로 컴퓨터)의 입력 포트로 입력되게 되는 회로이다.

■ 3. ECU의 출력 회로

ECU(전자 제어 장치)의 입력측에 연결되는 센서(sensor) 신호는 ECU의 내부에 있는 마이크로 컴퓨터(micro computer)의 입력 인터페이스 회로를 통해 마이크로 컴퓨터의 입력 포트(port)에 연결되어 센서 신호들을 입력포트(port)로 전달하게 한다. ECU(전자

제어 장치) 출력측에는 설정된 목표값을 제어하기 위해 마이컴(마이크로 컴퓨터)의 출력포트(port)로부터 출력 되는 신호 전압을 다링톤 트랜지스터(darlington transistor)나 FET(field effect transistor)를 사용한 드라이브 회로를 통해 솔레노이드 밸브, 인젝터, 모터, 릴레이 등과 같은 액추에이터(actuator)를 구동하고 있다.

실제로 마이크로 컴퓨터의 출력 포트로부터 출력되는 신호 전류는 수백 nA ~ 수 μA 정도의 대단히 작은 전류 신호로 스몰 시그널 트랜지스터(small signal transistor)의 1개 정도를 연결(fan in)하여 구동할 수 있는 작은 량이므로 대전류용 트랜지스터를 구동하기 위해서는 별도의 버퍼(buffer) 회로가 필요로 하게 된다.

그림〔1-15〕의 (b)회로는 가장 대표적으로 사용하는 트랜지스터(transistor)식 구동 회로로 마이크로 컴퓨터의 출력 포트(port) 측에는 드라이브 회로를 구동할 수 있는 버퍼(buffer)가 연결되어 있다.

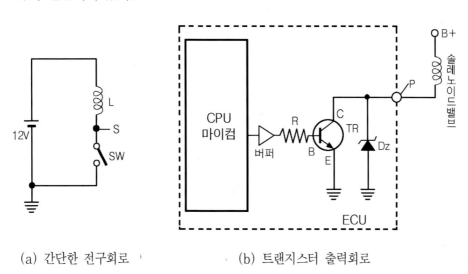

(a) 간단한 전구회로   (b) 트랜지스터 출력회로

그림1-15 트랜지스터 출력회로

버퍼의 출력 측에는 전류 제한 저항 R이 트랜지스터의 베이스(base)와 연결되어 TR(트랜지스터)를 구동하도록 하고 있다. TR(트랜지스터)의 출력 측에는 서지(surge)전압은 제거하기 위한 제너 다이오드(zener diode) Dz가 연결 되어 있어서 코일(coil) 측에서 발하는 서지 전압을 차단하고 있다.

트랜지스터의 컬렉터(collector) 측에는 ECU의 출력 측으로 솔레노이드 밸브

(solenoid valve)가 연결되어 외부로부터 배터리(battery) 전원을 공급하도록 하고 있다. 이 회로의 동작은 마이컴(마이크로 컴퓨터)의 출력 포트(port)로부터 출력되는 신호 전압이 게이트(5V의 신호 전압이 출력) 되면 버퍼(buffer)를 거쳐 전류 저항 R에 가해지게 된다.

▲ 사진1-7 ECU의 드라이브 TR

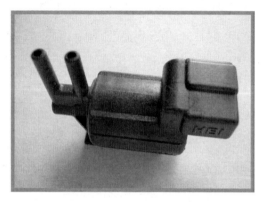

▲ 사진1-8 솔레노이드 밸브

이 전압 레벨은 TR(트랜지스터)의 베이스(base) 전류를 충분히 흐르게 하여 트랜지스터는 스위칭 ON 상태가 된다. TR(트랜지스터)가 ON 상태가 되면 ECU의 외부로부터 공급되고 있던 배터리의 전원 B+(12V)은 솔레노이드 코일을 통해 TR의 컬렉터(collector)에서 이미터(emitter)로 전류가 흐르게 되고 결국 솔레노이드 밸브는 통전을 하게 된다.

이와 반대로 마이크로 컴퓨터의 출력 포트(port)에서 출력 신호 전압 레벨이 0V가 되면 버퍼(buffer)를 거친 저항 R에도 0V가 되어 TR를 턴온(turn on) 시킬 수 없게 된다. 이렇게 TR(트랜지스터)가 OFF 상태가 되면 외부로부터 솔레노이드 밸브에 공급되고 있는 배터리의 전원 공급 전류는 차단되어 결국 솔레노이드 밸브는 동작을 멈추게 하는 회로이다.

이러한 TR(트랜지스터)식 출력 회로는 그림〔1-15〕와는 달리 그림〔1-16〕의 (b)와 같이 PNP형 TR를 사용하는 경우도 있는데 동작은 그림〔1-15〕의 NPN TR를 사용한 구동 회로와 동일하다. 먼저 마이컴(마이크로 컴퓨터)의 출력 포트(port)로부터 출력되는 신호 전압이 게이트(5V의 신호 전압이 출력) 되면 버퍼(buffer)를 거쳐 TR의 베이스

(base)에 가해지게 된다. 이때 베이스(base)에 가해진 전압은 베이스(base) 전류를 차단하여 TR는 OFF 상태가 된다. 반대로 마이컴(마이크로 컴퓨터)의 출력 포트로부터 신호 전압이 게이트 되지 않으면(0V 전압이 출력 하게 되면) 버퍼(buffer)의 출력측에도 0V가 돼 TR(트랜지스터)의 베이스 전류는 흐르게 된다. 베이스(base)전류는 TR를 턴-온(turn on) 시켜 ECU의 외부로 공급되는 전원은 TR(트랜지스터)의 이미터(emitter)에서 컬렉터(collector)로 전류가 흐르게 돼 솔레노이드 밸브를 구동하게 하는 회로이다.

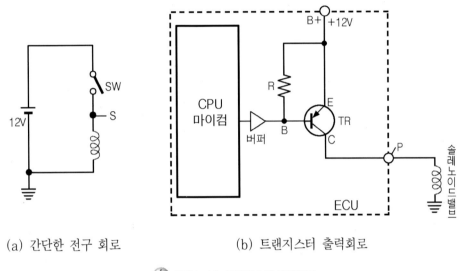

    (a) 간단한 전구 회로   (b) 트랜지스터 출력회로

▲ 그림1-16 트랜지스터 출력회로

   그림[1-17]의 회로는 언헨스먼트(enhencement)형 N 채널 MOS FET를 사용한 출력 드라이브 회로로 FET(field effect transistor)는 트랜지스터의 베이스 전류 증폭에 의해 스위칭되는 것과 달리 게이트(gate) 전압을 통해 소스(source)에서 드레인(drain)으로 이동하는 전자 캐리어(carrier)의 량을 채널(channel)을 통해 전류의 량을 제어하는 방식으로 대전류 제어에 유리하다.

   그림[1-17]의 회로는 마이크로 컴퓨터의 포트(port)을 통해 TR(트랜지스터)를 스위칭하고 TR의 스위칭 전압에 의해 N채널 MOS FET를 게이트 하는 구조로 되어 있는 회로이다. MOS FET의 게이트와 드레인에는 스위칭 타임이 빠른 쇼트키 다이오드(schottky diode)를 삽입하여 FET가 ON상태가 될 때 게이트에 존재하는 포유용량에 의해 전하가 축적되는 일이 없도록 하여 신호 전압의 변환 시간을 단축하기 위한 것이다.

MOS FET의 게이트 저항은 게이트의 전류 제한 저항으로 사용한 것이며 소스 저항은 턴
-오프(turn off)시 스위칭 타임을 단축하기 위해 사용한 것이다.

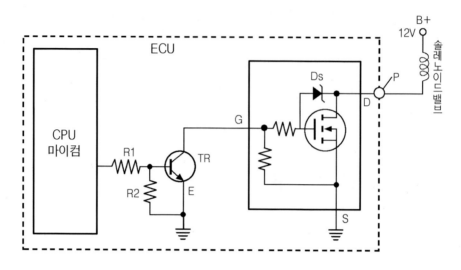

🔺 그림1-17 FET 출력 회로

그림[1-17]의 사각형 안의 MOS FET 회로는 실제로는 IC화(집적화) 되어 있어 이
부품의 리드(lead)는 게이트, 소스, 드레인이 3개의 리드로 되어 있어 하나의 MOS
FET처럼 사용하고 있다. 이 회로의 동작은 마이컴(마이크로 컴퓨터)의 포트(port)를 통
해 마이컴의 전원 전압 레벨인 +5V의 게이트 전압이 출력 되면 저항 R1을 거쳐 TR(트
랜지스터)의 베이스에 가해지게 되고 TR은 ON 상태가 돼 FET의 게이트(gate) 전압을
거의 0V(어스 전위) 상태로 강하 시킨다.

이렇게 FET의 게이트 전압이 0V가 되면 N채널 MOS FET의 닫혀 있던 채널이 열려
소스(source)의 전자는 드레인(drain)으로 이동하게 된다. 즉 MOS FET는 ON상태가
되어 외부로부터 솔레노이드 밸브에 공급되어 있던 배터리 +B(12V)의 전원은 솔레노이
드 밸브의 코일을 통해 MOS FET의 드레인(drain)에서 소스(source)로 흐르게 돼 솔
레노이드 밸브는 구동하게 된다. 이와는 반대로 마이컴의 포트(port)로부터 0레벨인 0V
가 출력 되면 이 전압 레벨은 TR의 베이스(base) 전류를 흘릴 수 없게 되어 결국 TR은
OFF 상태가 되고 MOS FET의 게이트(gate) 전압은 상승하게 돼 채널(channel)을 닫
히게 한다.

즉 FET의 채널에 의해 OFF 상태가 되어 솔레노이드 밸브에 공급되어 있던 전원 전류를 차단하게 된다. 이 회로에 사용된 언헨스먼트(enhencement)형 MOS FET는 소스와 드레인 사이에 채널(channel)이 형성 되어 있지 않아 스위칭 소자로 많이 사용하고 있는 FET 방식이다.

그림[1-18]의 회로는 트랜지스터(transistor)를 이용한 전류 제어식 인젝터(injector) 구동 회로로 다른 회로에 달리 2개의 TR(트랜지스터)를 사용하고 있는 회로이다. 트랜지스터 TR2는 인젝터를 구동하기 위한 드라이브용 트랜지스터이고 TR1은 TR2의 컬렉터 전류를 증폭하기 위한 트랜지스터로 사용하고 있다. 또한 트랜지스터 TR3는 인젝터 코일(injector coil)에서 발생하는 서지 전압을 바이패스 하기 위해 사용한 TR(트랜지스터)이다.

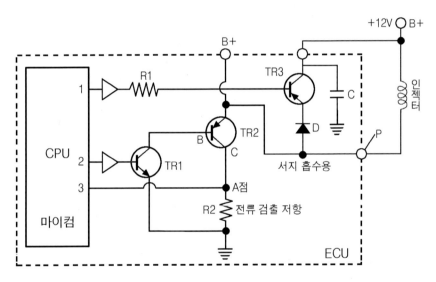

🔺 그림1-18 트랜지스터 출력 회로

그림[1-19]에서 이 회로의 동작을 살펴보면 마이컴의 출력 포트 2(port 2)에서 출력 전압이 게이트 되면(+5V의 출력 전압이 출력 되면) 버퍼(buffer)를 거쳐 트랜지스터 TR1의 베이스(base)로 흐르게 되고 이 베이스(base) 전류는 트랜지스터 TR1를 ON 시키게 된다. 트랜지스터 TR1이 ON 상태가 되면 트랜지스터 TR2의 이미터(emitter)에 공급되어 있던 전원 전압 B+에 의해 TR2의 이미터(emitter) 전류는 TR1의 컬렉터 전류가 흐르게 되어 트랜지스터 TR2는 ON상태가 된다.

트랜지스터 TR2가 ON 상태가 되면 인젝터(injector)에 공급되어 있던 외부의 배터리의 B+ 전원은 인젝터를 통해 TR2의 이미터 전류는 어스(earth)로 흐르게 되어 인젝터는 구동하게 된다. 여기서 TR2의 컬렉터에는 다른 회로에서 볼 수 없는 저항 R2가 삽입되어 있어서 저항 R2의 A점의 전압은 인젝터 코일(injector coil)의 초기 전류 변화에 의해 증가하게 되고 증가된 전압은 마이컴(마이크로 컴퓨터)의 포트 3(port 3)을 통해 인젝터 코일에 흐르는 전류를 검출하고 있다.

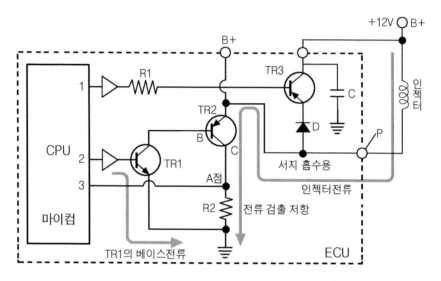

△ 그림1-19 출력회로의 동작(전류제어용 회로)

반면 마이컴의 포트 2(port 2)에서 0V를 출력 하면 TR1은 OFF 상태가 되고 TR1의 컬렉터 전압에 의해 TR2도 OFF 상태가 된다. TR2가 OFF 상태가 되면 인젝터(injector)에 공급 되어 있던 B+의 전원 전압의 전류는 TR2에 의해 차단 상태가 된다. 이 회로에서 TR2의 컬렉터(collector)에 저항 R2를 삽입한 것은 인젝터 코일(injector coil)에 흐르는 전류를 감지하여 인젝터가 작동 영역에 들어가는 것을 마이컴의 포트 3(port 3)을 통해 검출하여 인젝터가 작동 영역에 들어간 것을 확인하고 마이컴의 포트 2(port 2)를 통해 약 20kHz의 주파수로 신호 전압을 출력하여 인젝터(injector)의 구동을 지속시키는 방식으로 이러한 방식의 출력 회로를 사용한 ECU(전자 제어 장치)는 스코프(scope)를 사용하여 파형을 관측하면 인젝터 구동 파형이 한 주기 동안 ON, OFF를 반복하는 모습을 띠고 있는 것을 볼 수가 있다.

또한 전류 검출 저항 R2는 인젝터 코일(injector coil)의 단선, 단락을 검출 하여 마이컴의 통신 라인을 통해 전송 할 수가 있어 ECU의 진단 장비인 스캔(SCAN)에 의한 고장 점검시 편리한 이점이 있다. 여기서 사용하는 TR3의 회로는 인젝터 코일에서 발생하는 서지 전압을 흡수하기 위해 TR3의 이미터 전류가 흐르도록 한 회로이다.

■ 4. ECU의 그라운드

전기에서 말하는 어스(earth)란 대지의 접지와 같이 넓은 의미에서 사용되는 것을 의미하며 그라운드(ground)란 전자 기기나 ECU와 같이 좁은 의미에서 사용되는 접지를 말하지만 많은 사람들은 대개 어스와 그라운드(ground) 구분 없이 사용하고 있는 것이 현실이다.

최근 자동차 전장 회로에는 ECU(전자 제어 장치)의 사용 증가로 접지의 종류를 파워 그라운드(power ground), 시그널 그라운드

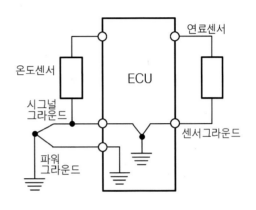

▲ 그림1-20 전자제어장치의 어스

(signal ground), 센서 그라운드(sensor ground)로 분류하여 표기하는 것을 많이 볼 수 있는데 이것은 회로의 노이즈(noise)에 의한 신호의 오작동 및 회로의 안정을 기하기 위한 것으로 전원과 관련이 있는 회로 또는 부품의 접지는 그림[1-20]과 같이 파워 그라운드(power ground)로 구분하여 같이 사용하고 센서의 출력 신호가 아날로그(analog) 신호인 경우에는 센서의 접지는 시그널 그라운드(signal ground)선으로 구분하여 연결해 사용하고 있다.

센서의 신호가 외부의 신호에 민감한 센서의 경우에는 센서 그라운드(sensor ground)로 구분하여 접지에 의한 노이즈를 최소화 하고 외부의 노이즈를 차단하기 위해 정전 차폐에 우수한 실드선(shield wire)을 이용하는 경우도 있다. 특히 자동차에서 접지(어스)는 회로의 동작에 직접 영향을 미치는 중요한 부분으로 접지(어스)의 연결 상태와 접지 저항을 최소화 하도록 하여야 한다.

point ●

●

ECU의 회로

1 ECU의 내부 회로

① ECU의 내부 회로 구성

- 마이컴 : ROM 내에 미리 설정된 정보를 제어하기 위한 마이크로컴퓨터
- 입력 인터페이스 회로 : ECU의 입력신호를 마이컴이 인식할 수 있도록 마이컴의 입력포트에 구성하는 회로
- 출력 드라이브 회로 : 액추에이터를 구동하기 위한 출력 구동회로

※ 마이크로 컴퓨터를 줄여서 마이컴 또는 CPU라고도 표현하기도 한다.

② 입력 인터페이스 회로

- 스위치 입력회로 : 입력측 SW의 ON, OFF를 인식하는 회로
- 디지털 신호 입력회로 : 디지털 신호의 주기 또는 반주기를 계수하는 회로
- 아날로그 신호 입력회로 : 전압 변환 신호를 디지털 신호로 변환하는 회로

③ 출력 드라이브 회로

- 트랜지스터 출력 회로 : TR의 스위칭 작용을 이용하여 출력측에 액추에이터를 구동하기 위한 스위칭 회로
- 전류 제어식 출력 회로 : 솔레노이드 밸브 또는 인젝터 등의 무효 동작 시간을 감소하고 코일을 보호하기 위한 회로(코일에 흐르는 전류량을 마이컴이 감지하여 출력측 전류를 펄스 신호로 제어하는 회로)
- MOS FET 출력 회로 : 언헨스먼트형 FET를 사용하여 드레인 누설 전류를 감소하고 대전류의 스위칭에 적합한 회로
- 스텝 모터 제어 회로 : 스텝 모터를 제어하기 위해 특별히 설계한 회로 또는 모터 제어 IC

※ TR(트랜지스터) : 전류 증폭을 이용한 스위칭 또는 증폭 소자

　FET(전계 효과 트랜지스터) : 게이트의 전계의 세기에 따라 채널 폭을 조정 하여 전류량을 제어하는 것을 이용한 전압 증폭 소자

2 ECU의 그라운드

① 어스와 그라운드

- 어스 : 넓은 의미에서 사용되는 대지의 접지를 의미하며
- 그라운드 : 좁은 의미에서 사용되는 전자장치의 접지를 의미한다.

② 파워 그라운드 : 전원공급에 필요한 접지

③ 시그널 그라운드 : 아날로그 출력 신호를 가지고 있는 센서에 필요한 접지

④ 센서 그라운드 : 잡음원에 민감한 센서에 필요한 접지

ECU의 통신 방식

1. 자기 진단

과학의 발달과 더불어 환경오염은 지구촌이 해결해야 하는 공동의 과제로 등장하기 시작하면서 자동차의 대기 오염 또한 주목 받기 시작하였다. 환경오염에 책임을 맡고 있는 미국의 캘리포니아 대기 자원국(CARB : California Air Resources Board)은 자동차로부터 배출되는 배출가스의 법규를 엄격히 정하여 판매하도록 허가 하고 있다.

그러나 배출 가스는 눈으로 쉽게 식별 할 수 없기 때문에 자동차의 배출가스와 관련이 있는 부품이 이상이 발생하는 경우 경고등을 통해 운전자에게 쉽게 알려 정비 공장에 입고하도록 유도하여 배출가스 관련 부분을 수리 받도록 하는 법규를 제정하게 되었다. 따라서 배출가스 관련 부품이 고장이 발생이 되는 경우 고장 내용에 따라 고장 코드(DTC : Diagnostics Trouble Code)를 정하여 고장 내용에 따라 자동으로 엔진 ECU(전자 제어 장치)에 기록 되도록 하고 있다.

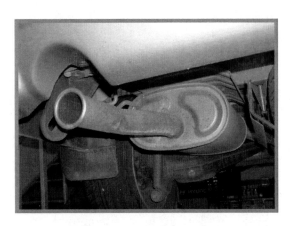
🔺 사진1-9 자동차의 머플러

🔺 사진1-10 배출가스 테스터

이와 같이 배출가스 규제 법규를 가능하게 한 것은 컴퓨터의 발달에 기인한 것으로 배출가스 장치에 이상이 발생하는 경우 DTC(고장 코드)를 엔진 ECU에 기록하도록 한 것이 OBD(on board diagnosis)이다. 그러나 OBD-Ⅰ은 배출 가스 관련 부품이 이상 유

무 만을 가지고는 배출 가스가 규정치 범위에 있는지 확인할 수 있는 방법이 없어 자동차의 배출 규제에 관련이 있는 부품의 성능을 항상 모니터하는 방법을 생각하게 되었다. 이같은 과제로 CARB(캘리포니아 대기 자원국)은 1996년 출고 되는 자동차부터 배출 가스 관련 장치의 성능이 정상인지를 모니터링이 가능하도록 의무화 한 것이 OBD-Ⅱ이다.

따라서 최근의 자동차는 배출가스 관련 장치뿐만 아니라 엔진 ECU(전자 제어 장치)의 입·출력 센서 및 액추에이터를 모니터링 하여 자기 진단에 의한 DTC(고장 코드)와 서비스 데이터를 스캔(SCAN) 장비를 통해 확인하여 정비성을 향상하게 되었다. 엔진 ECU 와 스캔(SCAN) 장비와의 통신 방식(protocol)은 시닐 통신 방식으로 SAE(미국 자동차 기술협회)는 OBD-Ⅱ의 조건에 맞게 각 제조사의 자동차에 표준화 모델을 채택하도록 의무화 하고 있다.

OBD-Ⅱ의 표준화는 통신 방식(protocol)의 통일, DTC 코드의 용어 통일, freeze fram 기능(DTC 발생시 ECU에 기록), ready test 기능(배출가스장치의 모니터링), 배출가스 제어장치의 현재 파라미터(data list)값 표시 기능, MIL(Malfunction Indicator Lamp) 경고등 기능 확장, 16편 진단 커넥터 사용 등을 표준화 하도록 하였다.

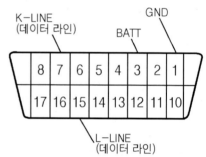

▲ **그림1-21 자기진단 커넥터**

2. 고장 진단

차량이 주행중 엔진 ECU 장치(전자 제어 장치)에 이상이 발생하면 치명적인 손상을 입을 수 있기 때문에 이를 방지하기 위해 하드웨어 및 소프트웨어를 보완하여 사용하고 있다. 만일 입력측 센서에 이상이 있는 경우를 엔진 ECU가 감지를 하게 되면 ECU 내의 마이크로 컴퓨터는 프로그램의 코드가 저장된 플래시 메모리(flash memory)에 정보를 code check sum를 계산하여 원래의 check sum 값과 비교하여 서로 다른 경우에는 DTC(고장 코드)를 띄워서 플래시 메모리에 저장된 데이터의 결함에 의한 오동작을 사전에 검출하여 엔진의 오동작을 미연에 방지하고 있다.

이와 같이 ECU 내의 마이크로 컴퓨터는 프로그램이 순차적으로 진행하는 동안 ECU 의 입력 정보에 이상 징후를 발견 하게 되면 마이크로 컴퓨터의 동작 시스템(operating system)은 시스템 프로그램을 다시 시작하게 된다. 또한 하드웨어적으로는 각종 보상 회로가 내장되어 있으며 전원 공급 상태를 감지하는 워치 독(watch dog) 회로를 내장하여 ECU의 이상 여부를 감시하고 있기도 하다.

사진1-11 스캔툴(자기진단장비)

사진1-12 자기진단커넥터

ECU는 입력측 센서로부터 입력되는 센서의 신호가 스펙(규격) 범위를 넘어서게 되면 ECU는 센서의 신호를 고장으로 판단하고 이상 출력을 발생하여 주행 불능 상태가 되지 않도록 페일 세이프 모드(fail safe mode)로 들어가게 된다. 이때 입력측 신호가 그림 〔1-22〕의 TPS(스로틀 포지션 센서) 값이 한계 범위를 벗어나 입력되게 되면 ECU 내의 마이크로 컴퓨터는 센서의 입력 신호(Cmin < 규정값 범위< Cmax)를 연산하여 어스 단선, 단락 또는 전원과 단선, 단락 신호를 판단하여 DTC(고장 코드)를 띄우게 된다.

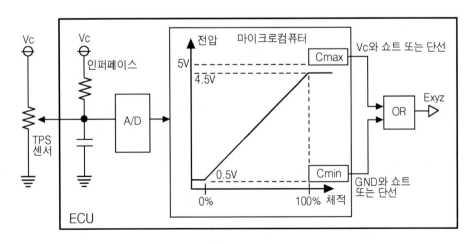

그림1-22 TPS센서의 자기진단(예)

또한 ECU의 출력측에도 그림[1-23]의 예와 같이 액추에이터가 단선 또는 단락을 감지 할 수 있는 검출 회로가 구성되어 있어서 액추에이터의 구동에 이상이 발생하면 ECU는 자기 진단 검출 회로를 통해 액추에이터가 한계치를 벗어났는지를 확인하고 이상이 있는 경우에는 고장 내역의 해당 DTC(고장 코드)를 RAM 메모리 또는 플래시 메모리에 저장하도록 하고 있다. 예를 들면 그림[1-23]과 같이 자기 진단 검출 회로를 통해 이상 신호가 0.5초(500ms)이상 마이크로 컴퓨터에 입력되게 되면 마이크로 컴퓨터는 입력된 신호가 어스와 단선, 단락 및 전원과 단선, 단락을 판단하여 에러 플래그 레지스터를 띄우고 고장 내역의 해당 DTC(고장 코드)를 RAM 메모리에 저장한다.

이렇게 저장된 DTC(고장 코드)는 스캔 장비를 통해 읽어 낼 수 있어 현재 ECU의 상태를 알 수가 있는 것이다.

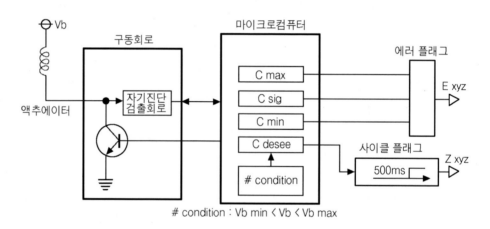

그림1-23 액추에이터의 자기진단(예)

자기진단

1 ECU의 자기 진단

1. **OBD** : on board diagnosis의 약자로 배출 가스 장치와 관련이 있는 부품이 이상이 발생되는 경우 해당 DTC(고장 코드)를 엔진 ECU에 기록하도록 한 것
   - OBD Ⅱ : 배출 가스 장치와 관련이 있는 부품의 성능이 정상인지를 항상 모니터링 할 수 있도록 OBD 기능을 향상 한 것.

　　※ MIL : mal function indicator lamp(엔진 경고등 기능 램프)

2. **페일 세이프** : fail safe 모드는 ECU의 장치에 이상이 생기면 승객의 안전을 위해 안전 모드로 실행되는 프로그램을 말한다.

2 ECU의 고장 진단

1. **입력측 스캔** : 센서의 규정값을 메모리에 저장하여 두고 입력된 센서의 신호를 규정 값과 비교하여 규정치를 벗어나면 와이어 하니스의 단선, 단락을 판단하여 해당 DTC 코드를 메모리 에 저장하게 된다.

2. **출력측 스캔** : ECU의 출력측 회로에는 자기 진단 검출 회로가 구성되어 있어서 액 추에이터의 출력값이 한계치를 벗어나면 액추에이터의 단선, 단락을 판단하여 해당 DTC 코드를 메모리에 저장하게 된다.

   • ECU의 입력과 출력측 신호가 이상이 있는 경우는 ECU가 오동작으로 인해 주행 불능 상태가 되지 않도록 페일 세이프 모드로 진입하게 한다.

3. LAN 통신

　과학의 발달은 자동차의 고성능화는 물론 안전성, 편의성, 쾌적성, 친환경성 등 인간이 추구하는 미래형 자동차를 끊임없이 진보시켜 오면서 그에 따른 각종 전장 부품들이 크게 증가하기 시작하게 되었다. 자동차의 전장품(전기장치의 부품) 증가는 와이어 하니스 (wire harness)와 커넥터(connector)의 수를 크게 증가시키게 되면서 차량의 중량 및 자동차의 고장 발생 가능 부분이 그 만큼 증가하게 되었다. 따라서 각 자동차 제조 메이커 들은 차량의 중량을 최소화 하고 고장 발생 가능 부분을 최소화하기 위해 연구하기 시작 하면서 와이어 하니스(wire harness)와 커넥터(connector) 수를 크게 줄이기 위한 방 법을 고안하게 되었다.

　이렇게 고안 된 시스템이 그림〔1-24〕와 같이 컴퓨터를 통해 부하를 제어하는 멀티플렉 스 시스템(multiplex system)이다. 멀티플렉스 시스템은 그림〔1-24〕의 개념도에 나타 낸 것과 같이 다수의 조작되는 입력 스위치나 센서의 입력을 컴퓨터가 수신하고 수신된 신호를 하나의 통신 라인을 통해 여러 개의 컴퓨터를 관리하고 명령의 수행을 지시 받은 컴퓨터는 해당 부하를 구동하므로 와이어 하니스(wire harness)와 커넥터(connector) 를 대폭 감소시킬 수 있게 되어 있다. 즉 기존의 방식의 경우는 조작되는 입력 스위치에 따라 각기 구동에 필요한 전원선이 각각의 부하에 필요하게 되는데 이 멀티플렉스 시스템 을 이용하면 하나의 전원선 만으로도 통신 라인을 통해 다수의 부하를 구동 할 수가 있다.

따라서 기존의 사용하던 전원선 및 신호선의 와이어 하니스와 커넥터 수를 대폭 감소 할
수 있게 되었다.

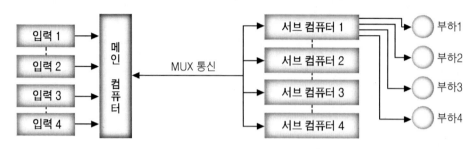

🔺 그림1-24 MUX 시스템의 개념도

이렇게 컴퓨터와 컴퓨터가 통신 라인을 통해 제어하는 멀티플렉스 시스템이 도입이 되
면서 자동차의 보안성, 신뢰성이 우선시 되어야 하는 특수성 때문에 자동차에 사용되는
통신 방식은 신호의 충돌이나 외부로부터의 잡음 영향에 신뢰성이 우수해야 하는 필요성
을 갖게 되었다. 이러한 목적을 배경으로 자동차 전장품의 전용으로 개발된 직렬 통신 방
식이 LAN(local area network) 통신과 CAN(controller area network) 통신 방식
이다.

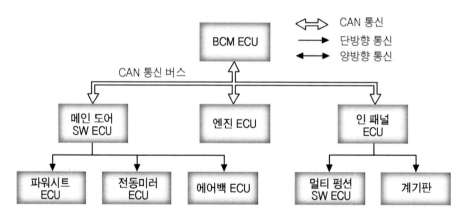

🔺 그림1-25 MUX 시스템의 통신 LINE 구성도

표 (1-1)은 LAN 통신과 CAN 통신의 제원을 비교하여 놓은 것으로 모두 버스형 네트
워크에 데이터가 충돌이 발생하지 않도록 CSMA(Carrier Sensing Multiple Access)

방식을 채택하고 있으며 오류 검출은 LAN 통신 방식은 8비트 CRC(Cyclic Redundancy Check)비트를 사용하고 있지만 CAN 통신 방식은 15비트 CRC 비트를 사용하고 있어 CAN 통신 방식이 에러 검출이 강화되어 있는 것을 볼 수 있다

[표1-1] LAN과 CAN통신의 사양 비교		
제 원	사 양	
	LAN 통신방식	CAN 통신방식
NETWORK 형태	BUS형	BUS형
전송 매체	Twisted pair wires	Twisted pair wires
전송 속도	62.5 Kbps	50 Kbps
부호화 방식	NRZ 방식	NRZ 방식
ACCESS 방식	CSMA / CD	CSMA / CD
우선 순위 제어	NDA(비파괴 조정)	NDA(비파괴 조정)
오류 검출 방식	8 bit CRC CHECK	15 bit CRC
동기 방식		bit stuffing
데이터의 길이	4 BYTE	MAX 8 BYTES

LAN 통신의 데이터 프레임 구성은 그림[1-26]과 같이 8비트의 SOF(start of frame) 비트를 시작으로 해당 데이터 프레임의 우선순위를 결정하는 8비트의 PRI (priority) 비트와 해당 데이터 프레임의 형식을 결정하는 8비트의 TYPE 비트로 구성되어 있다.

8bit	8bit	8bit	8bit	4byte			8bit
SOF	PRI	TYPE	ID	DATA	CRC	ANC	EOF

(a) LAN통신 데이터 프레임 구성

1bit	24bit	12bit	max 8byte	32bit	4bit	7bit
SOF	AFTF	CF	DATA	CRC	ACK	EOF

(b) CAN 통신 데이터 프레임 구성

데이터 프레임

그림1-26 LAN통신과 CAN통신의 데이터 프레임 구성

일반적으로 LAN 통신의 형식은 노말 프레임(normal frame) 모드로 40H 값이 세팅되어 있다. 데이터 전송에는 컴퓨터와 수신 할 수 있는 컴퓨터 고유의 ID 비트가 필요하게 되는데 이것은 최대 255개의 컴퓨터와 LAN 통신을 할 수 있다는 의미이기도 하다.

CRC(Cyclic Redundancy Check) 비트는 송신된 데이터를 확인하기 위해 송신과 동시에 수신을 하여 모니터링하고 데이터의 에러를 검출하게 되고 만일 에러로 인식을 하게 되면 데이터 송신을 중단하게 된다. ANC(Acknowledge for Network Control) 비트는 각 컴퓨터로부터 수신된 데이터의 프레임에 에러가 없는 경우 ANC 비트를 송신하게 되고 EOF(End Of Frame) 비트는 데이터 프레임의 종료를 선언하는 비트이다.

point ○

LAN 통신의 데이터 프레임

① SOF 비트 : 데이터의 개시를 선언하는 비트
② PRI 비트 : 데이터 프레임의 우선순위를 결정하는 비트
③ TYPE 비트 : 데이터 프레임의 형식 결정하는 비트
④ ID 비트 : 컴퓨터와 통신하기 위한 컴퓨터의 고유 ID 비트
⑤ DATA 비트 : 명령을 수행하기 위한 비트
⑥ CRC 비트 : 에러를 검출하기 위한 비트
⑦ ANC 비트 : 에러 검출을 확인하여 주는 비트
⑧ EOF 비트 : 데이터 프레임의 종료를 선언하는 비트

4. CAN 통신

CAN(controller area network) 통신은 차량 내의 다수의 컴퓨터와 직렬 통신을 하기 위한 목적으로 독일의 보쉬(BOSCH)사가 개발하여 표준화시킨 통신 방식(protocol)이다.

이 방식은 컴퓨터와 컴퓨터간 데이터 충돌 없이 통신이 가능하고 컴퓨터의 부하에 부담 없이 제어가 가능하며 전송 데이터의 에러 검출 능력을 갖고 있다는 장점 때문에 현재 에는 차량 통신의 대표적인 통신 방식으로 사용되고 있는 멀티플렉스 통신 방식이다.

CAN 통신 라인은 그림〔2-27〕과 같이 2개 선을 꼬아(twist pair wire) ECU(컴퓨터)와 ECU(컴퓨터)간 연결하여 데이터 버스는 반이중 통신(half duplex) 방식을 이용

하여 짧은 데이터를 전송하는 고속 응답 시스템에 적합하여 실시간 제어가 가능하며 통신 시간은 약 10ms~30ms 정도의 전송 시간을 가지고 있다. 또한 자동차 내의 전기적 인 노이즈(noise)의 환경에 적합하도록 에러 검출 및 에러 보정 기능을 가지고 있다.

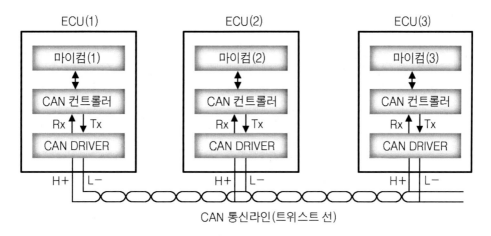

그림1-27 CAN 통신 네트워크

CAN 통신의 데이터 접근 방식은 CSMA/CD(Carrier Sensing Multiple Access / Collision Detection) 방식을 사용하고 있어 송신할 데이터가 있는 ECU는 CAN 통신 상에 버스가 아이들(bus idle) 상태에 있는지를 확인하기 위해 캐리어 비트(carrier bit) 를 버스상에 송신하여 충돌이 없는 경우 데이터의 송신을 개시하도록 하는 방식을 채택하 고 있다

만일 ECU가 CAN 버스 상에 여러 개의 ECU가 동시에 데이터를 송신하는 경우는 데 이터를 송신한 ECU는 비트 열을 송신과 함께 수신 비트 열을 모니터링 하여 데이터의 충 돌이 발생하는 경우 다른 비트 열을 수신하게 되면 데이터의 충돌을 피하기 위해 즉시 송 신을 중단하게 된다. CAN 통신 라인에 데이터 버스가 동시에 ECU의 사용을 요구하는 경우는 AF(Arbitration Field)에 있는 ID(식별자)의 순번을 확인하여 먼저 처리할 데 이터의 우선순위를 결정하게 된다.

CAN 통신의 데이터 프레임 구조는 그림[1-28]과 같이 되어 있으며 버스의 시작을 알 리는 SOF(Start Of Frame) 비트를 시작으로 다음 AF(arbitration field : 중재 필드) 비트가 전송되며 AF(중재 필드) 비트에는 11비트의 ID(식별자) 비트와 1비트의

RTR(Remote Transmission Request) 비트를 가지고 있다.

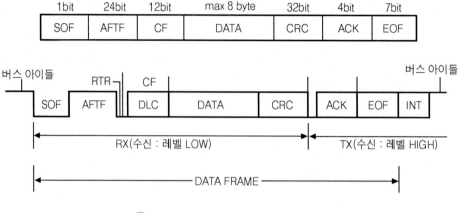

1bit	24bit	12bit	max 8 byte	32bit	4bit	7bit
SOF	AFTF	CF	DATA	CRC	ACK	EOF

그림1-28 CAN통신의 프레임 구조

RTR 비트는 원격 전송 요구 비트로 RTR 비트가 "0" 인 경우는 버스는 데이터 프레임을 나타내며 "1" 이면 버스는 원격 전송 요청을 나타낸다. 6비트의 CF(Control Field) 비트는 데이터의 예약에 필요한 2개의 비트와 데이터 비트의 바이트(Byte) 수를 나타내는 4비트의 DLC(Data Length Code) 비트로 구성되어 있다. DF(Data Field)는 ECU의 명령을 실행하기 위한 비트로 8바이트(64 비트)로 구성되어 있으며 17비트의 CRC(Cyclic Redundancy Check) 비트는 송신된 데이터를 확인하기 위해 송신과 동시에 수신을 하여 모니터링하고 데이터의 에러를 검출하고 있다. 이때 만일 에러로 인식을 하게 되면 데이터 송신을 중단하게 된다.

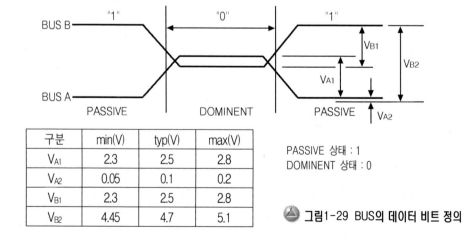

구분	min(V)	typ(V)	max(V)
V_{A1}	2.3	2.5	2.8
V_{A2}	0.05	0.1	0.2
V_{B1}	2.3	2.5	2.8
V_{B2}	4.45	4.7	5.1

PASSIVE 상태 : 1
DOMINENT 상태 : 0

그림1-29 BUS의 데이터 비트 정의

ANC(Acknowledge for Network Control) 비트는 2비트로 구성 되며 첫째 비트는 슬롯 비트(slot bit)로 데이터를 성공적으로 수신하면 1로 세트 되며(각 컴퓨터로부터 수신된 데이터의 프레임에) 에러가 없는 경우 ANC 비트를 송신하게 되고 두 번째 비트는 1로 세트 된다. EOF(End Of Frame) 비트는 데이터 프레임의 종료를 선언하는 비트로 7비트로 구성되어 있으며 7비트 모두 1로 세트 된다.

결국 CAN 통신의 최대 장점은 반 이중 통신(half duplex) 방식을 이용하여 통신의 보안성을 높이고 여러 ECU의 데이터를 전송하면서 부하의 작동을 원활히 할 수 있다는 장점을 가지고 있는 시리얼 통신 방식이다.

point ●

LAN과 CAN 통신

1 LAN과 CAN 통신

① 다수의 ECU와 데이터를 전송할 수 있는 직렬 통신 방식으로 데이터가 충돌이 발생 되지 않도록 CSMA(Carrier Sensing Multiple Access) 방식을 채택하고 있으며 오류 검출과 보정 기능을 가지고 있는 통신 방식

2 CAN 통신

① **CAN 통신 방식** : 차량 전장품의 표준 통신 방식으로 ECU와 ECU간 반 이중 통신 (half duplex) 방식을 이용하여 짧은 데이터의 전송이 동시에 송·수신이 가능하여 고속 응답 시스템에 적합한 통신이다.

※ 반 이중 통신 : half duplex 통신이란 지정된 시간대에 동시에 송신과 수신이 가능한 통신방식을 말한다.

※ 이중 통신 : full duplex 통신이란 송신과 수신을 교대로 전송하는 통신방식을 말한다.

② **CSMA/CD 방식**(Carrier Sensing Multiple Access/Collision Detection)

송신하기 위한 데이터를 접근하기 위한 방법으로 데이터 버스 상에 충돌을 피하기 위해 현재의 사용여부를 확인한 후 송신하는 방식을 말한다.

※ NDA 조정(Non Distruction Arbitration : 비파괴 조정)

버스에는 그림[1-29]와 같이 passive 상태와 dominent 상태(1과 0)가 존재하는데 모니터한 비트와 passive 한 비트가 동시에 송신 되어진 경우는 우선도가 높은 데이터 프레임이 송신을 하기 위해 dominent(0상태) 상태로 인식하게 된다.

02

시스템 구성

2 CHAPTER
시스템 구성

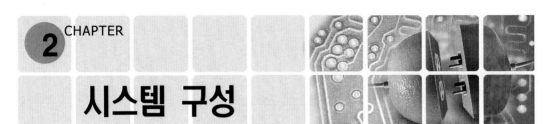

전자제어엔진의 도입 배경

1. 엔진 ECU의 개발 배경과 역사

초기의 연료 분사 장치는 액체 연료를 공기와 혼합하여 무화시키기 위한 카브레터 (carburetor)를 이용한 방식이 주류를 이루게 되었으나 2차 세계대전이 발발하면서 전투기와 같이 360° 선회하는 항공기에는 카브레터를 이용한 연료 분사 장치로는 엔진의 시동 문제로 한계를 느끼기 시작하게 되었다. 이 당시 독일은 엔진이 선회하여도 시동이 정지되지 않는 연료 분사 장치의 필요성을 느끼게 되면서 개발된 것이 세계 최초로 항공기에 적용한 인젝터 연료 분사 방식이다.

그 이후 세계 최초로 자동차용 연료 분사 시스템을 개발한 것은 1957년 미국의 Bendix(벤딕사)였으나 독일의 보쉬(Bosch)사가 특허를 사들여 개량한 것이 D-제트로닉 연료 분사 시스템으로 폭스바겐 차량에 장착하게 되었다. D-제트로닉 연료 분사 시스템은 엔진의 회전수와 흡기관 내의 압력을 이용해 공연비를 제어하는 방식으로 연료를 흡기관에 분사하도록 하는 방식이다. 보쉬(Bosch) 사는 이어 기계식 연료 분사 방식을 개량하여 1973년 K-제트로닉 연료 분사 시스템을 개발하게 되지만 K-제트로닉 엔진의 경우는 배출가스를 제어하기 위한 공연비 피드백(feedback)제어와 삼원 촉매에 의한 정화 기능을 가지고 있지 못해 배출 가스를 억제하는 데에는 한계가 있어 1993년 이후 독일의 포르쉐 911 모델 외에는 거의 적용되지 않게 되었다. 자동차의 엔진은 그 동안 인간의 꾸준한 욕구에 따라 고성능, 고출력을 요하는 엔진으로 발달하게 되면서 엔진의 경량화를 위한 알루미늄 합금제 및 타이밍 벨트의 커버, 연료 탱크 등이 플라스틱 소재가 적용되고 엔진의 고회전에 따른 피스톤의 행정을 실린더 보어(bore)비 보다 작게 쇼트 스트로크 (short stroke : 단행정) 엔진화 하게 되었다.

이렇게 꾸준한 연구 개발을 통해 현재에는 흡입 효율과 배기 효율을 높이기 위한 DOHC 엔진이 주류를 이루게 되었다. 이러한 엔진의 고성능화 경향에도 불구하고 1992년 채택된 유엔 기후 변화 협약에 의해 지구의 온실 가스 수준을 1990년 수준으로 줄이기로 합의 하면서 자동차의 배출 가스 문제는 지구 온난화의 관심으로 등장하기 시작하였다. 한편 1972년 세계적인 반도체 회사인 미국의 인텔(사)의 8비트(bit) 마이크로 컴퓨터 8008의 개발을 발표하므로써 컴퓨터의 뛰어난 제어 성능을 바탕으로 자동차에 본격적인 전자 제어식 연료 분사 장치가 적용되기 시작하게 된다.

▲ 사진2-1 엔진 ECU

▲ 사진2-2 여러 가지 인젝터(노즐)

이미 독일의 보쉬(Bosch) 사가 1973년 개발한 공기류량 계측 방식인 L-제트로닉 시스템을 도입하면서 흡입기관의 압력에 의해 흡입 공기량을 간접 계측하는 D-제트로닉 시스템에 비해 흡입 공기량을 직접 계측하는 L-제트로닉 방식을 채택함으로서 훨씬 정밀한 흡입 공기량을 계측 할 수 있는 시스템이 도입되지만 대기 오염을 현저히 감소시키고 관리하기란 기계식 방법만으로는 한계가 있게 된다.

그 이후 마이크로 컴퓨터의 발달과 더불어 1980년 일본의 미쓰비시(사)의 칼만 와류 방식을 이용해 공기류량을 계측하여 연료를 분사하는 L-제트로닉 방식이 적용되고 1982년 보쉬(Bosch)사는 열선식(hot wire) 공기류량을 계측하는 LH-제트로닉 방식을 개발하여 적용하지만 내구성이 떨어져 1987년 핫 필름(hot film) 방식의 LH-제트로닉 방식

을 개발하여 적용하게 이른다. 이와 같은 엔진의 고성능화, 고출력화 및 배기가스 억제를
하기 위해 기계적 시스템이 발달하여 오지만 기계적인 구성만으로는 정밀하게 제어하는
데에는 한계가 있고 인체의 유해한 배출 가스는 쉽게 식별 할 수 없어 자동차의 배출가스
와 관련이 있는 부품이 이상이 발생하는 경우 전자 제어 시스템을 도입하여 경고등을 통
해 운전자에게 쉽게 알려 주도록 하고 있다.

또한 배출 가스 억제를 하기 위해 실린더 내의 혼합 가스가 연소되어 배출되는 가스의
농도를 검출하고 연료의 혼합비를 제어하여 주지 않으면 안된다. 이러한 이유로 결국 컴
퓨터를 도입한 전자 제어 엔진의 적용 목적은 엔진의 기계적 한계를 극복하고 고성능화를
기하는 것이지만 그 근본 목적은 대기 환경을 억제하기 위한 자동차 배출 가스 억제에 있
다고 해도 과언은 아니다.

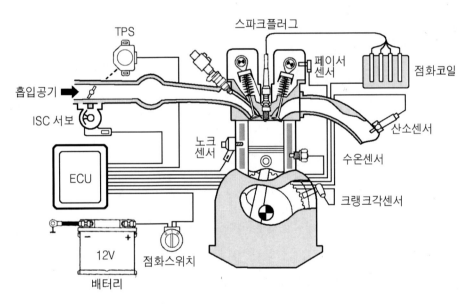

그림2-1 전자제어엔진(EMS)

2. 배출가스가 인체에 미치는 영향

인체에 유해한 자동차 배출 가스는 그림〔2-2〕와 같이 머플러를 통해 CO(일산화탄소)
가 100%, NOx(질소산화물)이 100% 배출되며 미연소 가스(블로바이가스)인 HC(탄
화수소) 성분은 머플러를 통해 약 55%, 엔진의 크랭크 실내의 블로 바이 가스로 25%,

연료 탱크 및 카브레터로부터 약 20% 정도가 배출되고 있다. 이러한 배출 가스는 대기 오염 뿐만 아니라 지구의 온난화를 촉진하게 되므로 지구의 환경 변화를 가져오게 된다.

자동차의 배출되는 가스 중에 대기 오염은 NO(일산화질소)와 HC(탄화수소)가 주요 요인으로 자동차에 배출되는 NOx의 대부분은 NO로 대기 중에 방출되면 기체는 불안정해 공기 중의 산소와 결합해 NO_2(이산화질소)가 되지만 태양광을 받으면 NO(일산화질소)와 O(원자상의 산소)로 분해해 공기 중의 O_2(산소)와 결합해 O_3(오존)이 된다. 이 O_3(오존)은 HC(탄화수소)와 반응해 oxydant(옥시던트 : 산화제)가 발생하게 된다. 이 oxydant(옥시던트)는 눈을 자극하는 산화성이 강한 물질로 대기 오염 물질로 규제하고 있다.

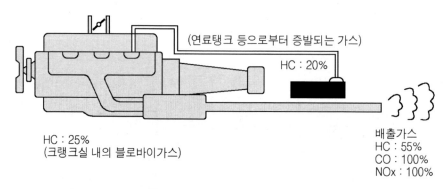

🔺 그림2-2 자동차의 배출가스

NO(일산화질소)는 그 자체만으로도 유해하지만 CO(일산화탄소) 보다는 독성이 작아 문제시 하고 있지 않지만 NO(일산화질소)가 NO_2(이산화질소)로 되면 독성이 5배 정도로 증가하여 눈의 점막을 자극하며 호흡기 계통의 천식성 증상을 가져오기 때문에 5ppm 이하로 규정하고 있다.

HC(탄화수소)는 인체에 직접적으로 영향을 미치지는 않지만 식물에 악영향을 미치며 NO_2(이산화질소)와 결합해 oxydant(옥시던트)를 만드는 요인이 되고 있다. CO(일산화탄소)는 체내에 산소를 운반하는 역할을 갖고 있어 혈액 중에 헤모글라빈이 산소보다도 CO(일산화탄소)와 결합이 약 200배 이상 강하기 때문에 체내에 있는 CO(일산화탄소) 운반하게 돼 현기증과 두통을 동반하는 증상이 나타나게 된다.

또한 엔진의 혼합가스는 완전 연소를 하게 되면 이론적으로는 그림〔2-3〕과 같이 CO_2 (이산화탄소)와 H_2O(물)이 배출 되며 CO_2(이산화탄소)는 인체에 독성은 없지만 지구의 온난화를 가져오는 주범으로 대기 환경 규제의 대상이 되는 물질이다.

사진2-3 배기장치

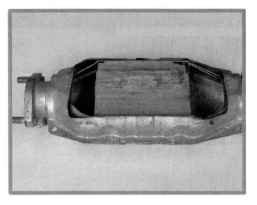

사진2-4 삼원촉매의 내부

지구의 온난화는 지구 표면을 감싸고 있는 대기의 성분은 이산화탄소, 프레온, 메탄 등으로 이루어져 태양으로부터 빛 에너지의 일부는 지표로부터 적외선을 흡수하고 지구의 표면 온도를 약 15℃ 정도로 유지하게 되지만 이산화탄소, 프레온, 메탄 등이 가스가 크게 증가하게 되면 지구의 주위를 두껍게 덮어 지표 열이 바깥으로 빠져 나가지 못하게 돼 지구의 온실과 같은 효과가 있게 된다. 이 온실 효과는 지구의 기온을 상승하게 하여 지구의 환경 변화를 가져오는 것으로 밝혀지고 있다.

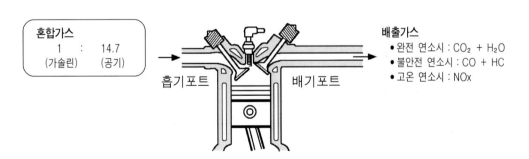

그림2-3 엔진의 연소상태에 따른 배출가스 성분

3. 배출가스의 생성

자동차는 이론상으로는 완전 연소가 가능하지만 실제 완전 연소를 시키는 것은 배출 가스 관점에서 보면 상당히 어려운 문제이기 때문에 어느 정도의 CO(일산화탄소)와 HC(탄화수소)인 미연소 가스가 발생하게 된다.

이러한 인체에 유해한 배출 가스의 생성하는 과정을 살펴보면 다음과 같다.

[1] CO(일산화탄소)

가솔린은 산소와 반응해 연소하게 되면 CO_2(탄산가스)와 H_2O(물)이 방출하게 된다. 연소실 내의 혼합 가스의 완전 연소는 CO(일산화탄소)가 O_2(산소)와 반응해 $C + O_2 \rightarrow CO_2$(이산화탄소)가 생성하지만 일부는 공기가 부족하게 돼 불안전 연소를 하게 되면 $2C + O_2 \rightarrow 2CO$가 되어 결국 CO(일산화탄소)가 발생하고 만다.

그림[2-4]의 배출 가스 특성도에서 나타낸 것과 같이 불안전 연소하여 CO(일산화탄소)가 증가하게 되면 공연비는 공기가 부족한 농후한 연소 상태에 있게 되는 것을 나타내고 있다. 이와는 반대로 공기의 공급이 많아져 산소의 양이 증가하게 되면 CO(일산화탄소)의 발생은 작게 되고 희박한 연소 상태에 있게 된다.

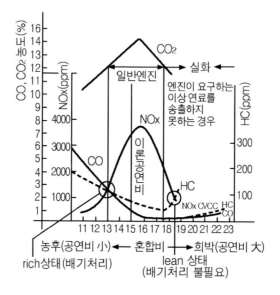

🔺 그림2-4 배출가스 특성도

(2) HC(탄화수소)

HC(탄화수소)는 일종의 가솔린이 증발한 증발 가스로 실린더 내의 연소되지 않은 미연소 가스 성분이다. 실린더 벽은 냉각수가 통하는 워터 재킷(water jacket)에 의해 실린더의 중앙부가 최고의 연소 온도(1000~2000℃)에 도달하여도 실린더의 벽의 온도는 냉각수의 영향으로 약 150~180℃가 되어 소염작용을 하게 되어 미연소 가스가 발생하게 된다. 이렇게 발생된 미연소 가스는 피스톤의 상하 운동에 따라 일부는 배기 밸브를 통해 머플러로 배출되고 일부는 실린더의 하측으로 빠져나와 블로바이(blow by) 가스가 된다. 또한 배기 밸브와 흡기 밸브가 배기 상사점과 흡기 상사점이 될 때 즉 밸브 오버 랩(over lap) 될 때 배기 상사점의 경우 배기 행정이 끝나기도 전에 흡기 밸브가 열리기 시작하게 되어 혼합가스인 미연소 가스는 배기 포트를 통해 배출하게 된다.

주행중 차량을 급 감속시 스로틀 밸브는 급격히 닫혀 흡기관 내의 부압은 상승하게 되고 실린더 내로는 공기가 들어가지 못하게 돼 혼합비는 농후한 상태가 되고 압축 압력도 낮아지게 돼 연소실의 온도도 낮아지게 되므로 불안전 연소로 이어지게 된다. 이때에도 다량의 HC(탄화수소)가스가 발생하게 된다.

전자제어 엔진에서는 스로틀 밸브가 급격히 닫혀 흡기관 내의 부압이 급격히 상승하게 되면 실린더 내의 농후한 혼합비 상태를 방지하기 위해 연료를 차단하도록 제어하고 있다.

(3) NOx(질소산화물)

NOx(질소산화물)은 N(질소)와 O_2(산소)의 화합물을 나타낸 것으로 자동차에 배출되는 NOx은 NO(일산화질소)와 NO_2(이산화질소)가 전체를 점유하고 있다. 이론 공연비가 되어 완전 연소가 되면 배출되는 가스는 대부분 CO_2(이산화탄소)와 H_2O(물), 그리고 N(질소)가 발생하게 된다. 본래 공기 중의 산소와 질소는 결합되지 않지만 온도가 상승하게 되면 높은 온도의 연소 과정에서 산화 반응으로 질소가 산화되어 연소 과정의 부산물로 NOx 가 발생하게 된다.

엔진의 연소 온도는 약 1300 ~2500℃ 정도 이지만 실제 NOx 이 발생되는 온도는 약 1000℃ 전후에서 발생하기 시작해 온도가 상승하면 할수록 NOx 의 발생은 증가하게 된다. 그러나 연소 과정에서 NOx 을 감소시키기 위해 연소 온도를 감소시키면 반대로 출력이 떨어지게 돼 연비 악화로 이어지게 되는 문제가 발생 하게 되므로 실제 이론상으로 완

전 연소는 불가능하게 된다.

4. 배출가스의 절감과 측정

이와 같이 대기 오염 물질인 배출 가스를 감소하기 위한 방법으로는 엔진의 연소 전과 연소시 및 연소 후 감소하는 방법을 사용하고 있다. 엔진의 연소 전 감소하는 방법은 배출 가스에 지대한 영향을 미치는 가솔린과 공기의 혼합 비율(공연비)을 조절하여 주는 방법과 연소시 착화성을 향상하여 완전 연소에 이루도록 하는 방법을 사용하고 있다

여기서 연소실 내의 흡입 공기량을 계량하여 적절한 가솔린 량을 조절하여 주기 위해서는 ECU(컴퓨터)의 도입이 필수적이라 하겠다. 또한 연소 후 배출 가스를 감소하는 방법으로는 환원 촉진을 하도록 삼원 촉매를 사용하여 배출 가스의 정화 효율을 높이는 방법을 사용하고 있다.

배출 가스의 측정은 실제 도로상의 주행과 동일한 조건으로 하여 차량의 배출 되는 가스의 체적을 샘플로 받아 측정하고 있으며 국내에 사용하고 있는 규정값은 미국과 동일한 FTP-75의 주행 모드를 사용하고 있다.

차종	보증 (년/km)	CO (g/km)	NOx (g/km)	NMHC (g/km)	HCHO (g/km)	비고
승용	5/80,000	2.11	0.12	0.047	0.009	3.5ton 이하
		# 6.3				# : 냉간시 test
상용	5/80,000	2.11	0.12	0.047	0.009	2.0ton 이하

[표2-1] 배출가스 규정치(2003년)

5. 연료분사장치의 특징

[1] 배기가스 억제에 유리하다

동일 배기량을 기준으로 한 차량의 연료 분사 장치는 카브레터 방식에 비해 그림[2-5]와 같이 엔진의 회전수 당 엔진의 출력과 토크가 높고 배출 가스 억제 등의 효과가 크기 때문에 현재에는 카브레터 방식은 거의 사용하고 있지 않다.

　연료 분사 장치의 특징을 살펴보면 분사 노즐인 인젝터를 각 실린더에 하나씩 독립적으로 장착 할 수 있어 카브레터 차량에 비해 균일하고 정확한 연료를 분사 할 수 있는 이점이 있어 연소 효율을 높일 수 있다.

　각 실린더의 균일한 연료 분사는 공기와 연료의 비율(공연비)을 정확히 제어할 수 있는 이점을 가지고 있으므로 배출 가스를 방지하는데 인젝터를 통한 연료 분사 방식이 훨씬 유리하다.

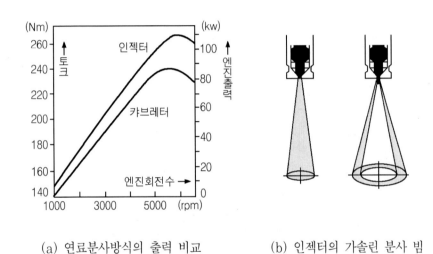

(a) 연료분사방식의 출력 비교　　(b) 인젝터의 가솔린 분사 빔

🔺 그림2-5 연료분사방식의 엔진 출력

[2] 엔진 출력을 향상 할 수 있다

　카브레터 방식의 경우에는 피스톤이 하강할 때 흡입되는 공기의 부압을 이용하여 벤투리관의 유속차에 의해 연료를 불어 넣고 있으므로 흡기관의 공기 저항이 걸리게 되고 흡입 효율이 떨어진다.

　그러나 인젝터 연료 분사 방식의 경우에는 그림[2-6]과 같이 흡기 포트의 끝 부분 가까이에서 인젝터를 통해 연료를 분사하기 때문에 흡기관에 공기만을 통과할 수 있도록 흡기관의 지름을 크게 할 수 있어 흡입 효율이 좋아지고 카브레터 차량에 비해 엔진 출력을 향상 할 수 있는 이점이 있다.

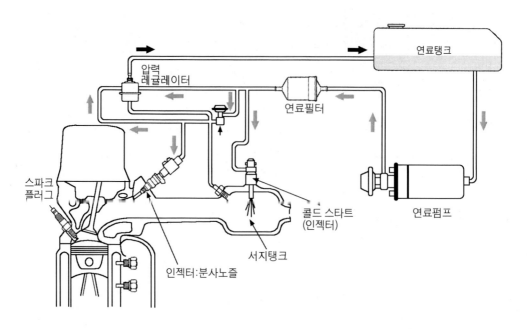

▲ 그림2-6 연료 분사 노즐에 의한 시스템 구성도(MPI 방식)

[3] 응답 특성이 좋다

카브레터 방식의 경우 스로틀 밸브를 열어 엔진이 고속 회전 상태에서 주행할 때에는 흡기관 내의 공기의 흐름은 관성에 의해 연료가 실린더 내로 부드럽게 흡입되지만, 급격히 스로틀 밸브를 닫는 경우에는 공기의 흐름이 급격히 차단하게 되어 가속하기 위해 스로틀 밸브를 열어도 흡기관 내의 부압은 즉시 발생하지 않으므로 실린더 내로 흡입되는 연료는 약간의 시간 지연 현상이 발생하게 된다.

그러나 인젝터를 사용하는 연료 분사 장치는 흡기 포트의 끝부분에서 분사하기 때문에 카브레터 방식에 비해 응답 특성이 좋다. 또한 카브레터 차량의 경우에는 겨울에 메인 노즐 부근이 빙결하는 현상이 발생하여 출력 부족이 발생하기도 하는 결점을 가지고 있다. 이에 반해 인젝터 연료 분사 장치의 정비상 단점은 카브레터와 같이 오버 홀(분해 수리)을 할 수 없다는 단점이 가지고 있다.

예컨대 인젝터 연료 분사의 경우에는 최고 출력시 연료를 공급하는 인젝터 노즐의 지름은 인젝터에 가해진 압력과 인젝터 노즐의 지름으로 계산해 설정하고 있다. 일반적으로 인젝터의 노즐 지름은 최고 회전수/아이들 회전수를 기준으로 산출하고 있다.

$$\text{인젝터의 노즐지름} = \frac{\text{최고회전수}}{\text{아이들회전수}}$$

point

엔진ECU의 개발 배경과 배출가스

1 엔진ECU의 개발 배경

① 엔진 ECU의 근본 목적

- 배출가스 저감 : 엔진 ECU는 이론 공연비 제어를 통해 유해 배출가스를 절감을 하는 것을 주요 목적으로 하고 있다.

② 개발 역사

- 1957년 미국의 Bendix(벤딕사)가 연료 분사 시스템을 최초로 개발
- 1973년 독일의 Bosch(보쉬)가 기계식 연료 분사 시스템인 K-제트로닉 시스템 개발
- 1974년 독일의 Bosch(보쉬)가 전자식 연료 분사 시스템 D-제트로닉 시스템 개발
- 1980년 일본의 미쓰비시社가 전자식 연료 분사 시스템인 L-제트로닉 시스템 개발

2 자동차의 유해 배출가스

① CO(일산화탄소)

가솔린 혼합 가스가 연소 과정에서 산소와 반응해 발생되며 현기증과 두통을 동반하는 가스

② NOx(질소산화물)

공기 중의 산소와 질소가 높은 온도의 연소 과정에서 결합하여 배출 되는 산화물로 오존의 주요 원인 물질이다.

③ HC(탄화수소)

주로 가솔린이 미연소 되어 나오는 가스로 오존과 반응해 사람의 눈을 자극하는 옥시던트(oxydant)라는 물질을 만든다.

 **전자제어엔진의 기본 지식**

■ 1. 전자제어를 이해하는 법

이해에 필요한 것	이해에 필요한 순서
1. 전자제어장치를 습득하기 위해 필요한 것	회로 판독 마이크로컴퓨터의 기본 동작 마이크로컴퓨터가 하는 일
2. 전자제어장치를 이해하기 위해 필요한 것	전자제어장치를 적용한 목적 시스템의 구성 입·출력 구성품의 기능 제어하기 위한 대상
3. 측정결과를 판단하기 위해 필요한 것	ECU를 적용한 목적 입·출력 구성품의 특성과 규격 전자제어장치의 동작조건(제어 조건) ECU의 입·출력 회로

[1] 전자 제어 장치를 습득하기 위해 필요한 것

전자 제어 장치를 습득하기 위해 선행해서 학습하여야 할 사항은 자동차의 전장 회로 판독이 가능하여야 하며 마이컴(마이크로 컴퓨터)의 기본적인 동작 원리를 이해하고 있으면 좋다.

앞장에서 설명한 마이컴(마이크로 컴퓨터)의 내용이 이해가 되지 않는 경우라면 최소한 마이컴(마이크로 컴퓨터)이 미리 설정된 프로그램에 의해 마이크로 컴퓨터의 출력 측으로는 디지털 신호로 출력 된다는 것은 알고 있지 않으면 안된다. 또한 마이크로 컴퓨터는 입력측으로부터 물리적인 량의 변화를 전기 신호로 변환하여 입력하면 출력 측으로는 제어하고자 하는 전기 신호를 디지털 신호로 출력하는 제어 장치로 인간이 생각하는 모든 요소를 제어 할 수 있다고 생각하면 좋다.

PART 2. 시스템 구성

마이크로 컴퓨터 입장에서 제어라는 것은 입력측으로 부터 물리적인 변화량이나 기계적인 변화량을 전기 신호로 변환 하여 마이크로 컴퓨터에 입력되면 마이크로 컴퓨터의 출력측으로는 그림〔2-7〕과 같이 미리 설정된 프로그램에 의해 0과 1의 상태를 가진 디지털 전압 값으로 출력하는 것을 말한다. 즉 마이크로 컴퓨터의 입장에서 제어라는 것은 그림〔2-7〕과 같이 원하는 디지털 신호를 출력하여 시스템을 작동시키는 것을 말한다.

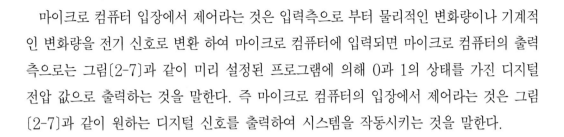

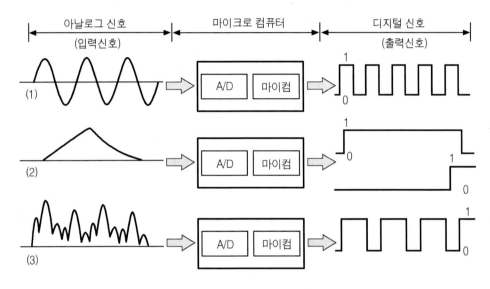

▲ 그림2-7 마이크로컴퓨터의 디지털 출력신호

마이크로 컴퓨터에서 출력되는 디지털 신호 전압은 1상태(5V)와 0 상태(0V)를 반복하는 디지털 신호와 일정하게 1상태(5V)를 유지하는 디지털 신호 또는 일정하게 0상태(0V)를 유지하는 디지털 신호 전압인 경우, 그리고 일정시간 1상태(5V)와 일정시간 0상태(0V)를 출력하는 듀티 신호 전압이 출력된다. 이와 같이 1과 0으로 나타낼 수 있는 모든 전기적인 신호를 디지털 신호라 하며 반면에 그림〔2-7〕과 같이 시간에 따라 연속 적으로 전압 또는 전류의 크기가 변화하는 전압을 모두 아날로그 신호라 한다.

아날로그 신호 전압은 시간에 따라 선형적으로 변화하는 신호를 가지고 있어 마이크로 컴퓨터가 1과 0의 상태를 명확히 구분 할 수 없기 때문에 마이크로 컴퓨터 내부 또는 외부에는 아날로그 신호를 마이크로 컴퓨터가 인식 할 수 있는 디지털 신호로 변환하여 입력하고 있다. 따라서 1장에서도 설명하였듯이 마이크로 컴퓨터의 입력 측에는 마이크로

컴퓨터가 인식 할 수 있도록 변환하여 주는 회로가 필요하게 되는데 그림[2-7]과 같이 아날로그 신호를 디지털 신호로 변환하여 마이크로 컴퓨터에 입력하여 주는 A/D(analog to digital) 변환 회로 또는 입력 신호 전압 레벨을 마이크로 컴퓨터가 인식 할 수 있도록 맞추어 주는 인터페이스(interface) 회로가 필요로 하게 된다.

결국 마이크로 컴퓨터의 입력 신호는 그림[2-8]과 같이 1상태(약 5V)와 0상태(약 0V) 인지만을 인식하는 디지털 신호로 입력되며 출력측에도 1상태와 0상태 만을 출력하는 디지털 신호를 출력한다.

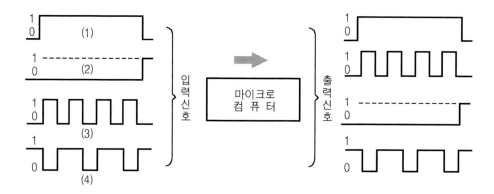

🔺 그림2-8 마이크로컴퓨터가 인식할 수 있는 신호(예)

[2] 전자 제어 장치를 이해하기 위해 필요한 것

ECU(전자 제어 장치)는 일반적으로 마이크로 컴퓨터를 이용하여 차량의 전장 시스템을 제어하기 위한 컴퓨터 유닛(컴퓨터를 이용한 제어 유닛)으로 ECU(전자 제어 장치)를 이해하기 위해서는 우선 ECU(전자 제어 장치)가 차량에 무엇을 하기 위해 적용되었는지를 정확히 알고 있어야 한다.

예를 들어 전자 제어 엔진 ECU는 연료 분사량을 주행 조건에 따라 제어 하므로 배출 가스를 억제하고 흡입 공기의 온도와 냉각수의 온도를 검출하여 냉각시 시동성을 향상하고 있다. 또한 흡입 포트의 흡입 저항율을 작게 할 수 있어 실린더의 충진 효율이 좋아지고 엔진 출력 성능을 향상시킬 수 있는 등의 이점이 있어 엔진 ECU(전자 제어 장치)를 적용하고 있다는 ECU의 기본적인 적용 목적을 알고 있어야 ECU의 기능을 쉽게 이해가 가능하다.

이와 같이 엔진 ECU(전자 제어 장치)의 적용 목적을 이해하고 있으면 다음은 그림 [2-10]의 예와 같이 엔진 ECU(전자 제어 장치)가 어떻게 구성되어 있는지를 머리 속에 그려두고 각 구성 부품이 무엇을 하기 위한 구성 부품인지를 명확히 이해하고 있지 않으면 안 된다.

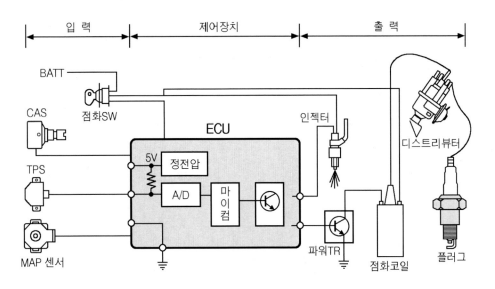

🔺 그림2-9 전자제어엔진의 기본 구성도

예컨대 그림[2-10]의 전자 제어 엔진 시스템의 구성은 엔진의 상태를 검출하는 각 센서로부터의 정보를 토대로 연료의 분사량과 분사시기를 계산하기 위한 ECU(전자제어 장치)가 있으며 각 센서로부터는 엔진의 흡입 공기량을 검출하는 AFM(에어 플로 미터), 배출가스 중의 산소 농도를 검출하는 산소 센서, 엔진의 냉각수 온도를 검출하는 냉각 수온 센서, 엔진의 회전수를 검출하는 크랭크각 센서 등으로부터 엔진 ECU로 센서의 검출 신호를 보내게 되면 이 신호를 근거로 엔진 ECU는 연료의 분사량 및 분사 시기와 점화시기를 산출하여 인젝터 및 파워 트랜지스터 등을 구동하게 된다.

즉 엔진 ECU의 주 제어 대상은 연료를 분사하기 위한 인젝터와 연소실의 점화를 위한 파워 TR 그리고 엔진의 전기 부하에 따라 엔진의 회전수를 조절하는 ISC 서보 모터 등을 주 제어 대상으로 하고 있다

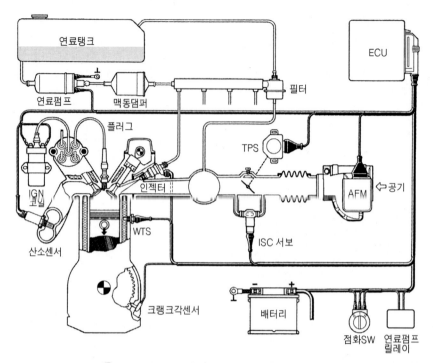

그림2-10 전자제어엔진의 시스템구성도(예)

[3] 측정 결과를 판단하기 위해 필요한 것

ECU(전자 제어 장치) 시스템은 기계적인 요소를 제어하기 위해 전기적인 센서를 이용하여 기계적인 상태를 검출하고 이를 제어하기 위해 ECU(컴퓨터)를 사용한 메카트로닉스 제품으로 기계적인 결함 또한 전기적인 상태를 통해 기계적인 결함을 발견하는 경우가 많다. 따라서 ECU(전자 제어 장치)의 결함을 발견한다는 것은 눈에 보이지 않는 전기적인 사항으로 멀티 테스터나 스캔(scan)과 같은 장비를 이용하여 회로를 측정하고 측정 결과를 통해 현재 시스템의 상태 또는 회로의 상태를 판단하여야 한다. 또한 ECU(전자 제어 장치)를 적용한 목적과 각 센서로부터 ECU로 전송하는 전기 신호의 상태를 판단하기 위해서는 각 센서가 가지고 있는 전기적인 특성을 이해하고 있어야 한다.

센서로부터 검출된 전기 신호는 아날로그 신호 인지 디지털 신호인지, 센서의 전기 신호 출력값이 기계적인 변화량이나 물리량의 변화에 따라 센서의 출력값은 어느 정도 출력되는지를 알고 있어야 측정하고자 하는 장비가 달라 질 수 있을 뿐만 아니라 측정값을 예측하고 회로의 이상인지 센서의 이상인지를 판단 할 수 있기 때문이다.

즉 ECU의 입·출력용으로 사용되는 센서 및 액추에이터의 전기적 동작 원리를 정확히 이 해하고 있지 않으면 멀티 테스터나 스캔(scan)을 이용해 측정한 값만 가지고 판단하기란 쉽지 않다.

	[표2-3] 센서의 출력신호 형태		
센서 방식	아날로그 신호 출력	센서 방식	디지털 신호 출력
핫 필름	AFS	칼만 와류	AFS
전자유도	CAS	광전 효과	CAS
압전 세라믹	MAP 센서	광전 효과	TDC 센서
가변 저항	TPS	홀 효과	차속 센서
가변 저항	MPS	홀 효과	CPS
서미스터	수온 센서	스위치	ISC SW
전해질	O_2 센서	스위치	A/C SW
압전 세라믹	노크 센서	–	–

이들 입·출력용으로 사용되는 센서 및 액추에이터의 출력 신호 값은 각 자동차 제조사가 제공하는 서비스 매뉴얼 통해 확인하는 경우도 있지만 매 점검시 마다 서비스 매뉴얼 또는 규정집을 참고 한다는 불편함이 따르기 때문에 ECU에 사용되는 센서 및 액추에이터의 동작 원리를 이해하고 전기적인 출력 특성을 알고 있지 않으면 매 점검시 마다 서비스 매뉴얼을 찾는 불편함을 해소할 수가 없다. 또한 전자 제어 장치(ECU)의 전기적인 회로를 측정하여 시스템의 상태를 판단하고자 할 때 단품 상의 센서 및 액추에이터 만을 판단해서는 정확하게 ECU 시스템의 진단을 할 수가 없다. 따라서 ECU의 동작 조건을 알고 있지 못하면 시스템을 진단하고 판단하는 것은 무리이다.

예컨대 이론 공연비 제어를 하기 위해서는 엔진 ECU는 AFS(에어 플로 센서)로부터 흡입 공기량을 검출하고 TPS(스로틀 포지션 센서)로부터 운전자의 가속 의지를 검출 하여 엔진의 회전수에 따라 적정 연료 분사량과 분사시기를 판단하며 크랭크 각 센서로부터 엔진의 회전수를 검출하고 TDC(상사점 검출 센서) 센서로부터 1번 실린더의 상사점을 검출하여 점화시기를 결정하게 된다. 이때 이론 공연비 제어를 하기 위해 산소 센서는 배출 가스 중에 산소 농도를 검출하여 현재의 엔진의 연소 상태가 농후한 상태인지 희박한 상태인지를 검출하여 ECU로 입력하여 이론 공연비(14.7 : 1)의 범위에 오도록 연료 분사량을 제어하는 일을 하게 된다. 이러한 기능을 수행하는 기본적인 시스템의 제어 조건을 알지 못하고 측정만으로 시스템을 판단 한다는 것은 의사가 환자의 증상만 보고 처방하는 일과 같아 오진율을 높이는 결과를 초래하게 된다.

또한 ECU(전자 제어 장치)의 입출력 회로는 그림〔2-11〕의 예와 같이 되어 있어서 측정 결과를 통해 ECU와 센서 및 액추에이터를 진단하기 위해서는 ECU의 입·출력 회로를 이해하고 있지 않으면 측정 결과를 통해 ECU의 이상 유무를 판단하기 쉽지 않아 기본적인 입·출력 회로는 이해하고 있는 것이 좋다.

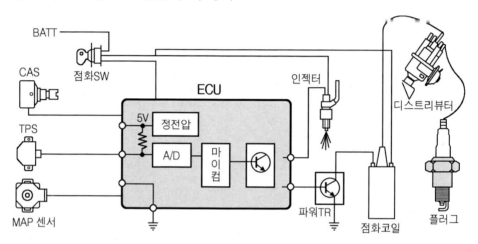

그림2-11 TPS와 인젝터의 입 · 출력 회로 예

전자제어장치를 이해하기 위해 필요한 것

① **전자 제어 장치의 적용 목적** : 배출 가스 억제 및 엔진의 성능 향상
② **시스템 구성**
  • 제어 장치 : 엔진 ECU(연료 분사량을 주행 조건에 따라 제어)
  • 입력 장치 : 센서(흡입 공기량 및 주행 상태를 감지하기 위한 센서를 통해 연료 분사량 및 점화시기를 결정하는 정보를 제공)
  • 출력 장치 : 액추에이터(ECU의 명령에 의해 구동시간 및 구동 기간을 실행하는 인젝터 및 파워 TR와 같은 구성 부품)
③ **구성 부품의 기능** : 각 구성 부품의 기능 파악
④ **제어하기 위한 대상** : 인젝터 및 파워 TR, 기타
※ 전자 제어 : 연료 분사 제어, 점화 시기 제어, ISC 제어, 이론 공연비 제어, 연료 펌프 모터 제어, EGR 제어, 경고등 제어 등

2. 전자제어엔진의 기본 동작

[1] 운전 상태의 검출

앞서 설명한 바와 같이 전자 제어 엔진의 주 목적은 유해 배출 가스를 억제를 하기 위한 것으로 가솔린 기관의 유해 배출 가스를 억제하기 위해 현재 적용되고 있는 것 중 가장 좋은 방법은 인젝터를 이용한 연료 분사 장치이다.

사진2-5 V6엔진 ASS'Y

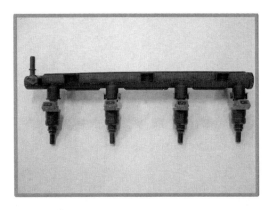

사진2-6 인젝션 딜리버리 파이프

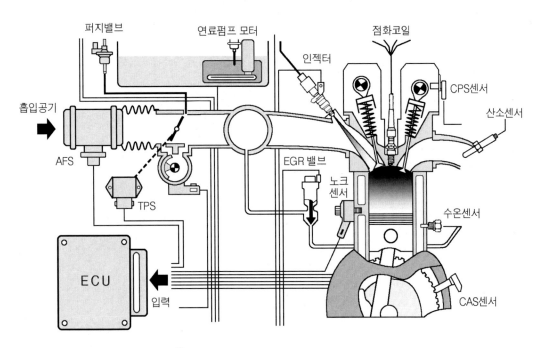

그림2-12 전자제어엔진의 시스템 구성도

이론상으로 가솔린을 완전 연소하기 위해서는 공기와 가솔린의 비율을 약 15 : 1을 혼합하여 하지만 실제는 그림[2-13]에 나타낸 특성과 같이 공연비에 따른 엔진 출력 및 배출 가스량이 달라지게 되므로 λ = 1(14.7 : 1)의 부근에서 흡입 공기량에 대한 연료의 주입량을 제어 하고 있다. 흡입 공기량 대비 연료의 주입량을 제어하는 것은 실린더에 흡입 공기량이 엔진의 회전수에 따라 거의 일정하게 흡입되기 때문으로 흡입 공기에 대비 연료량을 조절하여 이론 공연비 영역으로 근접하도록 제어 하고 있다.

엔진의 흡입 공기량은 AFS(에어 플로 센서)에 의해 검출되어 ECU로 입력되어지면 ECU는 AFS의 흡입 공기량의 신호와 엔진의 회전수에 의해 연료 분사량은 거의 결정하게 된다. 그러나 엔진이 정속 주행 상태와 고부시는 같은 회전수라도 스로틀 밸브의 개도값이 다르기 때문에 흡입되는 공기량 역시 다르게 된다. 이러한 경우 보정 증량 신호로 TPS(스로틀 개도 검출 센서)를 사용하게 된다.

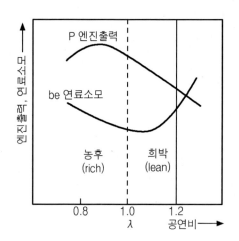

🔺 그림2-13 공연비에 의한 엔진의 출력관계

즉 스로틀 밸브를 전개하여 주행할 때 엔진 회전수가 2000rpm인 경우의 흡입 공기량과 스로틀 밸브를 전개하여 주행할 때 엔진 회전수가 4000rpm인 경우의 흡입 공기량은 다르기 때문으로 차량의 주행 상태를 판단하기 위한 보정 증량 신호로 스로틀 밸브의 개도를 검출하는 TPS(스로틀 포지션 센서)를 사용하게 된다.

그림[2-14]와 그림[2-15]의 특성은 엔진의 회전수에 따라 엔진의 토크와 AFS(에어 플로 센서) 또는 MAP(Manifold Absolute pressure) 센서로부터 검출된 흡입 공기량을 나타낸 것으로 그림[2-14]의 특성도에서 보면 AFS(에어 플로 센서)로부터 검출된 흡입 공기량이 2000rpm 일 때 보다 4000rpm 일 때가 흡입 공기량이 약 2배에 달하는 것을 볼 수가 있다. 결국 흡입 공기량은 실린더 2회전에 1회 흡입 행정을 하게 되므로 계산식으로는 (엔진의 회전수 × 1/2)로 나타낼 수 있다.

따라서 엔진의 흡입 공기량은 기본적으로는 엔진의 회전수에 비례하지만 엔진의 정속 주행시와 고부시에는 엔진의 회전수만으로는 차량의 운행 상태를 판단할 수 없기 때문에 TPS(스로틀 포지션 센서) 신호를 같이 검출하여 차량의 주행 상태에 따른 연료 분사량을 결정하게 된다.

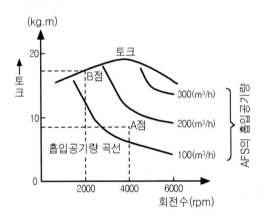

그림2-14 엔진의 운전상태에 따른 흡입공기량

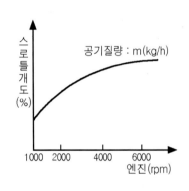

그림2-15 흡입공기의 질량특성

[2] 연료 분사량의 결정

인젝터는 코일 감아 만든 전자 밸브로 인젝터 코일에 전원을 공급하면 밸브가 열리게 되어 인젝터에 가해지고 있던 연료 압력에 의해 연료가 분사 하도록 하는 일종의 연료 공급 밸브이다. 실제로는 인젝터에 가해진 연료 압력은 흡기관 내의 압력과 차이가 발생하지만 연료의 분사량은 인젝터의 전원 공급 시간(즉 인젝터에 가해지는 전원 전압의 펄스폭) 만큼만 연료를 공급하게 되므로 엔진 ECU가 연료 분사를 제어할 때는 인젝터의 공급 되는 분사 펄스폭을 제어 한다. 따라서 연료의 분사량은 인젝터의 분사 펄스폭과 비례하여 실린더의 흡입되는 1회의 공기량은 AFS(에어 플로 센서)로부터 검출된 공기량을 엔진의 회전수로 나눈 값으로 구할 수 있다. 따라서 인젝터의 분사 펄스폭은 다음 식으로 나타낼 수 있다.

$$인젝터의\ 분사펄스폭 = \frac{흡입공기량}{엔진회전수(rpm)} \times 정수값$$

여기서 말하는 정수값이란 엔진의 기통수, 인젝터 노즐의 지름, AFS(에어 플로 센서) 등에 따라 결정되므로 흡입 공기량과 엔진 회전수 만으로 결정되는 연료의 분사량을 기본 분사량이라 표현한다. 여기서 말하는 기본 분사량 만으로 정속 주행시에는 문제는 없지만 실제 엔진이 고부하 상태나 가속시에는 출력 부족으로 AFS와 크랭크 각 센서에 의해 기본 분사량이 결정되는 센서 만으로는 적정한 연료 분사를 할 수 없다. 따라서 운전 상태를 파악하기 위해 TPS(스로틀 포지션 센서)나 엔진의 냉간시 공연비를 농후하게 하기 위해 엔진의 냉각 수온을 검출하는 수온 센서 등이 보조적으로 필요하게 된다.

(3) 점화 시기의 결정

일반적으로 가솔린 엔진의 경우 가솔린과 공기의 혼합 가스는 연소실 내의 최대 폭발 압력이 피스톤이 TDC(상사점) 약 10° 부근에서 일어나지 않으면 연소가 불안정하여 엔진 출력 저하 및 배출 가스가 증가하게 되므로 엔진의 효율을 향상하기 위해 점화 시기 및 드웰 각을 제어하는 것은 중요한 일이다. 이러한 점화시기는 엔진 회전이 상승하면 실린더 내로 흡입되는 공기의 흐름 속도는 빨라지게 돼 혼합 가스는 실린더 내에서 와류가 형성되고 혼합 가스가 점화 신호에 의해 폭발하는 최대 폭발 압력까지 도달하는 시간은 짧아지게 돼 엔진의 회전수가 상승하면 이에 따라 점화시기를 조절하여 주지 않으면 안된다.

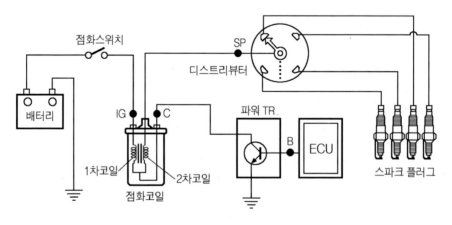

그림2-16 전자제어엔진의 점화장치(SOHC)

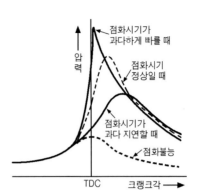

따라서 전자 제어 엔진의 경우 기본적으로 연료의 분사량은 흡입 공기량과 엔진의 회전수에 의해 결정되지만 연소실 내의 혼합가스의 점화 시점은 엔진 출력에 직접 영향을 미치는 중요한 요소이므로 엔진의 상태는 연료 분사량과 점화시기에 의해 결정되게 된다. 즉 점화 시기는 기본적으로 연료를 분사하는 분사 펄스폭과 엔진의 회전수에 의해 결정된다.

그림〔2-18〕은 흡입 공기와 엔진의 회전수에 의해 결정되어 지는 기본 분사량의 펄스폭과 엔진의 회전

그림2-17 연소실의 압력과 점화시기

수와 점화 시기의 관계를 나타낸 3차원 맵(map) 특성도를 나타낸 것으로 ECU 내에는 이러한 맵화 된 특성도에 따라 차량에 맞는 점화시기를 제어 하도록 프로그램 되어 있다.

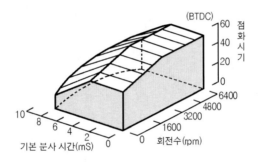

그림2-18 엔진의 회전수에 따른 기본 분사시간과 점화시기의 관계(MAP)

[4] 아이들 스피드의 조절

ISC(아이들 스피드 제어)는 우리말로 공회전 속도 조절을 의미하는 것으로 ISC 제어는 차량의 에어컨이나 파워 스티어링 조작 등에 의해 전기 부하가 걸려 배터리 전압이 낮아지고 이로 인해 엔진 회전수가 변화하는 것을 방지하기 위해 그림〔2-19〕와 같이 스로틀 보디에 별도의 바이패스(by pass)통로를 설치하고 이 바이패스 통로를 액추에이터 또는 스텝 모터로 적정량을 조절하여 흡입 공기의 량을 제어하는 기구로 ISC 밸브 또는 AAC(Auxiliary Air Control) 밸브라고 표현하고 있지만 그 기능은 동일하다. 또한 아이들 스피드 컨트롤 밸브로 솔레노이드 방식을 사용하는 경우에 아이들 스피드 액추에이터라 부르기도 하고 스텝 모터 방식을 사용하는 경우에는 아이들 서보 모터, 또는 아이들

스피드 모터라고 부르기도 한다.

아이들 스피드 제어는 주로 아이들 스피드(공회전) 영역에서 제어 하는 것으로 전기의 부하를 검출하는 것은 엔진 회전수를 검출하는 크랭크각 센서를 통해 하고 있으며 현재 엔진이 아이들 상태(공회전 상태)에 있는지를 판단하는 것은 아이들 스피드 기구에 별도의 아이들 스위치(idle switch)를 사용하여 검출하고 있다.

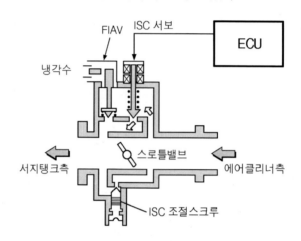

🔺 그림2-19 ISC 액추에이터(스텝모터 방식)

[표2-4] 전자제어엔진의 기본 제어

기본 제어	주 검출 센서	제어 내용
연료 분사 제어	● 주 검출 센서 AFS 크랭크각 센서 ● 보정용 검출 센서 TPS 흡기온 센서 산소 센서	① 기본 분사량 제어 : 엔진의 회전수와 흡입 공기량에 의해 결정되는 연료 분사제어로 인젝터의 전원 공급 시간으로 나타낸다. ② 운전 상태에 의한 분사량 제어 : 고부하시나 급가속 시와 같이 차량의 운전 상태에 따라 보정 증량하는 제어로 스로틀 개도 및 배출 가스 등을 검출하여 제어하는 분사를 말한다.
점화 시기 제어	● 주 검출 센서 AFS 크랭크각 센서	① 엔진의 회전수와 흡입 공기량에 의해 결정되는 점화 시기 제어 ② 엔진의 운전 상태를 엔진의 회전수와 기본 분사 펄스폭으로 점화시기를 결정하는 제어
아이들 스피드 제어	● 주 검출 센서 크랭크각 센서	① 에어컨이나 파워 스티어링과 같이 전기 부하에 의해 아이들 스피드(공회전)가 변화하는 것을 방지하기 위한 제어 ② 냉간시 웜-업 시간 단축

point ○

엔진 ECU의 기본 동작

1 운전 상태의 검출

① 기본 분사량 : 흡입 공기량과 엔진 회전수에 비례

② 운전 상태의 검출 : 흡입 공기량과 엔진 회전수 및 스로틀 개도량 등으로 차량의 부하 상태를 검출

2 연료 분사량의 결정

① 분사 펄스폭 : 연료를 분사하기 위해 인젝터가 열려 있는 시간

② 분사 펄스폭 = 흡입 공기량 /엔진 회전수 × 정수값

③ 정수값 : 엔진의 기통수, 인젝터 노즐 직경, AFS, 수온 센서 등

※ 기본 분사량의 결정 : AFS + 크랭크각 센서

3 점화 시기의 결정

① 기본 점화 시기의 결정 : 분사 펄스폭과 엔진의 회전수에 의해 결정

4 아이들 스피드 제어

① 공회전 속도 조절 : 엔진의 회전수를 검출하여 전기 부하 상태를 검출하는 제어로 배터리 전압과 함께 검출하는 전자 제어 방식도 적용되고 있다.

 **3.** 전자제어 엔진의 분류

1. 연료분사방식의 분류

전자 제어 엔진은 연료 분사 방식에 따라 SPI(Single Point Injection) 방식과 MPI (Multi Point Injection) 방식 및 GDI(Gasoline Direct Injection) 방식으로 구분하고 있다.

SPI 방식의 경우는 흡기 포트 가까이 인젝터 하나를 통해 연료를 분사하는 방식으로 연료의 균일한 분배를 할 수 없다는 결점을 가지고 있어 현재에는 거의 사용하지 않고 있는 방식이다. 이에 반해 MPI 방식은 각 실린더 별 인젝터 두어 연료를 분사하는 방식으로 연료의 균질 분사가 가능하여 현재 주종을 이루고 있는 방식이며 GDI 방식의 경우는 각 실린더에 직접 분사하여 연소실의 혼합비를 조절하는 방식이다.

또한 이들 전자 제어 방식의 경우는 도요다 자동차의 경우에는 EFI(Electronic Fuel Injection)라 부르며 닛산 자동차의 경우에는 EGI(Electronic Gasoline Injection), 미쓰비시 자동차의 경우에 는 ECI(Electronic Control Injection) 라 부르고 있어 국내의 자동차 메이커들도 초기 기술 도입에 따라 이들 일본국 자동차 메이커의 전자 제어 엔진의 명칭을 그대로 부르는 경향이 있지만 최근에는 전자 제어 엔진은 엔진의 상태를 종합적으로 제어 한다는 의미로 EMS(Electronic Management System) 시스템으로 표현하여 나타내고 있다. 그러나 이러한 명칭은 자동차 메이커의 독자 개발성을 강조하고 자사의 시스템이 우수하다는 전략적 개념의 명칭으로 전자 제어 엔진을 학습하는 데에는 크게 의미는 없지만 처음 학습 하는 사람에게는 혼돈을 초래 할 여지가 있어 내용을 참고하기 바란다.

일반적으로 연료 분사 방식의 분류는 그림〔2-20〕과 같이 크게 나누어 기계식 분사 방식과 전자 제어식 분사 방식으로 구분되어 지며 기계식 연료 분사 방식은 독일의 보쉬 사가 개발하여 사용해온 시스템으로 배출 가스 억제를 위한 공연비 피드 백(feed back)제어를 할 수 없어 현재에는 거의 사용하고 있지 않는 방식이다. 전자 제어 엔진의 경우는 연료 분사 제어를 통해 배출 가스 억제 및 성능 향상을 실행하는 메카트로닉스 시스템으로 기본 연료 분사량의 제어는 흡입 공기량 및 엔진 회전수에 따라 결정되어 지므로 전자 제어 연료 분사 방식의 분류는 D-제트로닉과 L-제트로닉으로 구분하고 있다.

※ 흡입공기량 계측방식:① 간접계측방식−D제트로닉 ② 직접계측방식−L제트로닉

그림2-20 연료분사방식에 따른 분류

D-제트로닉은 druck menge messer system의 약자를 사용한 것으로 흡입 공기량을 간접 측정하는 연료 분사 방식을 말하며 L-제트로닉은 luft menge messer system의

약자로 흡입 공기량을 직접 측정하는 연료 분사 방식을 말한다. 예컨대 D-제트로닉 연료 분사 방식의 경우는 그림[2-21]과 같이 흡입 공기를 간접 측정하는 MAP 센서 방식을 말하며 흡입 공기량을 직접 측정하는 AFM(에어 플로 미터)나 핫 필름을 이용한 AFS를 사용한 방식 등을 L-제트로닉 방식이라 말한다.

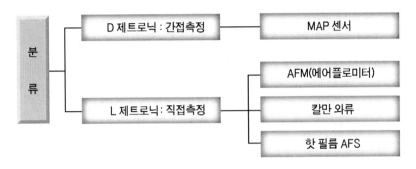

※ 흡입공기량의 측정방식에 따른 분류

그림2-21 전자제어엔진의 분류

2. D제트로닉 연료분사방식

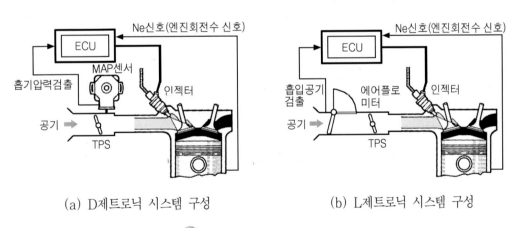

(a) D제트로닉 시스템 구성   (b) L제트로닉 시스템 구성

그림2-22 연료분사방식의 구분

D-제트로닉 방식은 흡기관 내의 압력이 엔진의 1 사이클 당 실린더에 흡입되는 공기량에 비례하는 것을 토대로 흡기관에 압력을 검출하여 이 값을 공기류량의 신호로 환산하여 연료 분사량을 결정하는 방식이다. 스로틀 밸브 전개(완전 열림 상태)시에는 흡기관 내의 압력은 거의 대기압과 같은 상태가 되어 흡기관 내의 압력은 높은 상태가 되지만 아이들

상태에서는 스로틀 밸브 전폐(완전 닫힌 상태)에서는 흡기관 상태는 부압이 크게 걸린 상태가 되어 흡기관 내의 압력은 대단히 낮아져 1회 흡입되는 공기류량은 최저의 상태가 된다.

　그러나 실제로는 흡입되는 공기량과 흡기관 내의 부압과의 관계는 엔진의 회전수에 따라 다소 차이가 있고 배출가스 규제에 의해 EGR 장치(배출가스 재순환 장치)의 장착이 의무화 되면서(EGR 장치에 의해 배출가스 일부가 흡기관으로 재순환 되면서) 흡기관의 압력도 차이가 있어 압력을 검출하여 연료를 분사하는 D-제트로닉 방식에서는 이와 같은 편차 값을 줄여주기 위해서는 별도의 보정을 하여 주어야 하는 결점을 가지고 있다.

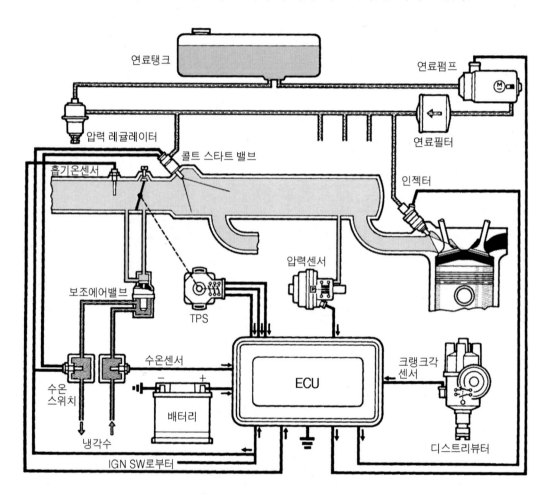

그림2-23 D제트로닉 시스템

사진2-7 D제트로닉 방식 엔진

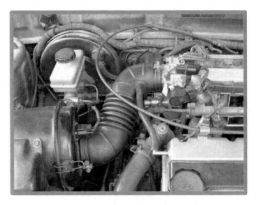

사진2-8 L제트로닉 방식 엔진

EGR 장치의 경우는 삼원 촉매 장치의 기능 향상으로 NOx(질수산화물) 제거율이 높아지게 되면서 최근에는 EGR 장치를 사용하고 있지 않은 방식도 있다. 또한 D-제트로닉 방식은 L-제트로닉 방식에 비해 AFS(에어 플로 센서)사용하고 있지 않고 있어 흡입 저항이 적어 흡입 효율이 좋고 연료 압력도 엔진의 회전수에 따라 대응 할 수 있게 되어 최근에는 D-제트로닉 방식도 많이 적용하고 있게 되었다.

3. L제트로닉 연료 분사 방식

L-제트로닉 방식은 D-제트로닉 방식의 결점을 보완하기 위해 흡기관을 통과하는 흡입 공기의 량을 직접 측정하는 방식으로 D-제트로닉 방식보다 흡기량 측정이 정확한 장점을 가지고 있다. 흡기관을 통과하는 흡입 공기량을 측정하는 방식으로 초기에는 베인형(vane type)을 사용한 것으로 플래퍼(flapper) 방식이라고도 하며 공기량이 통과함에 따라 베인이 좌우로 회전하면 회전축과 가변 저항을 연결하여 흡입 공기의 류량에 따라 가변 저항 축이 연동하여 움직이게 돼 통과하는 공기량이 많아지면 베인이 움직이는 량이 많아지게 되고 통과하는 공기량이 적으면 베인이 움직이는 량이 작아져 결국 베인의 중심 축과 연결된 가변 저항이 값이 흡입 공기의 류량에 따라 변화하는 것을 이용한 방식이다. 이 방식은 AFM(에어 플로 미터)라 부르는 방식으로 간접 측정하는 D-제트로닉 방식에 비해 정확도는 높으나 공기 류량이 베인(vane)에 의해 흡입 공기 저항이 발생하게 돼 공기 류량을 측정하는 데에는 정확성이 다소 떨어지게 된다.

그 후 발전을 거듭하여 칼만 와류를 이용한 AFS(에어 플로 센서) 및 흡입 공기의 온도를 이용한 핫-필름 방식의 AFS가 이용하게 되었다. 과거 국내에서는 기아 자동차의 콩코드 모델이 가동 베인을 이용한 AFM(에어 플로 미터)방식을 적용하였으며 현대 자동차의 구형 쏘나타 모델의 경우는 초음파를 이용하여 칼만 와류의 과를 카운트 하는 방식을 적용하기도 하였다.

칼만 와류를 이용한 AFS 방식은 가동 베인(vane)을 이용한 플래퍼(flapper) 방식, 즉 AFM(에어 플로 미터)의 방식 보다 흡입 공기의 저항이 적고 정확하지만 흡입 공기의 체적유량을 검출하는 방식으로 온도 변화에 따른 공기의 밀도 변화에 대해 별도의 보원 대책이 필요하다. 따라서 흡입 공기의 밀도를 감안 온도에 따라 저항값이 변화하는 핫-필름 방식의 AFS(에어 플로 센서)가 등장하게 된다.

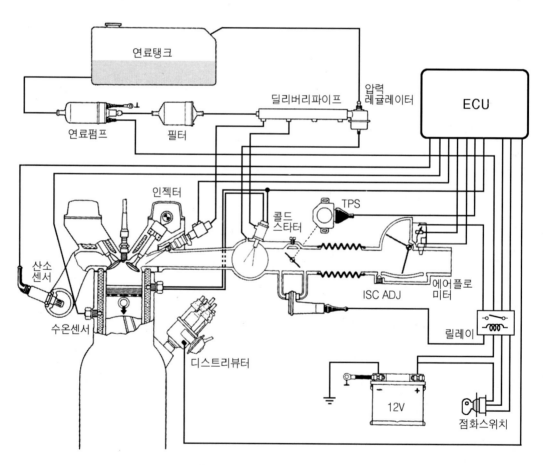

🔺 그림2-24 L제트로닉 시스템

[표2-5] 연료분사방식의 비교

구분	K 제트로닉	D 제트로닉	L 제트로닉
제어방식	기계식제어방식	전자제어방식	전자제어방식
흡입공기량 검출	에어플로미터	MAP 센서	에어플로미터
인젝터 방식	일정 압력 이상이 되면 자동으로 밸브가 열리는 기계식 인젝터	컴퓨터에 의해 통전 시간제어에 의한 전자식 인젝터	
연료분사의 형태	연속 분사	엔진 회전수에 의한 동기 분사	
공연비 피드백	없다	산소센서에 의해 배출가스의 산소 농도를 검출하여 피드백 제어	
시동시 증량 보정	콜드 스타트 인젝터에 의해 연료를 추가 공급	수온센서에 의해 시동시 연료의 증량을 보정하고 있다.	

point ●

전자제어엔진의 특징

1 전자제어엔진의 연료분사방식 분류

흡입 공기량을 검출하는 방식에 따라 D-제트로닉과 L-제트로닉으로 분류한다.

2 전자제어엔진의 연료분사방식 특징

① D-제트로닉 방식 : 공기류량 간접 측정 방식(MAP 센서 방식)
  • AFS 방식과 달리 흡기관의 공기 저항이 없다.
  • 흡기관의 압력은 엔진의 회전수에 따라 다소 차이가 있어 연료 분사시기를 결정할 때 별도의 보정치가 필요하다.

② L-제트로닉 방식 : 공기류량 직접 측정 방식(AFS 방식)
  • 흡입 공기량을 직접 측정하여 D-제트로닉 보다 공기류량 측정이 정확하다.
  • 체적류량을 검출하는 AFS의 경우에는 온도의 따라 흡입 공기의 밀도가 변화하는 것을 보완하여 줄 보정 계수가 필요하다.

4 시스템 구성

■ 1. 흡기장치

전자 제어 엔진의 시스템 구성은 그림[2-25]의 예와 같이 연소실 내의 공기를 흡입하는 흡기 장치와 연료를 공급하는 연료 공급 장치 및 혼합 된 가스를 점화하는 점화 장치, 그리고 이들 3가지 장치를 설정 목표값으로 제어하기 위한 제어 장치로 구성되어 있다. 이들 장치 중 먼저 흡기 장치의 구성을 살펴보자.

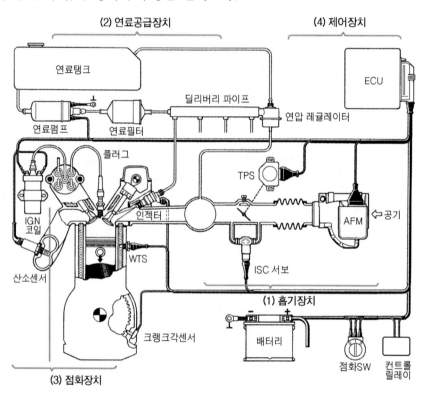

🔺 그림2-25 전자제어엔진의 시스템 구성(예)

흡기 장치는 그림[2-26]과 같이 AFS(에어 플로 센서), 스로틀 보디, 아이들 스피드 액추에이터, 서지 탱크, 흡기 매니폴드로 구성되어 있다. 에어 클리너를 통해 흡입된 공기는 AFS(에어 플로 센서)를 거쳐 흡입 공기의 유량을 계량하고 운전자의 가속 의지에 따라 전개되는 스로틀 밸브를 통해 들어온 흡입 공기는 서지 탱크를 통해 흡기간섭을 완충하여 흡기 행정시 흡기 관성 효과를 향상하여 연소실 내의 연소 효율을 향상하는 역할을 하고 있다.

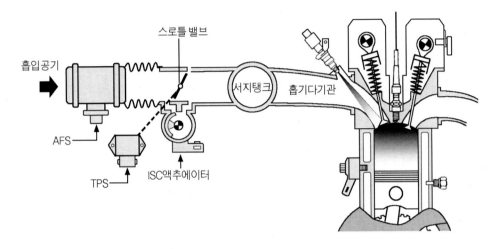

그림2-26 핫 필름 AFS방식의 흡기 장치

사진2-9 ISC 액추에이터

사진2-10 핫 필름 AFS 내부

흡기 장치는 공기의 류량을 계량하는 센서의 방식에 따라 D-제트로닉(분사)방식과 L-제트로닉(분사)방식으로 구분하고 있다. D-제트로닉 방식은 흡기관 압력을 검출하여 흡입 공기량을 환산하는 MAP 센서 방식의 공기류량 센서가 사용되고 있으며 L-제트로닉 방식은 흡입 공기의 관성을 이용한 AFM(에어 플로 미터), 칼만 와류를 이용한 칼만 와

류식 AFS(에어 플로 센서), 핫-필름 방식의 AFS가 사용되고 있다. 또한 흡기 장치에는 흡입 공기의 통로를 개폐하는 스로틀 밸브와 공기 류량을 미세 조정하는 바이패스 통로를 두어 엔진의 부하나 전기 부하에 의해 엔진 회전수가 저하하는 것을 조절하여 주는 ISC(아이들 스피드 컨트롤) 제어 기구를 가지고 있다.

[표2-6] 전자제어엔진 시스템의 장치별 구성부품			
흡기장치	연료 공급 장치	점화장치	제어장치
AFS TPS ISC 서보 모터 스로틀 보디	컨트롤 릴레이 연료 펌프 모터 연료 필터 연압 레귤레이터 연료 댐퍼 인젝터	점화코일 파워 TR 디스트리뷰터 점화플러그	ECU 점화스위치 크랭크각 센서 캠 포지션 센서 차속 센서 산소 센서 수온 센서 EGR 센서

2. 연료 공급 장치

연료 공급 장치의 구성은 연료 탱크로부터 인젝터 노즐까지 연료를 공급하기 위한 구성 부품으로 연료 펌프 모터에 전원에 공급하기 위한 전원 공급 장치와 연료를 인젝터까지 이송하는 연료 장치로 구성되어 있다.

[1] 연료 장치

연료 장치의 기본적인 구성은 연료 탱크, 연료 펌프, 연료 필터, 연료 압력 레귤레이터, 인젝터로 구성되어 있다.

그림[2-27]과 같이 연료 장치는 연료 펌프의 작동에 의해 연료 탱크 내의 연료는 압송되어 연료 필터로 보내져 수분과 슬러지를 걸러내어 연료 댐퍼와 연료 압력 레귤레이터로 토출하게 된다. 이렇게 토출 된 연료는 연료 라인 내의 압력에 의해 연료가 맥동을 발생하는 것을 연료 댐퍼 내의 다이어프램에 의해 흡수되고 인젝터와 콜드 스타트 인젝터(콜드 스타트 인젝터는 엔진 ECU와 관계없이 냉간 시동성을 향상하기 위해 설치된 인젝터로 냉간시 서지 탱크 측에 분사하여 냉간시 동성을 향상하고 있는 기구이다.)로 보내지게 된다. 이렇게 압송된 연료는 연료관 내에 연료의 압력차에 의해 연료 분사량이 변화하는 것을 방지하기 위해 흡기관의 차압을 이용하여 연료 압력이 약 3.0kg/cm² 정도를 일정하게 유지 하도록 연료 압력 레귤레이터를 설치하고 있다.

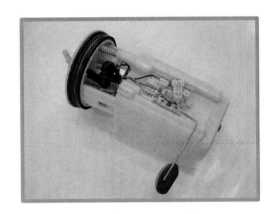

🔺 사진2-11 **연료펌프** Ass'y

🔺 사진2-12 **딜리버리 파이프** Ass'y

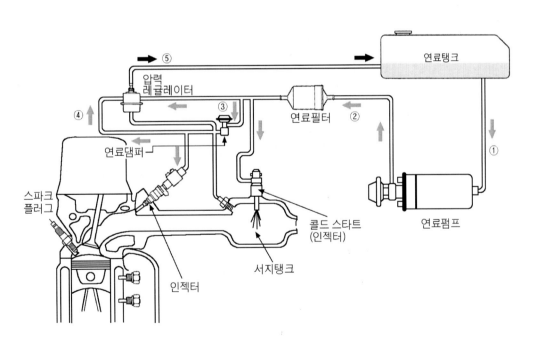

🔺 그림2-27 **연료 공급 장치**

(2) 전원 공급 장치

연료 펌프에 전원을 공급하는 장치의 구성은 자동차 제조사의 차종에 따라 다소 차이는 있지만 일반적으로 전원을 공급하는 점화 스위치와 엔진의 회전 시에만 전원을 공급하는 컨트롤 릴레이 및 연료 펌프 모터로 구성되어 있다. 연료 펌프 모터에 전원을 공급하는 장치는 차량의 안전성을 높이기 위해 엔진이 작동 중에만 연료를 공급하도록 되어 있어 엔진의 작동 중에만 연료 펌프 모터가 구동한다.

엔진의 작동 중에만 연료 펌프 모터가 구동을 하기 위해서는 연료 펌프 릴레이와 컨트롤 릴레이를 사용하게 되는데 일반적으로 연료 펌프 릴레이와 컨트롤 릴레이를 총칭하여 컨트롤 릴레이라 표현하고 있다.

그림〔2-28〕과 같이 구성된 회로의 연료 펌프의 전원 공급 장치는 메인 릴레이를 통해 컨트롤 릴레이에 전원을 공급하고 컨트롤 릴레이는 엔진의 회전에 따라 AFM(에어 플로 미터)에 부착된 연료 펌프 스위치가 작동하여 컨트롤 릴레이를 통해 연료 펌프 모터의 전원을 공급하도록 하는 전원 공급 회로이다.

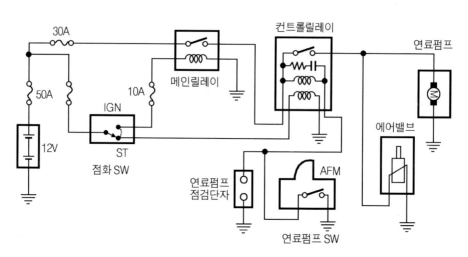

🔺 그림2-28 **연료펌프 전원공급회로**

이에 반해 그림〔2-29〕와 같은 방식은 엔진의 회전 상태를 크랭크 각 센서의 신호를 받아 ECU가 판단하고 엔진 ECU는 컨트롤 릴레이를 구동하여 연료 펌프 모터에 전원을 공급하도록 하고 있는 방식이다. 또한 컨트롤 릴레이는 외부의 AFS, 인젝터 및 퍼지 솔레노이드 밸브 등의 전원을 공급하는 기능을 가지고 있기도 하다.

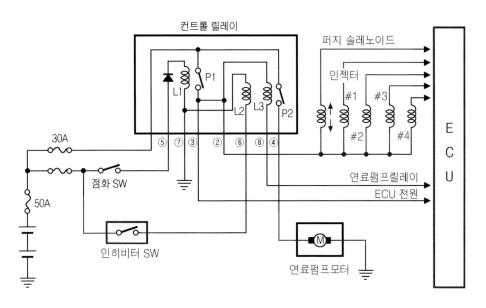

그림2-29 ECU 전원공급회로

3. 점화장치

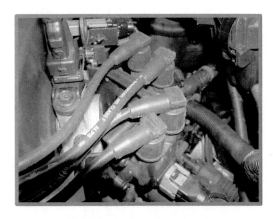

사진2-13 점화코일과 케이블

사진2-14 연결된 점화 케이블

점화 장치의 구성은 연소실의 혼합 가스를 점화하기 위해 구성된 장치로 파워 TR(트랜지스터)과 점화 코일 그리고 디스트리뷰터(DLI 차량은 제외) 및 점화 플러그로 구성되어 있는 장치이다. 가솔린 차량의 점화 장치는 고압을 발생하는 점화 코일과 고압을 발생하도록 점화 1차 회로를 단속하는 파워 TR(트랜지스터) 또는 IGBT(Insulator Gate

91

Bipolar Transistor)가 사용되고 있으며 자동차의 차종에 따라 ECU 내장형과 외장형이 있다. 또한 점화 코일로부터 발생된 고압은 고압 케이블을 통해 각 실린더에 삽입된 점화 플러그로 가해지게 된다. 점화 코일부터 발생된 고압이 각 실린더로 가해지기 위해 배전하는 디스트리뷰터가 있으며 최근에는 연소실 효율 높이기 위해 각 실린더 마다 점화코일을 사용하는 DLI(Distributor Less Ignition) 점화 방식이 크게 증가하고 있는 추세이다.

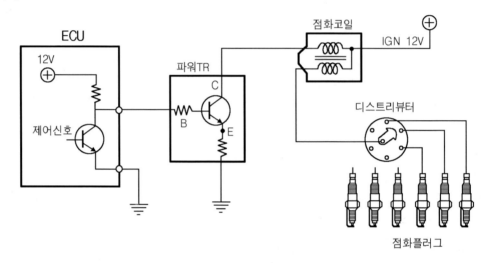

🔺 그림2-30 ECU 제어 점화장치 회로

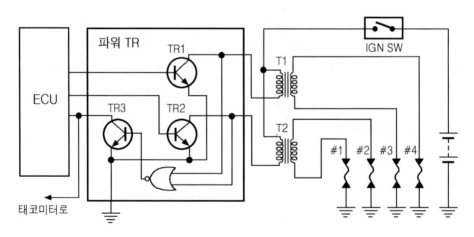

🔺 그림2-31 동시 점화방식의 DLI 회로

그림[2-31]은 디스트리뷰터(배전기)가 없는 DLI 점화 방식 회로를 나타낸 것으로 파

위 TR 내에 타코 인터페이스 회로가 내장되어 있으며 점화 코일 1개 당 2개의 실린더를 점화하는 동시 점화 방식의 점화 회로이다. 이와 같은 전자 제어 방식의 점화 신호는 ECU(컴퓨터)로부터 지시를 받아 작동하지만 점화시기를 결정하도록 정보를 제공하는 센서는 크랭크각 센서 및 캠 포지션 센서 또는 TDC 센서이다. 따라서 점화 장치의 구성 부품에는 이들 센서를 포함시키는 경우도 있다.

4. 제어장치

제어 장치에는 엔진의 작동 상태를 검출하는 센서부와 이들 신호를 토대로 목표값을 제어하는 제어부, 그리고 제어부로부터 목표값을 제어하기 위해 구동하여 엔진의 상태를 조절하는 액추에이터 부로 나누어 볼 수 있다. 제어부(ECU) 내에는 마이크로 컴퓨터가 내장되어 있어서 엔진의 작동 상태를 검출한 센서의 정보를 토대로 입력된 정보는 마이크로 컴퓨터에 입력되어 미리 기억된 프로그램에 의해 목표값을 제어하도록 명령한다. 또한 제어부(ECU) 내에는 엔진의 작동 상태를 검출하는 센서 신호를 마이크로 컴퓨터가 인식할 수 있도록 인터페이스 회로가 구성되어 있다.

또한 아날로그 신호를 디지털 신호로 변환하는 A/D 변환기 및 입력 신호 전압의 레벨을 조절하기 위한 전압 레벨 조정기와 마이크로 컴퓨터로부터 데이터를 일시 또는 장기 기억하는 기억 장치가 구성되어 있어서 엔진의 상태에 따라 미리 설정된 목표 값을 제어하도록 하고 있다.

사진2-15 엔진ECU

사진2-16 컨트롤 릴레이

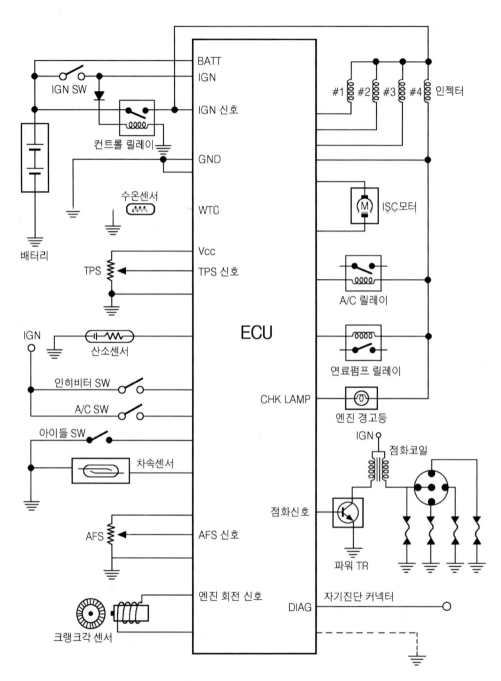

● 그림2-32 엔진ECU 회로도

point ●

엔진 ECU의 시스템 구성

1 전자제어엔진의 시스템 구성

1. 흡기 장치, 2. 연료 공급 장치, 3. 점화 장치, 4. 제어 장치

① 흡기 장치

- 구성 부품 : AFS, 스로틀 보디, TPS, ISC 액추에이터 등
- 흡입 공기량 검출 방식에 의한 분류
  - 간접 공기류량 검출 방식 : (예) MAP 센서
  - 직접 공기류량 검출 방식 : (예) 칼만 와류식 AFS, 핫 필름 방식의 AFS

② 연료 공급 장치

- 구성 푸품 : 연료 펌프 모터, 연료 필터, 연료 압력 레귤레이터, 인젝터 등
- 연료 펌프 모터는 연료를 흡입하고 가압하여 토출하는 작용을 하며
- 연압 레귤레이터는 토출된 연료의 압력은 아이들 시 약 2.7~ 3.1kg/cm² 를 일정히 유지하여 인젝터로부터 분사량을 일정하게 한다.

③ 점화 장치

- 구성 푸품 : 파워 TR, 점화 코일, 디스트리뷰터(배전기), 점화 플러그
- 독립 점화 방식 : 점화 코일 1개를 사용하여 각 연소실 별로 배전하는 방식
- 동시 점화 방식 : 연소실의 점화 효율을 향상하기 위해 점화 코일 1개 당 실린더 1개 또는 2개를 동시에 점화하는 방식

④ 제어 장치

- 구성 요소 : 센서부, 제어부(ECU), 액추에이터 부로 구성되어 있다
- 센서부 : 엔진의 상태를 검출하는 센서 부품
- 제어부 : 엔진의 상태를 검출하는 센서 신호를 토대로 미리 설정된 프로그램에 의해 목표값을 제어하도록 명령하는 ECU를 말함
- 액추에이터부 : 목표값을 제어하기 위해 ECU로부터 명령을 받아 구동 하는 솔레노이드 밸브, 모터, 릴레이 등의 부품을 말한다.

03

구성부품의
기능과 특성

3 CHAPTER

구성부품의 기능과 특성

흡입 공기량 검출 센서

1. 가동 베인식 AFM(에어 플로 미터)

전자 제어 엔진의 흡입 공기량을 검출하는 센서는 그림[3-1]에 구분한 것과 같이 흡입된 공기의 량을 직접 측정하는 방식과 간접 측정하는 방식으로 구분 한다. 공기의 류량을 직접 측정하는 방식에는 가동 베인식 AFM(에어 플로 미터), 칼만 와류 AFS(에어 플로 센서), 핫 와이어식 AFS, 핫-필름 방식의 AFS(에어 플로 센서)가 사용되고 있다. 간접 측정하는 방식으로는 흡기관 압력을 검출하는 MAP(Manifold Absolute Pressure) 센서 방식이 사용되고 있다.

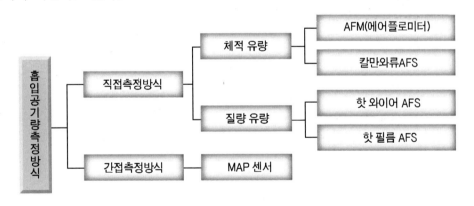

그림3-1 AFS센서의 분류

이중에 가동 베인식 AFM(에어 플로 미터)는 사진[3-2]와 같이 흡입된 공기의 부압에 의해 가동 베인이 회전 운동을 하는 것을 이용한 것으로 가동 베인식 AFM(에어 플로 미터)또는 매저링 플레이트(measuring plate)식 AFS(에어 플로 센서)라 부르기도 한다. 이 센서의 원리는 베인(회전 날개)이 흡입 공기에 의해 회전 할 때 베인(회전 날개)의 축이 회전하면 회전축과 연동해 가변 저항의 가동 접점이 회전을 하게 돼 저항값이 변화하도록 하는 방식으로 구조는 그림[3-2]에 나타낸 것과 같다.

사진3-1 가동 베인식 AFM

사진3-2 가동 베인식 AFM의 구조

즉 가동 베인식 AFM(에어 플로 미터)는 흡입 공기의 류량에 따라 베인(회전 날개)이 회전하면 베인이 회전에 따라 가변 저항값이 변화하도록 한 것이다.

가동 베인이 정지하는 것은 AFM의 내부에 복원 스프링이 붙어 있어 흡입 공기량에 의해 회전각 만큼 이동한 베인과 복원 스프링의 힘이 평형이 될 때 가동 베인은 정지하게 되고 이 때 가변 저항값이 전압값으로 변환되어 ECU로 입력하도록 하고 있다.

사진3-3 가동 베인식 AFM의 내부

ECU로 입력되는 전압값은 흡입 공기량의 계량값이므로 정확한 값이 입력되지 않으면 실제 흡입 공기량가 오차가 발생하게 돼 정상적인 공연비 제어가 불가능하게 된다. 그러나 가동 베인식 AFM(에어 플로 미터)의 경우는 베인(회전 날개)를 이용하여 공기류량을 검출하는 방식으로 흡기 맥동에 의한 진동이 발생하게 돼 이것을 방지하기 위해 그림〔3-2〕와 같이 흡입 공기의 맥동을 완충하는 댐핑 체임버를 두고 있다. 또한 가동 베인식 AFM(에어 플로 미터)에는 바이패스 통로를 두고, 바이패스 통로에 공기 흐름의 조절 스크류가 설치되어 있어 센서의 출력값의 교정용으로 사용하고 있다. 공기 흐름 조절용 스크류는 시계 방향으로 돌리면 바이패스 통로의 공기 흐름이

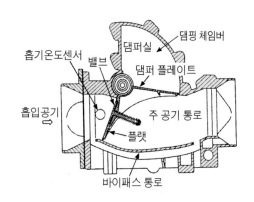

▲ 그림3-2 가동 베인식 AFM의 구조

좁아지게 되고 반대로 반시계 방향으로 돌리면 바이패스 통로의 공기 흐름이 넓어지게 되어 있어 공기 조절의 미세 조정이 가능하게 하고 있다.

그림〔3-3〕은 AFM(에어 플로 미터)의 센서부 회로와 출력 전압 특성을 나타낸 것으로 가동 접점이 하측으로 이동하면 가동 베인(회전 날개)이 전폐 상태가 되어 센서 저항은 최대가 된다. 이때 센서의 출력 전압 Vs는 약 1.5V가 되며 반대로 가동 접점이 상측으로 이동하여 가동 베인(회전 날개)이 전개 상태가 되면 약 6.5V 정도가 되도록 되어 있다.

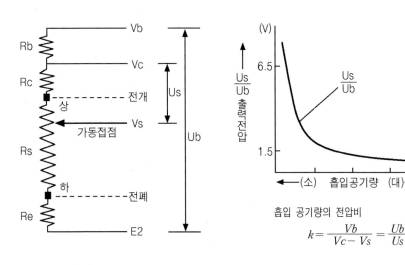

(a) AFM의 검출 회로   (b) AFM의 출력 특성

흡입 공기량의 전압비

$$k = \frac{Vb}{Vc - Vs} = \frac{Ub}{Us}$$

▲ 그림3-3 가동 베인식 AFM의 특성

Vs 전압은 배터리 공급 전압에 따라 다소 차이는 있지만 실제 흡입 공기량의 검출은 $K = \dfrac{Vb}{(Vc - Vs)}$ 값으로 검출하고 있다.

이와 같이 저항 Rb와 Rc을 두어 전압비를 검출하는 것은 전원 전압의 변동에도 센서의 출력 전압이 크게 변동하지 않도록 하기 위한 것으로 ECU로 입력되는 전압은 가변 저항 의 Vs 전압에 의해 결정된다고 생각하면 좋다.

그림[3-4]는 가동 베인식 AFM(에어 플로 미터)의 ECU의 입력 회로를 나타낸 것으 로 E1단자는 전원 어스, E2는 센서 그라운드, Vs는 가변 저항의 출력 전압 단자, Vc와 Vb 단자는 전압비에 의한 흡입 공기량 입력 신호, THA(threshold)전압으로 메인 릴레 이를 통해 공급되는 센서의 기준 전압이 된다. 여기서 Fc 단자는 가동 베인(회전 날개)이 흡입 공기에 의해 회전 할 때 접점이 ON 상태가 되어 연료 펌프의 전원을 공급하도록 하 고 있는 단자이다.

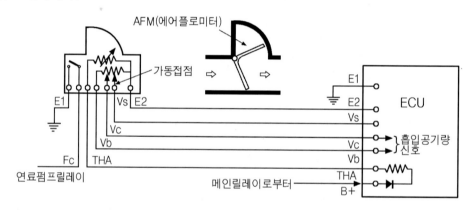

그림3-4 AFM(에어플로미터)의 입력 회로

2. 칼만 와류식 AFS(에어 플로 센서)

칼만 와류식 AFS(에어 플로 센서)의 원리는 그림[3-5]의 (a)와 같이 공기가 흐르는 중앙에 와류가 발생하는 주(기둥)를 세우면 공기의 유속에 따라 규칙적으로 와류(소용돌 이)가 발생된다는 원리를 이용한 것으로 이것은 공기의 흐름이 빠르면 공기의 유속에 비 례하여 와류가 많이 발생하고 공기의 흐름이 느리면 느린 만큼 와류가 적게 발생 하게 돼 이 원리를 이용해 흡입 공기 류량을 검출하는 방식이다. 이 때 발생되는 와류의 수를 알면 유속을 알 수가 있어 이들 관계를 식으로 나타내면 다음과 같다.

$$f = k \times \left(\frac{v}{d} \right)$$

여기서 f : 칼만 와류의 발생 주파수를 나타내며, v : 유속, d : 와류 발생주의 직경, k : 스트로헐 정수(strouhal number)를 나타낸다. 일반적으로 스트로헐 정수값은 약 0.2로 거의 일정하다.

이와 같은 칼만 와류(karman vortex)의 원리를 이용하여 흡입 공기를 측정하는 AFS(에어 플로 센서)는 초음파식과 광전식이 사용되고 있는데 여기 소개하는 것은 국내에서는 현대 자동차(사)의 소나타에 처음으로 적용되었던 초음파식 AFS(에어 플로 센서) 센서를 나타낸 것이다.

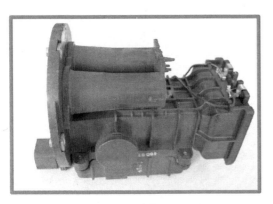

🔺 사진3-4 칼만 와류식 AFS

🔺 사진3-5 칼만 와류식 AFS 흡기측

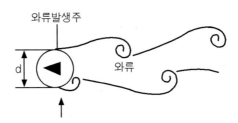

🔺 그림3-5(a) 와류 발생주에의 의한 와류 발생

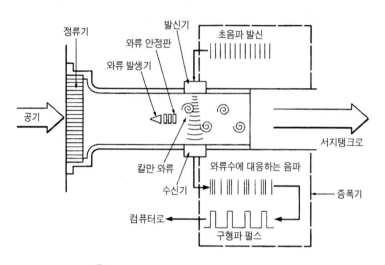

그림3-5(b) 칼만 와류식 AFS의 원리

초음파식 AFS(에어 플로 센서)는 그림〔3-5〕의 (b)와 같이 흡입 공기가 흐르는 통로에 와류가 발생하는 주(기둥)를 세우고 공기의 유속에 따라 와류가 발생하는 것을 상측에는 초음파 송신기를 하측에는 초음파 수신기를 두어 공기의 밀도에 따른 초음파를 검출하고 있다.

초음파 송신기로부터 송신된 초음파는 공기의 유속에 의해 와류가 발생하면 초음파 수신기는 공기의 밀도에 의해 와류가 많이 발생하면 초음파의 수신 주기는 짧아지게 되고 와류가 적게 발생하면 초음파의 수신 주기는 길게 되어 결국 AFS(에어 플로 센서)의 출력측에는 그림〔3-6〕의 (a)와 같이 엔진이 저속 회전시에는 공기의 흐름이 작아져 출력 주파수는 낮아지고 엔진이 고속 회전시에는 공기의 흐름의 많아져 출력 주파수는 높아지게 돼 이 값을 ECU(컴퓨터)로 입력하여 흡입 공기류량을 판단하게 된다.

따라서 그림〔3-6〕의 (a)와 같이 엔진이 저속 회전 할 때에는 주파수가 낮은 출력 파형 전압이 출력되고 엔진이 고속으로 회전할 때에는 주파수가 높은 출력 파형 전압이 출력되게 된다. 그림〔3-6〕의 (b)는 공기의 류량에 따라 출력 되는 주파수를 나타낸 것으로 보통 약 300Hz~2.0kHz 정도이다.

그림〔3-7〕은 대기압 센서와 흡기온 센서가 내장된 칼만 와류식 AFS(에어 플로 센서)를 나타낸 것으로 ECU로부터 +5V의 센서 전원을 공급 받아 동작하며 AFS의 출력 신호는 구형파 펄스 신호로 출력되어 ECU로 입력하도록 하고 있다.

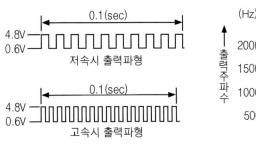

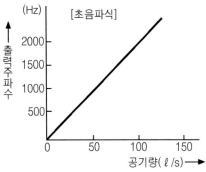

(a) 칼만와류식 AFS의 출력신호 전압   (b) 출력 특성

그림3-6 칼만 와류식 AFS의 출력신호 및 특성

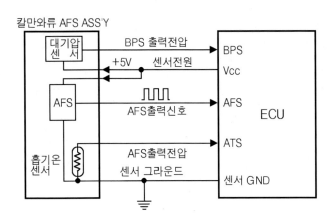

그림3-7 칼만 와류식 AFS의 ECU 입력 회로

이 방법을 이용한 AFS(에어 플로 센서)는 공기의 류속을 직접 와류를 이용해 측정하는 방법으로 정확성이 우수하지만 공기의 밀도차에 따라 흡입되는 공기의 량이 차가 있어 이를 보정하기 위해 흡기온 센서를 설치하여 두고 있다.

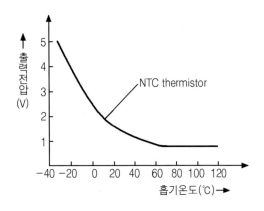

그림3-8 흡기온도센서의 특성

3. 핫 와이어 AFS(에어 플로 센서) 방식

핫-와이어(hat wire) 방식의 AFS(에어 플로 센서)는 가동 베인식 AFS(메저링 플레이트) 방식의 결점을 보완하기 위해 개발한 AFS이다. 가동 베인식 AFS는 흡기 공기의 흐름을 베인(회전 날개)의 회전하는 량에 따라 측정하는 방식으로 공기 저항으로 인해 고속시 흡입 저항이 증가하여 출력이 떨어지고 가동 베인의 스프링 변화에 대한 오차가 발생 할 수 있는 결점을 가지고 있다. 또한 흡입 공기의 체적 류량을 측정하기 때문에 공기 밀도에 따라 보정하여야 하는 어려운 문제점이 따른다. 이러한 문제점을 보완하기 위해 개발한 것이 핫-와이어 방식의 AFS이다.

사진3-6 핫 와이어 AFS

사진3-7 핫 와이어 AFS의 내부

핫 와이어 AFS의 구조는 그림[3-9]와 같이 흡입 공기가 흐르는 원통형 케이스 중앙에 열선 튜브를 놓고 열선 튜브 내에 백금 열선을 설치하여 백금 열선에 전류를 흘려 전압의 변화분을 증폭하는 하이브리드 IC 회로가 내장되어 있다.

핫 와이어 AFS의 원리는 백금의 온도 계수를 이용한 것으로 AFS의 흡입 통로에 백금 열선으로 된 발열체를 놓

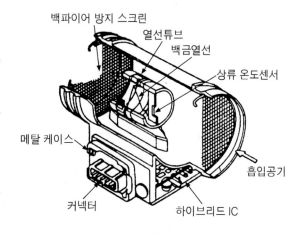

그림3-9 핫 와이어 열선식 AFS의 구조

고 전류를 흘리면 발열하고 흡입 공기가 통과하는 량에 따라 열선은 식혀져 열선의 저항 값은 낮아지게 된다.

반대로 흡입 공기가 적어지면 열선은 공기가 통과한 만큼 식혀져 저항값은 증가하는 것을 이용한 센서이다.

그림[3-10]은 핫 와이어 AFS의 내부 회로를 나타낸 것으로 저항 Rh는 백금 소재를 가지고 있는 열선 저항을 나타내며 Rs 저항은 표준 저항, Rk 저항은 온도 보상을 위해 삽입한 저항으로 열선 저항 Rh와 흡입 공기의 온도차를 항상 일정 하에 유지하도록 삽입 하여 놓은 보상 저항이다. 흡입 공기량이 많으면 많은 만큼 열선은 식혀지게 되고 온도의 밸런스$(Rk + R1) \cdot Rs = Rs + R2$를 유지하기 위해 전압을 증가해 보다 많이 전류를 흘려 열선을 발열시켜야 한다. 즉 흡입 공기량이 많은 경우는 열선 저항은 낮아지게 되고 열선 저항이 낮아진 만큼 전류는 증가하게 돼 출력 전압은 높게 나타난다.

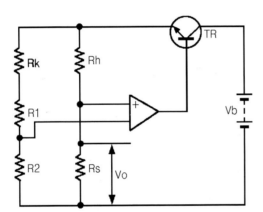

Rk : 공기온도 보상저항
Rh : 열선저항(백금)
R1, R2 : 브리지 저항
Rs : 표준 저항

그림3-10 핫 와이어 AFS의 회로

반대로 흡입 공기량이 적으면 열선 저항은 증가하여 열선 저항이 증가한 만큼 전류가 감소하게 돼 출력 전압은 낮게 나타난다. 온도 보상 저항 Rk는 흡입 공기의 온도를 검출 하는 저항으로 공기의 온도와 열선의 온도차를 유지하도록 하여 흡인된 공기의 질량을 측정하게 된다. 가동 베인식 AFS(에어 플로 센서)는 체적 류량을 측정하는데 반해 핫 와이어 AFS는 질량 류량을 측정하기 때문에 공기의 온도 변화나 압력의 변화에 영향을 받지 않는 이점이 있다.

그림[3-11]은 핫 와이어 AFS의 출력 특성을 나타낸 것으로 흡입된 공기량이 많은 고

속 구간에서는 출력 전압은 증가하고 역으로 흡입된 공기가 적은 저속 구간에서는 출력 전압은 감소하여 나타나며 보통 약 1.0 V~4.5V 범주이다.

사진3-8 핫와이어 AFS의 튜브

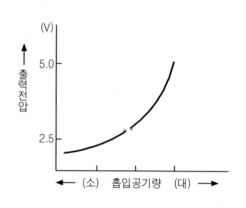

그림3-11 핫와이어 AFS의 출력 특성

그림[3-12]는 핫 와이어 AFS의 ECU 입력 회로를 예로서 나타낸 것으로 컨트롤 릴레이로부터 AFS의 전원을 공급 받아 작동하며 열선에 저항에 의한 센서의 출력 전압은 Vh로 공연비에 의한 제어 신호로는 Vs로 입력되어 지며 ECU는 부착물 연소 신호를 출력한다.

핫 와이어 AFS는 에어 클리너의 흡기 포트 사이에 설치되기 때문에 사용중에는 많은 먼지가 퇴적하게 되고 먼지나 카본이 열선에 퇴적되면 온도를 감지하는 열선의 감응 정도는 현저히 떨어지게 돼 정기적으로 청소를 하여야 하는 문제가 따르게 된다.

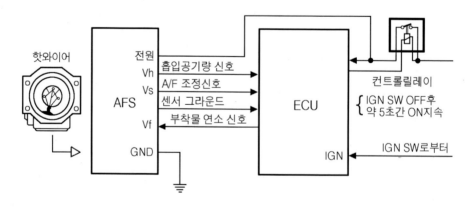

그림3-12 핫 와이어식 AFS의 입력 회로

그러나 실제로 핫 와이어 AFS를 자주 청소할 수 없기 때문에 엔진이 정지 후 약 5초 후에 열선(핫 와이어)을 작동시켜 먼지와 같은 부착물을 연소시키는 방법을 택하고 있다.

4. 핫 필름 AFS(에어 플로 센서) 방식

핫 필름 방식의 AFS(에어 플로 센서)는 열선을 이용해 흡입 공기의 온도를 측정하는 원리는 동일하지만 기존의 핫-와이어 AFS가 가지고 있는 결점을 보완한 개량형 AFS이다.

🔺 사진3-9 핫 필름 AFS 측면

🔺 사진3-10 핫 필름 AFS 정면

핫 필름 AFS의 구조를 살펴보면 그림[3-13]과 같이 흡입측에 금속 망으로 된 플로 그리드(flow grid)가 설치되어 있으며 센서부에는 기존의 핫-와이어 방식의 백금망 대신 세라믹 기판위에 핫-필름 센서를 코팅하여 놓은 센서부가 있다. 센서부로부터 검출된 흡입 공기의 온도를 전압값으로 치환하고 증폭하는 하이브리드 IC 회로부가 있다.

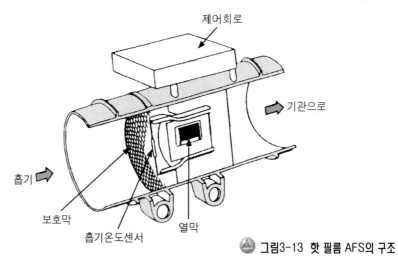
🔺 그림3-13 핫 필름 AFS의 구조

핫 필름 방식의 AFS는 기존의 핫 와이어 방식과 달리 흡입 공기의 저항을 감소하기 위해 사진〔3-10〕과 같이 공기의 온도를 측정하는 센서부를 유선형으로 하였고 입구 측으로부터 유입되는 공기의 흐름을 안정화하기 위해 입구측에는 플로 그리드(flow grid)를 설치하였다. 온도를 감지하는 센서부는 센서를 필름화 하여 세라믹 기판 위에 부착하여 놓아 진동에 강하도록 하였다.

핫 필름 센서부에는 그림〔3-14〕의 (b)와 같이 세라믹 기판위에 센서 저항을 코팅하여 놓은 센서 저항으로 이루어져 있다. 이들 센서 저항은 공기 변화온도 변화에 의한 출력 특성을 보상하기 위한 공기 온도 보상 저항 Rt가 있으며 흡입 공기의 온도를 검출하는 히팅 저항 Rh와 센싱 저항 Rs로 이루어져 있다. 흡입 공기의 온도를 검출하는 근원적 원리는 핫 와이어 방식과 거의 동일하여 핫 와이어 방식의 원리를 이해하면 쉽게 이해할 수 있다.

그림〔3-14〕는 핫-필름 AFS의 센서부 저항을 나타낸 것으로 중앙의 원통을 통해 흡입 공기가 흐르면 중앙에 있는 센서 저항은 그림〔3-14〕의 (a)와 같이 세라믹 기판상에 필름형 저항으로 이루어져 흡입 공기의 온도를 감지하도록 하고 있다.

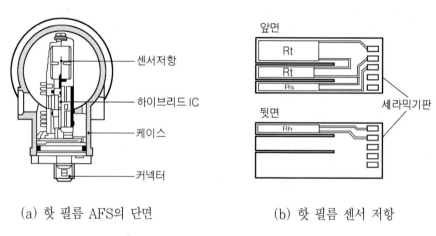

(a) 핫 필름 AFS의 단면   (b) 핫 필름 센서 저항

🔺 그림3-14 핫 필름 AFS의 센서 저항

핫 필름 센서부의 저항은 그림〔3-15〕와 같이 브리지 회로를 갖추고 있어 센싱 저항의 온도에 의한 변화에 의해 OP -AMP(연상 증폭기)의 입력 전압값이 변화하여 증폭하도록 하고 있다. 기존의 핫 와이어 대신 히팅 저항 Rh을 두어 항시 주위의 공기 온도 보다 높게 유지되도록 하여 센싱 저항 Rs을 가열하고 있다가 흡입 공기가 들어오면 흡입 공기의 온도차에 의해 센싱 저항 Rs 값은 감소하고 브리지 회로 R1, R2, R3, Rt, Rs는 평형을

잊게 되면 OP AMP(연산 증폭기)의 입력 전압값은 변화하여 OP-AMP(연산 증폭기)의 출력 전류값은 증가하게 되고 증가된 전류는 다시 히팅 저항 Rh을 가열하게 돼 센싱 저항 Rs 또한 증가하면 브리지 회로는 다시 평형을 유지하게 된다. 따라서 공기 류량은 히팅 저항 Rh의 변화값과 비례하게돼 결국 공기 류량을 측정 할 수 있게 된다. 온도 보상 저항 Rt는 주의의 온도 상승에 따라 히팅 저항 Rh, 센싱 저항 Rs값이 변화분 만큼 보상하기 위해 삽입하여 놓은 보상용 저항이다.

사진3-11 핫 필름 AFS의 HIC

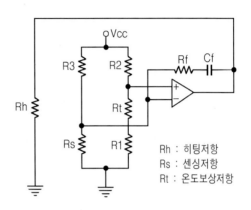

그림3-15 핫 필름 AFS의 내부 회로

그림[3-16]은 핫 필름 AFS의 출력 특성을 나타낸 것으로 공기의 류량에 따라 약 0.5V ~3.5V 정도 변화 하도록 하여 ECU(컴퓨터)에 입력하고 있다.

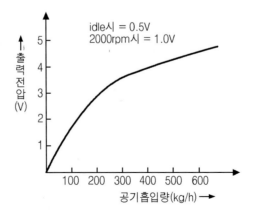

그림3-16 핫 필름 AFS의 출력 특성

　　그림[3-17]은 핫 필름 방식의 AFS의 입력 회로를 나타낸 것으로 핫 필름 AFS의 내부에는 센싱 저항을 가열하기 위한 히팅 회로와 온도를 감지하기 위한 센싱 회로로 구성되어 있으므로 ECU로부터 전원을 공급 받아 히팅 회로를 작동하고 AFS의 회로부는 전압 변화가 적은 정전압 전압 Vref를 공급하여 이 전압을 기준 전압으로 하여 AFS는 작동 한다.

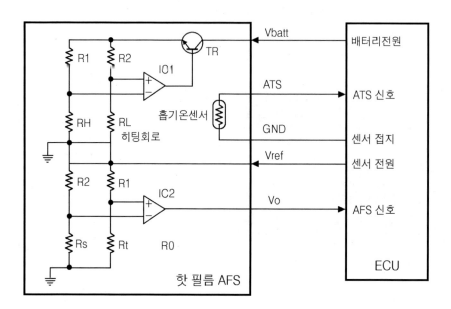

🔺 **그림3-17 핫 필름 AFS의 ECU 입력회로**

　　핫-필름 방식의 AFS의 출력 전압(표 3-1 참조)은 자동차의 배기량 따라지만 일반적으로 아이들 상태에서 약 0.5V 정도 출력하며 엔진 회전수가 2000rpm 정도에서는 1.0V가 출력 된다. 또한 원가를 줄이기 위해 AFS 내부에는 흡입 공기값을 보정하기 위한 ATS(흡기온 센서)가 내장된 경우도 있다.

　　ATS는 서미스터(thermistor)를 사용한 반도체 센서로 출력 특성은 그림[3-18]과 같이 온도가 상승하면 저항값이 감소하는 NTC 형 서미스터를 사용하고 있다. ATS의 출력 전압은 내부 회로의 설계값에 다르지만 보통 0℃ 인 경우에는 약 4.3V 정도 출력하며 섭씨 20℃인 경우에는 약 3.3V 정도 출력하여 ECU(컴퓨터)로 입력하여 주고 있다.

[표3-1] 핫 필름 AFS의 출력전압	
공기 질량(kg/h)	출력 전압 (V)
7.3	0.3 (V)
10.1	0.5 (V)
19.8	1.0 (V)
35.6	1.5 (V)
58.8	2.0 (V)
94.7	2.5 (V)
149.1	3.0 (V)
226.7	3.5 (V)
335.7	4.0 (V)
500.2	4.5 (V)
730	5.0 (V)

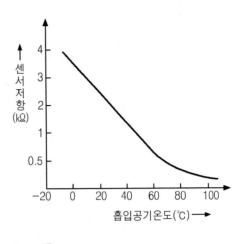

그림3-18 흡기온도센서의 특성

5. MAP(맵 센서) 방식

실제 인젝터로부터 분사하는 연료의 량은 ECU로부터 출력되는 인젝터 분사 신호의 펄스 폭에 의해 인젝터의 니들 밸브가 열리는 시간으로 결정되어 지는데 분사 신호의 펄스 폭은 기본적으로 흡입 공기량과 엔진 회전수에 의해 결정되어지기 때문에 흡입 공기량을 측정하는 AFS(에어 플로 센서)에 이상이 발생하면 난기 중에 부조 현상이 발생하기도 하고 고부하시 출력 부족 현상이 발생하기도 한다. 또한 심한 경우에는 엔진이 정지되는 경우도 발생하게 된다.

지금까지 설명한 AFS는 흡입 공기량을 직접 측정하는 방식으로 정확성이 우수하다는 장점을 가지고 있는 반면 흡기관에 압력을 이용해 흡입 공기를 간접 측정하는 방식은 흡기관이 흡입 저항에 영향을 주지 않아 흡기관 소형화 및 경량화가 가능하고 경제성이 우수하여 현재 국내에서도 여러 차종에 적용하고 있다. 흡기관의 공기류량을 압력으로 측정하는 MAP(Manifold Absolute Pressure) 센서에는 장착하는 방법에 따라 사진 〔3-12〕와 같이 흡기관으로부터 MAP 센서에 호스를 연결하여 측정하는 호스 연결형 MAP(맵)센서와 사진〔3-13〕과 같이 MAP(맵) 센서를 서지 탱크에 직접 연결하여 측정하는 서지 탱크 부착형 MAP(맵) 센서가 사용되고 있다.

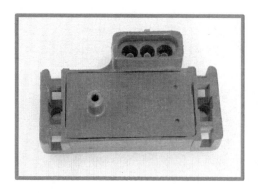

사진3-12 호스 연결형 MAP 센서

사진3-13 부착형 MAP 센서

　　MAP(맵) 센서의 구조를 살펴보면 그림〔3-19〕의 (a)와 같이 플라스틱 케이스 내에 센서부를 두고 센서부에는 흡기관의 부압을 차를 검출하도록 진공실을 두고 있다. 이 진공실 내에는 피에조 압전 효과를 이용한 센서 칩이 내장되어 있어 압력 따라 저항값이 변화하는 것을 전기 신호로 변환하여 MAP 센서의 리드(단자)를 통해 ECU와 연결하도록 되어 있다. 센서 칩 내에는 그림〔3-19〕의 (b)와 같이 브리지 회로가 구성되어 피에조 압전 효과에 의해 브리지 회로의 피에조 저항이 변화하도록 되어 있다.

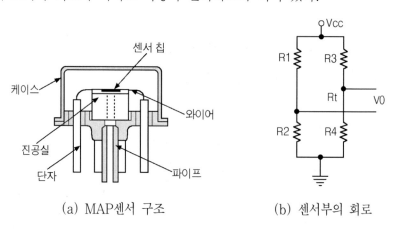

(a) MAP센서 구조　　　　　　　(b) 센서부의 회로

그림3-19 MAP센서의 구조와 기본 회로

　　여기서 말하는 피에조 압전 효과는 피에조 반도체의 면적 또는 길이 등이 외부로부터 물리적인 힘이 가해지면 피에조 저항이 선형적으로 변화하는 특성을 가지게 되는 것을 말한다. 결국 흡기관의 압력은 피에조 압전 효과를 이용해 실린더로부터 흡입되는 공기의 량을 측정하는 방식이 MAP 센서 방식이다.

사진3-14 부착형 MAP센서(전면)

사진3-15 부착형 MAP센서(후면)

실린더는 1회 흡입하는 공기의 량은 엔진의 회전수에 비례하기 때문에 스로틀 밸브가 전개시(완전 열림 상태)에서는 흡기관 내의 압력은 거의 대기압과 같아지게 되고 흡입되는 공기량은 많아진다. 반대로 스로틀 밸브가 거의 전폐(거의 닫힌 상태) 상태인 아이들 상태에서는 흡기관 내의 압력은 대단히 낮아져 실린더 1회에 흡입되는 공기의 양은 작아지게 되어 흡기관의 압력으로도 흡입 공기의 유량을 측정할 수 있게 된다.

MAP 센서의 출력 특성은 그림[3-20]과 그림[3-21]과 같이 선형적인 특성을 가지고 있으며 그림[3-20]은 수은주를 기준으로 한 출력 특성을 나타낸 것이며 그림[3-21]은 대기압이 수시로 변화하는 것을 감안하여 나타낸 대기압의 단위로 hp(hecto-pascal : 헥토-파스칼)의 단위를 사용하여 나타낸 출력 특성으로 현재에는 헥토파스칼 또는 mb(밀리 바) 단위를 사용하고 있기도 하다.

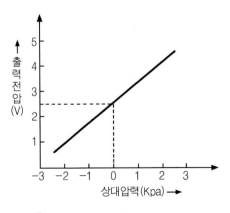

그림3-20 MAP센서의 출력 특성

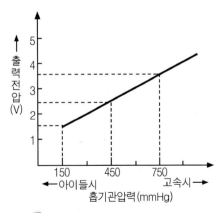

그림3-21 MAP센서의 출력 특성

그림[3-22]는 MAP센서의 ECU 입력 회로를 나타낸 것으로 2번 단자는 ECU(컴퓨터)로부터 MAP 센서로 전압 변화가 일정한 5V의 전압을 공급 받아 MAP센서는 동작하게 되며 1번 단자는 흡기관의 압력에 따라 MAP센서로부터 출력되는 센서의 출력 신호 단자이다.

차종에 따라 다소 차이는 있지만 보통 아이들 상태에서 MAP센서의 압력은 150 (mmHg) 또는 약 300 mb(밀리 바)를 나타낸다. 또한 MAP센서 내에는 부품의 원가를 감소하기 위해 그림[3-22]와 같이 ATS(흡기온 센서)를 내장한 방식도 있다.

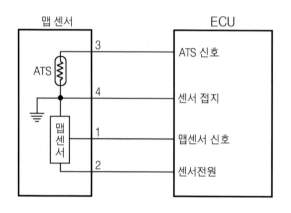
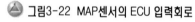

그림3-22 MAP센서의 ECU 입력회로

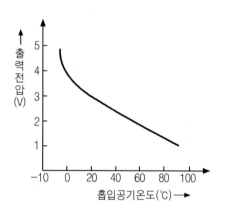

그림3-23 흡기온도센서의 특성

point

흡입 공기량 검출

1 AFS(에어플로센서)

1. AFS의 기능
- 전자 제어 엔진은 연료의 분사량를 조절하여 혼합비를 맞추어 주는 일을 하기 위해 실린더 내로 흡입되는 공기의 량을 측정, 전기적인 신호로 변환하여 ECU(컴퓨터)로 보내 주는 기능을 가지고 있는 센서이다.

2. 흡입 공기량을 검출하는 방법
- 직접 측정 방식 : 실린더의 흡입되는 공기의 량을 칼만 와류 또는 열선 등을 이용하여 직접 측정하는 방식(예 : 핫 필름 AFS)
- 간접 측정 방식 : 흡기관의 압력을 측정하는 방식으로 흡기관의 압력은 실린더가 1회 흡입 할 때 공기의 량과 흡기관의 압력이 비례하는 것을 이용하여 측정 방식 (예 : MAP 센서 방식)

3. AFS의 종류와 특징

① 가동 베인식 AFM(에어 플로 미터) 또는 메저링 플레이트식 AFS

흡입되는 공기의 량을 가동 베인(회전 날개)의 회전에 의해 가변 저항값이 변화하는 것을 이용한 센서로 가동 베인에 의한 흡기 저항이 크고 장기간 사용시 가동 베인의 복원 스프링의 노화에 의한 오차가 일어날 수 있는 결점을 가지고 있어 현재는 많이 사용하지 않고 있는 방식이다.

② 핫 와이어 AFS(에어 플로 센서)

백금의 핫 와이어(열선)에 일정한 전류를 흘려 가열한 후 흡입 공기에 의한 핫 와이어의 저항 변화를 전기적인 신호로 변환하여 ECU(컴퓨터)로 입력하여 주는 센서로 핫 와이어(열선)의 먼지 및 슬러지에 의한 오염 등의 대책이 필요하며 공기 흐름 통로의 중앙에 핫 와이어를 설치하여 공기의 량을 측정하는 방식으로 흡입 공기에 대한 저항이 발생하는 결점을 가지고 있다.

③ 핫 필름 AFS

핫 와이어 AFS의 결점을 보완하기 위해 핫 와이어(열선) 대신 핫 필름(열 피막)을 사용한 센서로 동작 원리는 핫 와이어 AFS 센서의 방식과 동일하다.

④ 칼만 와류 AFS

칼만 와류를 이용한 AFS는 초음파식과 광전식을 이용한 센서가 사용되고 있으며 공기의 흐르는 량을 와류 발생을 이용하여 측정하는 방식으로 정확한 측정이 가능하지만 공기의 밀도에 의한 오차를 보완하기 위해 별도의 보정용 ATS(흡기온 센서)가 요구되는 센서이다.

4. ATS(흡기온 센서)의 기능

흡입 공기의 온도를 검출하는 서미스터 센서로 공기의 밀도차를 보정하기 위해 사용하는 센서이다.

1. 대기의 압력
① 대기압 : 공기층이 지상에 있는 물체를 누르는 압력을 말함
② 절대압 : 진공 상태를 0으로 보았을 때의 압력
③ 상대압 : 게이지 압력은 대기압을 기준으로 한 압력

2. 압력의 단위
① mmHg : 수은주의 높이를 기준으로 한 단위
② bar(바) : 1 mm bar는 1 hp(헥토-파스칼)에 해당
③ khp(킬로 헥토-파스칼) : 1 hp(헥토-파스칼)은 기압의 단위로 너무 작기 때문에 1000배로 하여 표현

117

 ## 흡입 공기 조절 장치

1. 스로틀 보디

전자 제어 엔진은 흡입 공기량과 엔진의 회전수를 기본으로 하여 연료의 분사량을 결정하지만 차량의 부하 상태나 급가속 상태와 같은 차량의 주행 조건을 판단하는 정보로는 흡입 공기량과 엔진 회전수만으로 연료의 분사량을 판단하는 것은 불가능하다. 따라서 ECU(컴퓨터)는 엔진의 여러 정보를 필요로 하게 되며 그 중 운전자의 가속의지를 흡입 공기의 개폐구(스로틀 밸브)를 통해 스로틀 밸브의 개도 상태를 검출하도록 하고 있다.

스로틀 보디(throttle body)는 사진[3-16]과 같이 액셀러레이터 케이블에 의해 스로틀 밸브가 열고 닫히는 기계식 스로틀 보디와 사진[3-17]과 같이 차량의 주행 상태에 따라 ECU(컴퓨터)가 스로틀 밸브에 부착된 스텝 모터를 구동하여 스로틀 밸브를 열고 닫을 수도 있는 전자식 스로틀 보디가 있다.

🔺 사진3-16 기계식 스로틀보디

🔺 사진3-17 전자식 스로틀보디

스로틀 보디에는 흡입 공기의 통로를 열고 닫는 스로틀 밸브와 운전자의 가속의지를 검출하기 위해 스로틀 밸브의 중심축에 연결된 TPS(스로틀 포지션 센서)가 부착되어 있다. 이 스로틀 보디에는 냉간시 시동성 향상이나 전기 부하에 의해 엔진 회전수가 감소하는 것을 방지하가 위해 메인 스로틀 밸브 외에 별도의 흡입 공기 바이 패스(by pass) 통로를 두고 있다.

따라서 기계식 스로틀 보디에는 이 바이 패스(bypass) 통로를 열고 닫는 ISC(아이들 스피드 컨트롤) 액추에이터 또는 ISC(아이들 스피드 컨트롤) 서보 모터가 부착되어 있으며 전자식 스로틀 밸브는 ECU(컴퓨터)가 직접 스로틀 밸브의 스텝 모터를 구동하여 ISC(아이들 스피드 컨트롤) 기능을 제어 하도록 구조를 가지고 있다.

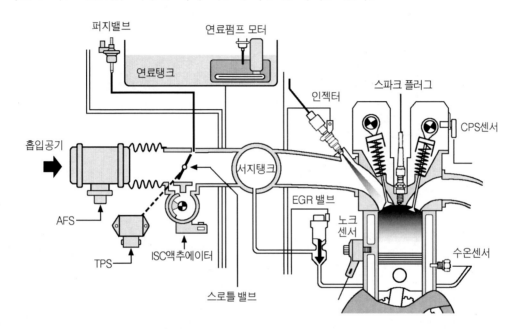

🔺 그림3-24 전자제어엔진의 흡기계통

🔺 사진3-18 장착된 스로틀 보디

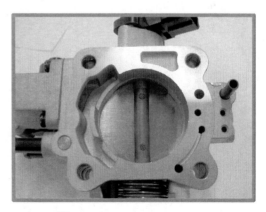

🔺 사진3-19 스로틀보디의 엔진측

2. TPS(스로틀 포지션 센서)

사진3-20 TPS의 전면

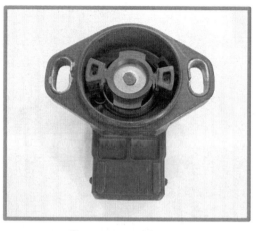

사진3-21 TPS의 후면

운전자의 가속의지를 감지하는 TPS(스로틀 포지션 센서)의 내부는 사진〔3-22〕와 같이 스로틀 밸브의 축과 연동해 움직이는 컬렉터의 암(arm) 측에는 2개의 가동 접점이 붙어 있고 이 가동 접점은 세라믹 기판위에 인쇄되어 있는 카본 저항과 접촉하여 스로틀 밸브의 회전각에 따라 가동 접점은 카본 저항판 위를 슬라이드(습동)하도록 되어 있어서 스로틀 밸브의 개도에 따라 TPS의 저항값이 변화하도록 되어 있다.

사진3-22 TPS의 내부

또한 TPS의 내부에는 스로틀 밸브의 개도를 감지하는 가변 저항과 아이들(공회전) 상태를 감지하는 아이들 스위치를 내장하고 있는 방식도 있다.

그림〔3-25〕의 (a)는 아이들 스위치(idle switch)를 내장하고 있는 TPS 방식을 나타낸 것으로 내부 회로는 그림(b)와 같이 보조 저항 R1과 R3가 있으며 TPS의 GND(접지) 또는 센서 전원(Vref) 측으로는 아이들 스위치가 연결되어 엔진의 아이들 컨트롤 지시 신호의 입력 단자로 사용하고 있다. TPS의 내부 회로는 그림〔3-25〕의 (b)와 같이 가변 저항 R1외에 저항 R2, R3를 삽입하여 둔 것은 실제 ECU(컴퓨터)로 입력되어지는 TPS의 신호 전압은 센서의 출력 전압(Vth)/센서 전원 전압(Vref)으로 환산하여 스로틀 개도 신호값으로 인식하도록 하고 있다. 이것은 TPS의 신호 전압이 가변 저항 R1 만을 사용하여 ECU의 입력 신호값으로 사용하는 경우 센서 전원의 전압 변동에 따라 비례하여 입력되는 것을 감소하기 위한 것으로 저항 R1과 R2는 일종의 전압 변동에 의한 보상용 저항이다.

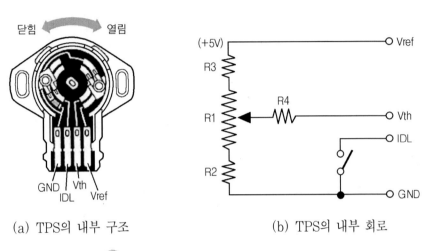

(a) TPS의 내부 구조   (b) TPS의 내부 회로

🔺 그림3-25 TPS의 구조 및 내부 회로도

TPS의 저항값은 스로틀 밸브의 개도각에 따라 변화하는 값은 ECU(컴퓨터)로부터 일정 전압 5V(Vref)를 공급 받아 TPS 저항 R1의 변화에 따라 출력 전압 Vth는 (R1+R2)/(R1+R2+R3)의 저항비로 결정되어 ECU로 입력하게 되므로 TPS의 출력 신호 전압은 그림[3-26]과 같이 선형적인 특성을 가진 그래프로 나타나게 된다. 결국 TPS는 운전자의 가속의지를 TPS의 출력 값으로 ECU(컴퓨터)로 입력하고

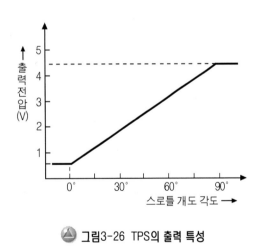

🔺 그림3-26 TPS의 출력 특성

ECU(컴퓨터)는 스로틀 개도의 변화량과 엔진의 회전수 등 종합적으로 판단하여 현재 차

량의 주행 상태를 파악하게 된다.

따라서 TPS의 출력 신호값은 엔진 부하 상태, 차량의 가속 또는 감속 상태, 엔진의 공회전 상태 등을 판단하는 센서로 사용하고 있다.

■ 3. ISC 액추에이터

엔진의 공회전 속도는 연비 측면에서는 가능한 낮은 것이 좋지만 공회전 속도가 너무 낮으면 엔진 회전수가 불안정하여 차량 자체의 진동이 발생하고 배출 가스 성분이 일산화탄소가 증가하는 등의 문제점이 발생하게 되며 반대로 공회전 속도가 너무 높으면 연비 증가는 물론 배출 가스 성분도 증가하게 되므로 엔진 ECU(컴퓨터)는 엔진의 각종 정보를 받아 최적의 공회전(아이들 회전수)을 조절하여 주도록 ISA(아이들 스피드 액추에이터) 액추에이터 또는 ISC(아이들 스피드 컨트롤) 모터를 제어 하고 있다.

공회전 속도(아이들 스피드)를 조절하는 방법에는 그림〔3-27〕의 (a)와 같이 스로틀 보디에 별도의 바이 패스(by pass) 통로 설치하고 이 바이 패스 통로를 개폐하는 통로를 제어 방식과 그림〔3-27〕의 (b)와 같이 스로틀 밸브를 직접 개폐하는 직접 제어 방식이 사용되고 있다. 바이 패스 통로를 개폐하는 방식에는 ISA(아이들 스피드 액추에이터) 액추에이터 방식과 스텝 모터를 사용하는 방식이 이용되고 있다. 또한 스로틀 밸브를 직접 개폐하는 방식에는 스텝 모터를 이용하여 스로틀 밸브를 직접 개폐하는 ETC(전자 스로틀 제어) 방식이 사용되고 있다.

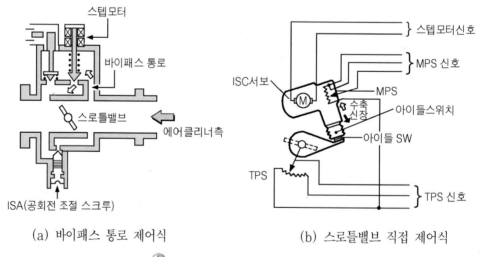

(a) 바이패스 통로 제어식   (b) 스로틀밸브 직접 제어식

그림3-27 공회전 속도 조절방식

[1] 바이 패스 통로를 제어하는 방식

스로틀 보디의 바이 패스(by pass) 통로를 조절하는 방식에는 사진[3-23], 사진[3-24]와 같이 로터리 솔레노이드(rotary solenoid)를 사용하여 솔레노이드의 밸브를 열고 닫는 방식과 사진[3-26]과 같이 스텝 모터를 사용하여 모터의 스텝 수에 의해 열림과 닫힘을 조절하는 스텝 모터 방식이 사용되고 있다. 로터리 솔레노이드 방식은 우리가 흔히 말하는 아이들 스피드 액추에이터를 말하는 것으로 솔레노이드 코일에 듀티 전압을 조절하여 줌으로서 공기가 흐르는 바이 패스 통로 면적을 조절하는 일종의 전자 밸브이다.

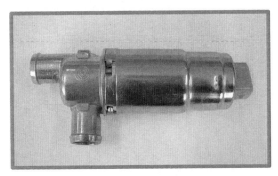

🔺 사진3-23 호스 연결형 ISA

🔺 사진3-24 부착형 ISA

🔺 사진3-25 부착된 ISC 스텝 모터

🔺 사진3-26 ISC 스텝 모터

이에 반해 스텝 모터 방식은 그림[3-29]와 같이 스텝 모터의 스테이터 코일에 펄스 신호 전압을 공급하여 스텝 모터를 회전시켜 바이 패스 통로의 면적을 조절하여 주는 방식으로 H-사의 제품의 경우 1 스텝에 5° 씩 회전하도록 하고 있다. 이 방식은 각 스테이터 코일에 위상이 120°씩 차이가 나도록 신호 전압을 공급하여 정회전 및 역회전을 하도록 2상 여자

를 하고 있어 스피드 액추에이터 방식보다 정교한 바이 패스 통로를 조절 할 수 있는 이점이 있는 특징을 가지고 있다.

스텝 모터 방식은 그림[3-28]의 (b)와 같이 컨트롤 릴레이를 통해 전원을 공급 받고 스테이터 코일의 각상 전압은 그림[3-29]와 같이 ECU(컴퓨터)에 의해 제어하여 공기 흐름을 조절하고 있다.

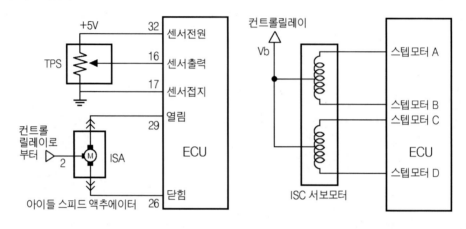

🔺 그림3-28 ISC(아이들 스피드 컨트롤) 입력회로

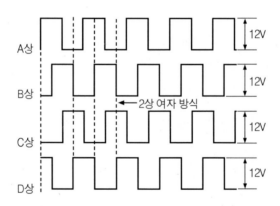

🔺 그림3-29 정회전시 스테이터 코일의 여자 전압

[2] 스로틀 밸브를 직접 제어 하는 방식

공회전 속도를 제어하는 방식으로는 스로틀 보디의 바이 패스(by pass)통로의 면적을 조절하여 공회전 속도를 제어하는 방법과 스로틀 밸브를 직접 모터를 사용하여 흡입 공기

를 조절하여 주는 직접 제어 방식이 사용되고 있다. 스로틀 밸브를 직접 조절하여 주는 직접 제어 방식에는 ISC(아이들 스피드 컨트롤) 서보 모터를 사용하여 스로틀 밸브를 조절하여 주는 방식과 사진〔3-28〕과 같이 스로틀 밸브의 축에 스텝 모터를 연결하여 스텝 모터를 구동하여 직접 제어하는 ETC(Electronic Throttle Control) 방식을 사용하고 있다.

🔺 사진3-27 MPS

🔺 사진3-28 ETC방식의 스텝 모터

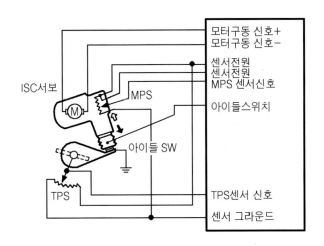
🔺 그림3-30 ISC 서보모터의 입력회로

ETC(전자 스로틀 제어) 방식의 경우는 ISC(아이들 스피드 컨트롤) 제어뿐만 아니라 전 운전 영역을 스로틀 밸브의 스텝 모터가 직접 제어하도록 하여 운전 조건에 따라 엔진의 토크(torqure) 조절을 하여 주는 방식으로 고부하시나 고출력을 요구할 시 운전자의 의지

와 관계없이 자동으로 구동 토크를 제어하므로 엔진의 동력 성능을 향상 할 수가 있다.
ISC 서보 모터를 사용하여 공회전을 직접 조절하는 방식은 회전력이 큰 DC 모터를 사용하고 DC 모터의 회전 운동을 왕복 운동으로 절환하기 위해 웜 기어(worm gear)를 이용하여 피드 스크류(feed screw)를 통해 스로틀 밸브를 열도록 하고 있는 방식이다. 이 방식은 설정된 목표 회전수를 조절하기 위해 MPS(모터 포지션 센서)를 두고 있다.

MPS 는 ISC 서보 모터가 회전을 하여 ISC 서모 모터의 피드 스크류의 이동 거리를 측정하기 위한 것으로 센서의 내부에는 일명 포텐쇼미터라 부르는 가변 저항이 내장 되어 있나.

point ●

흡입공기의 조절장치

1 스로틀 보디

(1) 스로틀 보디의 기능

- 스로틀 보디는 흡기 포트의 입구에 설치하여 실린더 내로 흡입되는 공기의 량을 밸브를 이용하여 운전자의 가속 의지에 따라 개폐하는 기구이다.
- 스로틀 보디에는 스로틀 밸브의 개도량을 검출하는 TPS와 바이패스 통로를 조절하는 ISA (아이들 스피드 액추에이터) 액추에이터가 부착되어 있다.

① TPS : 스로틀 밸브의 개도 정도를 검출하는 센서로 차량의 가속 및 감속 상태를 판단하고 엔진의 부하 상태를 판단하는 정보로 사용하는 센서

② ISC 액추에이터 : 엔진의 공회전 속도를 조절하는 장치로 냉간시 엔진의 웜-업 시간을 단축하고 전기 부하에 의해 엔진의 회전수가 감소하는 것을 방지하기 엔진 회전수를 조절하는 기구이다.

③ 아이들 스위치 : 공회전 상태를 검출하는 스위치

(2) 스로틀 보디의 종류

- 스로틀 보디는 엑셀레이터 케이블에 의해 스로틀 밸브가 열고 닫히는 기계식과 스텝 모터를 이용 스로틀 밸브를 열고 닫는 ETC(전자식 스로틀 밸브) 방식이 적용되고 있다.

2 ISC(공회전 속도 조절) 장치

(1) ISC(공회전 속도 조절) 장치의 기능

- 냉간 시동성 향상, 엔진의 웜-업(warm up) 기능 단축, 전기 부하에 의한 아이들-업(공회전수 상승) 기능, 급감속시 배출 가스 저감을 위한 데시 포트(dash pot)기능을 가지고 있다.

(2) 공회전 조절 장치의 종류
- 바이 패스 통로 제어 방식 : 스로틀 보디의 바이 패스 통로의 면적을 조절하여 공회전 속도를 조절하는 방식
- 직접 제어 방식 : 스로틀 밸브를 스텝 모터를 이용하여 직접 제어하여 공회전 속도를 조절하는 방식

① ISA(아이들 스피드 액추에이터) 액추에이터 : 로터리 솔레노이드를 이용해 바이 패스 통로의 면적을 조절하는 솔레노이드식 액추에이터이다.

② 스텝 모터 방식 : 스텝 모터를 이용하여 바이 패스 통로를 조절하는 장치로 스텝 모터의 스테이터 코일을 펄스 신호 전압으로 여자하여 모터의 회전을 정회전 또는 역회전시켜 바이- 패스 통로의 공기의 흐름을 조절하는 방식

③ ETC(전자식 스로틀 제어) 방식 : 스로틀 밸브를 스텝 모터를 이용 직접 구동하는 방식으로 ISC 제어는 물론 엔진 토크 제어가 가능한 방식

3 엔진 회전수 검출 센서

1. CAS의 기능

사진3-29 실린더 내부

사진3-30 장착된 CAS

전자 제어 엔진에서 CAS(크랭크 각 센서)는 크랭크 축 또는 캠 축에 부착되어 크랭크의 회전수를 검출하는 센서로 연료 분사량의 결정 및 점화시기를 결정하기 위해 사용되는 중요한 센서이다. 연료의 분사량은 기본적으로 실린더가 1회 흡입행정(크랭크 축이 2회

전에 1회 흡입 행정)을 할 때 공기량과 엔진의 회전수에 의해 결정되기 때문에 엔진 회전수를 검출하는 크랭크 각 센서는 연료의 분사량을 산출하는 기준 신호로 사용하게 된다.

또한 가솔린 엔진의 경우에는 그림〔3-31〕의 특성 곡선에 나타낸 것과 같이 가로측은 크랭크의 회전각을, 세로측은 실린더 내의 연소 압력 및 온도를 나타낸 것으로 엔진의 점화 시기는 A점으로 하는 경우 점화 후 연소실의 압력은 상사점 후 $8° \sim 13°$ 지점이 최대가 된다. 그러나 이 경우에는 연소실 압력이 최대로 되어 엔진 출력이 최대로 상승하고 차량 출력은 좋아지지만 반면에 연소실의 온도가 상승하여 NOx(질소산화물)이 상승하는 요인이 되기도 한다.

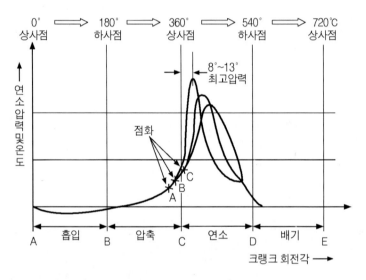

🔺 그림3-31 **연소실의 압력 곡선**

따라서 점화시기를 B점으로 지연시키면 엔진의 연소압력은 다소 낮아지지만 NOx(질소산화물)을 감소 할 수 있는 이점이 있기 때문에 연소실에 점화시기를 결정하는 것은 차량의 출력과 배출가스와의 상관관계에 의해 적정한 위치로 설정하는 것은 매우 중요한 일이다. 이와 같이 엔진의 점화시기를 결정하는 중요한 센서가 바로 CAS(크랭크 각 센서) 및 CPS(캠 포지션 센서) 또는 TDC(1번 실린더의 압축 상사점 검출 센서)가 사용되고 있다.

뿐만 아니라 ECU(컴퓨터)는 CAS(크랭크 각 센서)는 크랭크 축의 회전수를 검출하여 엔진의 회전수(rpm)를 산출하고 엔진의 회전 중에만 인젝터의 연료를 공급할 수 있도록 컨트롤 릴레이(control relay)를 제어하여 기능에도 사용되고 있는 센서이다. 엔진의 회전

수를 검출하는 센서에는 CAS(크랭크 각 센서)와 실린더의 압축 상사점을 검출하는 CPS 또는 자동차의 메이커에 따라서는 TDC 센서라고 부르기도 하며 때로는 CAS를 크랭크 축의 회전수를 검출하는 신호라 하여 1° 신호 검출 센서라 표현하기도 하며 4행정에 1번 압축 상사점을 판단하는 기준 신호라 하여 CPS 대신 4기통 엔진의 경우 (720°/4 = 180°) 180° 신호 검출 센서 또 6기통 엔진의 경우에는 (720°/ 6 =120°) 120° 신호 검출 센서라 분류하여 부르기도 한다.

(a) 점화 2차신호

(b) CAS센서 신호(마그네틱 픽업 방식)

(c) CPS센서 신호(홀 IC방식)

그림3-32 CAS와 CPS의 신호 파형(예)

사진3-31 광전식 CAS

사진3-32 홀 IC방식의 CPS

그러나 일반적으로 크랭크 축의 회전수를 검출하는 센서를 CAS(크랭크 각 센서)라 부르며 압축 상사점의 위치를 검출하는 센서로는 CPS(캠 포지션 센서) 또는 TDC(상사점 검출 센서)라 분류하여 부르고 있다. 이와 같이 엔진의 회전수를 검출하는 방식에 따라 포터 커플러를 사용한 광전식 방식과 전자 유도 작용을 이용한 마그네틱 픽업 방식, 홀 효과(Hall effect)를 이용한 홀 센서 방식이 사용되고 있다.

2. CAS 및 TDC 센서(광전식)

사진3-33 CAS센서의 슬릿판

사진3-34 광전식 CAS센서

광전식 CAS(크랭크 각 센서) 및 TDC(상사점 검출 센서) 센서는 사진[3-34]와 같이 내부에 일체형으로 되어 있다. 이 센서의 원리는 그림[3-33]과 같이 발광 다이오드와 포토 다이오드 사이에 빛이 통과 할 수 있는 슬릿(slit) 판을 두고 있어 캠축이 회전을 하면 슬릿판(구멍이 난 원판)도 같이 회전을 하여 발광 다이오드로부터 발광되는 빛이 슬릿판의 구멍을 통과 해 포토 다이오드가 빛을 수광하도록 하는 구조를 가지고 있다.

이렇게 발광 다이오드로부터 발광한 빛은 포토 다이오드가 수광하면 포토 다이오드는 수광한 빛을 전기 신호로 변환하고 이 변환된 전기 신호는 OP-AMP(연산 증폭기)에 의해 증폭되어 그림[3-33]의 (b)와 같은 펄스 파형을 출력하도록 하고 있다. 그림[3-33]의 (a)에서 원판 외부에 있는 4개의 구멍은 크랭크 각을 검출하는 CAS 센서용이고 원판 안쪽의 1개의 구멍은 1번 실린더의 압축 상사점을 검출하는 TDC 센서용이다. 따라서 슬릿 원판의 구멍에 따라 출력되는 펄스 파형 즉 주파수 및 주기는 자동차 메이커의 차종에 따라 다르지만 검출하는 방법과 동작 원리는 동일하다.

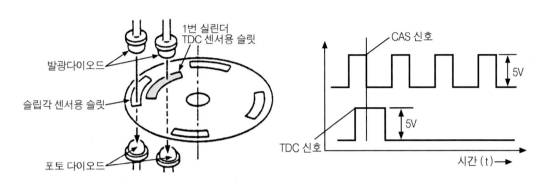

(a) 크랭크각 센서의 검출부   (b) 출력 파형 신호

🔺 그림3-33 광전식 센서의 신호 검출 원리(CAS 및 TDC센서)

크랭크 축의 회전수를 검출하는 CAS는 크랭크 축의 회전각을 검출하고 점화에 기준이 되는 실린더의 위치를 검출하기 위해 대개 압축 상사점 보다 70°~110° 정도 설정되어 있는 신호를 검출하기 위해 TDC 센서를 사용하고 있다. 즉 ECU(컴퓨터)는 CAS 신호를 받아 회전각을 산출하고 TDC 센서 신호를 받아 압축 상사점이 되는 점을 카운트하게 되어 점화시기를 결정하게 된다. 이렇게 결정된 점화 신호는 파워 트랜지스터(power transistor)를 통해 점화 코일을 단속하여 높은 점화 전압(20kV~35kV 정도)을 발생하고 있다.

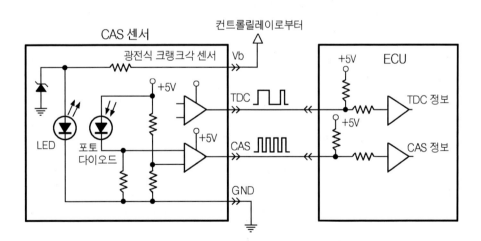

🔺 그림3-34 광전식 크랭크각 센서의 입력 회로

그림[3-34]는 광전식 크랭크 각 센서의 ECU(컴퓨터) 입력 회로를 나타낸 것으로

CAS는 컨트롤 릴레이를 통해 배터리 전압(12V)을 공급 받아 내부의 회로를 구동하고 엔진의 회전에 의해 슬릿판(구멍 난 원판) 이 회전을 하면 출력측에는 그림〔3-33〕의 (b) 와 같이 CAS 신호와 TDC 센서 신호가 디지털 파형으로 출력되어 ECU(컴퓨터)로 입력 하고 ECU(컴퓨터)는 이 신호를 받아 연료 분사량 및 점화 시기 등을 결정하게 된다.

■ 3. CAS 및 CPS(마그네틱 픽업식)

마그네틱 픽업(magnetic pick up) 방식의 크랭크 각 센서의 구조는 그림〔3-35〕의 (a)와 같이 영구 자석이 붙어 있는 코어의 주위에 코일을 감아 만든 소형 교류 발전기라 생각하 면 좋다. 자석이 붙어 있는 코어의 반대측은 크랭크샤프트의 톱니와 일정 간극(에어 갭) 을 유지하고 크랭크샤프트의 기어 이(톱니)가 회전을 하면 코어를 따라 이동하는 자속의 변화를 받아 코일 양단에는 전자 유도 기전력이 발생하는 원리를 이용한 센서이다.

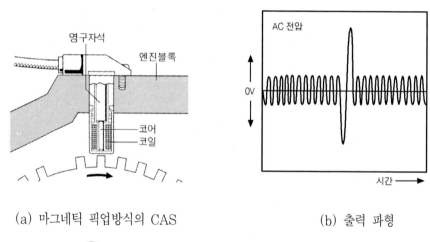

(a) 마그네틱 픽업방식의 CAS   (b) 출력 파형

🔺 그림3-35 마그네틱 픽업방식의 크랭크각 센서의 원리

마그네틱 픽업(magnetic pick up) 방식의 크랭크 각 센서는 구조가 간단하며 제조 원가 가 적게 들어 현 차에 많이 사용되고 있는 센서이다. 이 센서는 광전식 센서나 홀 센서 방 식과 달리 낮은 교류 신호 전압이 발생하므로 디지털 멀티 테스터로는 출력 전압을 확인 할 수가 없다. 그림〔3-35〕와 같은 마그네틱 픽업 방식의 크랭크 각 센서는 제조사에 따라 다소 차이는 있지만 일반적으로 60개의 기어 중 2개의 이(톱니)가 빠져 있어 58개의 잇(톱 니) 와 2개의 빠진 잇(톱니)를 가지고 있어 크랭크 축이 1회전하면 그림〔3-35〕의 (b)와 같

이 58개의 작은 교류 신호와 1개의 큰 교류 신호가 발생하게 된다. 즉 58개의 이(톱니)를 가지고 엔진의 회전수를 산출하고 1개의 큰 교류 신호를 가지고 엔진의 1번 실린더를 식별하기 위해 사용되는 센서이다.

그림〔3-36〕은 마그네틱 픽업 방식의 크랭크각 센서의 ECU 입력 회로를 나타낸 것으로 크랭크축의 회전수를 감지하는 CAS(크랭크 각 센서)와 실린더의 압축 상사점의 위치를 감지하는 CSP(캠 샤프트 포지션) 센서를 사용한 방식으로 센서로부터 출력된 교류 신호 전압은 마이크로 컴퓨터가 인식 할 수 없는 신호 전압 레벨로 ECU(컴퓨터) 내에는 마그네틱 픽업식 CAS와 CSP 센서로부터 입력되는 교류 신호 전압을 마이크로 컴퓨터가 인식 할 수 있도록 디지털 신호로 변환하여 주는 회로가 내장되어 있다. 마그네틱 픽업 방식의 CAS(크랭크 각 센서)나 CPS(캠 포지션 센서)의 출력 점검은 오실로스코프(파형 측정 장비)를 사용하여 점거하여야 한다.

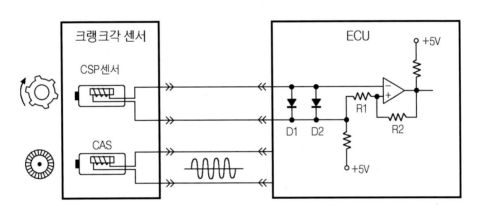

🔺 그림3-36 CAS의 ECU 입력회로(마그네틱 픽업 방식)

이 방식을 이용한 센서는 자동차 메이커 마다 사양(발생되는 주파수)이 다르므로 크랭크샤프트 1회전에 몇 Hz가 출력 되는지, 엔진의 회전수에 대해 출력 전압의 크기는 얼마나 되는지는 각 자동차 메이커가 제공하는 지침서를 참고한다.

4. CAS 및 CPS(홀 효과 방식)

홀 효과를 이용한 CAS(크랭크 각 센서) 및 CPS(캠 포지션 센서)는 모형은 마그네틱 픽업 방식과 흡사하지만 출력 신호를 디지털 신호로 바로 출력할 수 있어 ECU(컴퓨터)

의 내부에는 마그네틱 픽업 방식과 달리 디지털 신호로 전환 할 회로가 필요 없이 바로 마이크로 컴퓨터로 입력할 수 있는 신호가 출력되며 코일에 의한 트러블이 발생하지 않는다는 이점이 있어 홀 효과(Hall effect)를 이용한 센서를 많이 사용하고 있다.

홀 효과를 이용한 CAS 및 CPS의 구분은 커넥터의 핀 수가 3개인 경우에는 홀 효과를 이용한 센서이며 커넥터 핀 수가 2개인 경우에는 마그네틱 픽업 방식의 센서로 구분 할 수 있다.

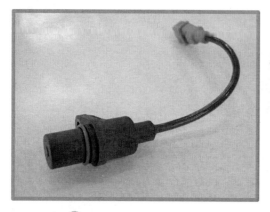

🔺 사진3-35 CPStps서 단품

🔺 사진3-36 장착된 CPS센서

홀 효과를 이용한 CAS나 CPS의 구조는 그림[3-37]의 (a)와 같이 4개의 구멍 난 슬릿(slit) 원통의 중심축이 크랭크 축 또는 캠 샤프트와 연결되어 회전하게 되어 있고 구멍 난 슬릿(slit)을 통해 자석으로부터 자력선이 통하도록 되어 있다.

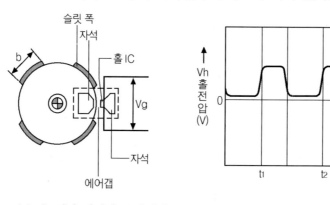

(a) 홀 센서 방식의 동작원리　　　　(b) 출력 파형

🔺 그림3-37 홀 센서 방식의 크랭크각 센서의 원리

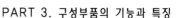

홀 효과를 이용한 홀 IC(홀 집적 회로)에는 자석이 붙어 있어서 슬릿 원통이 회전에 따라 홀 IC로 통과하는 자력선이 변화하도록 하면 홀 IC는 공급 전원에 의해 홀 소자(Hall element)로 전류가 흐르게 되고 홀 소자의 출력 전압은 자력선의 세기에 따라 홀 기전력을 발생하도록 되어 있어 이 기전력을 내부의 IC(집적 회로) 회로에 의해 그림[3-37]의 (b)와 같이 디지털 신호로 출력하도록 한 센서이다. 즉 홀 IC(집적 회로) 회로에 자력선이 통과하면 홀 소자로부터 홀 기전력이 발생하게 되고 홀 IC(집적 회로) 회로로 자력선이 통과하지 않으면 홀 기전력은 발생하지 않는다. 페이서(phase) 센서는 CPS(캠 포지션 센서)와 같이 실린더의 점화 기통을 식별하고 크랭크샤프트의 위치를 검출하는 센서이며 점화 시기를 결정하는 센서로 CPS라고 생각하면 좋다.

⚠ 사진3-37 장착된 CPS

⚠ 사진3-38 페이서 센서

페이서 센서의 출력 신호는 크랭크 2회전당 1번 발생하여 1번 실린더의 위치를 검출하게 되므로 결국 페이서 센서는 CPS와 같은 기능을 가지고 있다. 실제 ECU는 CAS만으로는 엔진의 회전수 및 1번 실린더의 기통은 판별은 가능하지만 1번 실린더가 압축 행정인지 배기 행정인지는 판단 할 수 없기 때문에 별도의 CPS 또는 페이서 센서를 두고 실린더의 위치를 검출하고 있다.

페이서 센서의 경우에도 홀 효과를 이용한 센서를 사용하므로 출력측에는 그림[3-38]과 같이 디지털 신호로 출력되는 센서이다. 홀 효과를 이용한 센서의 구분은 커넥터의 핀이 3개를 사용하는 경우는 홀 센서 방식으로 생각해도 좋으며 센서의 내부에 자석이 내장하고 있는 경우에는 철편이 흡인되는지 확인하여 보는 방법도 좋은 방법이라 할 수 있다.

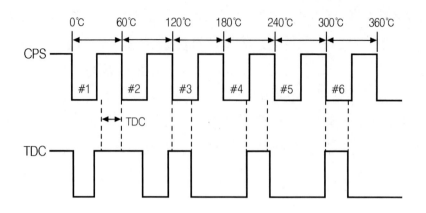

그림3-38 CPS(캠 포지션 센서)의 출력 신호

홀 센서를 이용한 CAS(크랭크 각 센서)나 CPS(캠 포지션 센서) 또는 페이서 센서의 ECU 입력 회로는 그림[3-39]와 같이 CPS를 구동하기 위한 센서로부터 출력되는 센서 출력 신호 단자가 있으며 외부 전원 및 기타 노이즈(잡음)에 의해 오 동작을 방지하기 위한 센서 접지를 갖고 있다. 따라서 홀-효과를 이용한 센서의 점검은 구동측의 톱니(회전체이)가 회전 할 때 출력측으로부터 디지털 신호가 출력하는지 여부를 확인하는 것만으로도 간단히 센서의 이상 유무를 확인 할 수 있다.

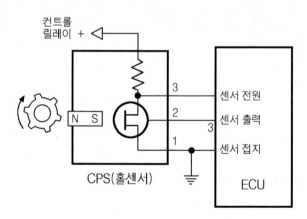

그림3-39 CPS에서 ECU의 입력 회로

point

엔진 회전수 검출 센서

1 CAS와 CPS

1. CAS와 CPS의 기능

① 크랭크 각 센서의 표현

- CAS(크랭크 각 센서) = Ne 신호 센서 = 1° 신호 검출 센서
- CPS(캠 포지션 센서) = G 신호 센서 = 180° 신호 검출 센서(# 참조)

※ 참조 : # 4기통 : 720° ÷ 4 = 180°, # 6기통 : 720° ÷ 6 = 120°

② 크랭크 각 센서의 기능

- CAS(크랭크 각 센서) : 크랭크 축의 회전수를 검출하는 센서
- CPS(캠 포지션 센서) : 실린더의 점화 위치를 검출하는 센서

※ 점화 시기의 기준점 : 압축 상사점 보다 약 70° ~ 110° 전에 설정

2. 크랭크 각 센서의 종류

① 광전식 센서

- 출력 파형 : 슬릿 원판의 구멍에 의한 디지털 신호
- 디스트리뷰터 내에 장착형 : CAS와 TDC 센서의 일체형
- 캠 축에 부착형 : CAS와 TDC 센서의 일체형

② 마그네틱 픽업 방식 센서

- 출력 파형 : 전자석에 의한 교류 유도 기전력 신호(아날로그 신호)
- CAS(크랭크 각 센서) : 크랭크 축의 회전수와 1번 실린더 검출
- CPS(캠 포지션 센서) : 실린더의 압축 상사점 검출

※ 에어 갭(air gap) 간극에 따른 출력 전압의 변화에 주의

③ 홀 효과 방식 센서

- 출력 파형 : 홀 소자에 의한 디지털 신호
- CAS(크랭크 각 센서) : 크랭크 축의 회전수와 1번 실린더 검출
- CPS(캠 포지션 센서) : 실린더의 압축 상사점 검출

※ 마그네틱 픽업 방식과 홀 효과 방식의 센서 구분

- 2핀 커넥터 : 마그네틱 픽업 방식의 센서
- 3핀, 4핀 커넥터 : 홀 센서 방식의 센서

3. 크랭크 각 센서의 출력 신호 점검

- 광전식 센서 및 홀 IC 센서의 출력 신호 점검 : 멀티 테스터로는 엔진 회전수에 따라 평균 전압값으로 표시되어 측정값이 수시로 변화하므로 측정이 쉽지 않음.
- 마그네틱 픽업식 센서의 출력 신호 점검 : 작은 교류 신호로 멀티 테스터로는 측정 안됨

※ 따라서 크랭크 각 센서의 출력 신호 점검은 오실로스코프로 측정하여 함

4 배출 가스 검출 센서

1. 삼원 촉매 장치

전자 제어 엔진의 배출 가스 제어에 핵심이 되는 산소 센서를 공부하기 전에 먼저 삼원 촉매에 대해 알아볼 필요가 있다. 그 이유는 자동차의 배출가스 중에 특히 문제가 되고 있는 것이 NOx(질소산화물)의 저감 문제인데 NOx은 연소 온도가 1000℃ 전후에 발생하기 때문이다. 그러나 자동차의 연소 온도는 2000℃ 전후로 되어 NOx의 발생은 필연석으로 발생하지만 NOx을 저감하는 방법으로는 2가지를 생각 할 수가 있다.

첫째는 연소실의 온도를 낮추는 방법으로 현재 EGR(배기가스 재순환) 장치가 여기에 해당한다. 그러나 이 방법은 연소실의 온도를 너무 낮추면 엔진의 출력이 저하하고 HC(탄화수소)와 CO(일산화탄소)가 증가하기 때문에 EGR 장치로는 어느 정도 한계가 있다고 할 수 있다. 따라서 고안하게 된 것이 배출 가스 후처리 장치인 삼원 촉매 장치이다.

사진3-39 EGR 밸브

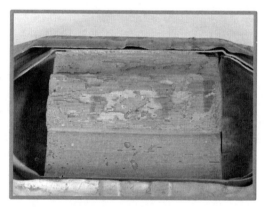
사진3-40 삼원촉매의 내부

삼원 촉매는 Pt(백금)이나 Rh(로듐), Pd(팔라듐) 등의 물질을 이용해 배출 가스를 정화하는 촉매제로 사용하고 있다. 그러나 삼원 촉매 장치를 이용한 촉매장치는 그림〔3-41〕의 특성에 나타낸 것과 같이 이론 공연비 영역 즉 14.7 : 1(혼합비) 부근에서 NOx(질소산화물), HC(탄화수소), CO(일산화탄소)의 3가지 유해 성분이 동시에 감소하는 영역으로 연료와 공기의 혼합비를 얼마나 이 영역의 범위 내에서 제어 해 주느냐가 핵심 포인트이다.

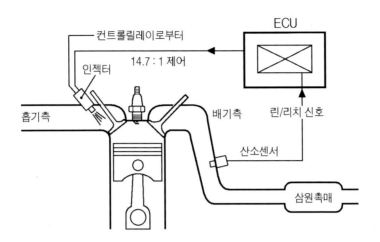

🔺 그림3-40 산소센서의 이론 공연비 제어

🔺 사진3-41 배기관의 산소센서

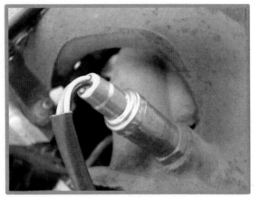

🔺 사진3-42 장착된 산소센서

　그림[3-41]의 특성도에서도 이론 공연비(14.7 : 1) 보다 농후한 혼합비이면 환원 작용이 활발하여 NOx의 정화율은 좋아지지만 반대로 산화 작용이 떨어지게 돼 오히려 HC와 CO 는 증가하게 된다. 이론 공연비(14.7 : 1)보다 희박한 상태가 되면 환원 작용이 떨어져 NOx의 정화 작용은 나빠지게 되고 반대로 산화 작용은 활발하게 돼 HC와 CO는 감소하 게 되므로 산화와 환원이 동시에 일어나는 영역에서 공연비를 제어 해줄 필요가 있다. 따 라서 배출되는 배기가스의 산소 농도를 측정하여 혼합비를 산화와 환원 작용이 동시에 일 어나는 범위를 제어 해줄 필요성이 생기게 된다.

　즉 산소 센서가 전자 제어 엔진에 필요한 이유가 여기에 있다. 이와 같이 삼원 촉매가 3가

지 유해 배출 가스를 동시에 정화하여 주는 혼합비 영역을 제어하는 것을 공연비 제어라 하며 전자제어 엔진의 중요한 기능 중 하나이다.

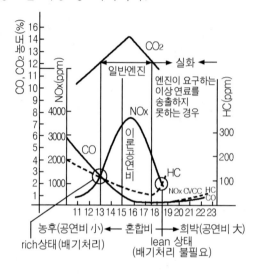

🔺 그림3-41 배출가스 특성도

2. 산소 센서

[1] 지르코니아식 산소 센서

산소 센서는 배출 가스 중에 산소 농도를 검출하는 센서로 산소 센서로부터 출력되는 신호로부터 엔진 ECU는 공연비의 상태가 농후한가 희박한가를 검출하여 이론 공연비가 제어되도록 피드백(feed back)제어를 할 수 있게 정보를 전달하는 센서이다.

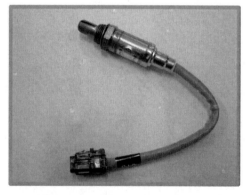

🔺 사진3-43 지르코니아식 산소센서

🔺 사진3-44 산소센서의 검출부

산소 센서의 종류를 살펴보면 사용 용도에 따라 삼원 촉매의 정화 능률을 높이기 위해 이론 공연비 영역을 제어하기 위한 산소 센서와 연비의 향상을 목적으로 혼합비의 전영역을 검출하는 광대역 산소 센서로 구분할 수 있으며 산소를 감지하는 전해질의 재료에 따라 지르코니아(ZrO_2) 고체 전해질을 사용한 지르코니아식 산소 센서와 티타니아(TiO_2) 고체 전해질을 사용한 티타니아식 산소 센서를 들 수가 있다.

세라믹의 일종인 지르코니아(ZrO_2) 고체 전해질을 사용한 산소 센서의 구조는 그림 〔3-42〕와 같이 백금 막을 입힌 전극 내에 지르코니아 고체 전해질을 채워 넣은 구조를 가지고 있으며 백금의 양쪽면에는 전극을 연결하여 이 전극을 통해 대기중의 산소 농도차에 의해 기전력이 발생하도록 한 구조를 가지고 있다.

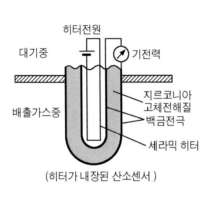

그림3-42 산소센서의 구조

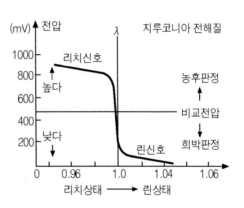

그림3-43 산소센서의 출력 특성

또한 지르코니아 전해질은 그림〔3-44〕와 같이 300℃~400℃ 정도의 고온에서 활성화 되어 기전력이 출력되므로 센서 내부에는 히터를 내장하고 있는 방식이 많이 사용되고 있다.

산소 센서의 원리는 지르코니아 전해질 외측에는 산소 농도가 낮은 배출 가스가 접촉하게 되어있고 내측으로는 산소 농도가 농후한 대기중에 산소가 접촉하게 되어 있어서 공연비가 농후(rich 상태)하면 배기가스 중에는 산소 농도가

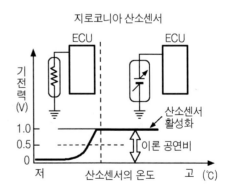

그림3-44 산소센서의 온도 특성

희박해져 대기측으로부터 산소 이온이 지르코니아를 통과 하게 되며 이 때 이온차에 의해 전위차가 발생하게 된다. 즉 산소 이온의 차에 의해 기전력이 발생하게 된다. 반대로 공연비가 희박(lean 상태)하면 산소 농도가 높아지게 되어 대기측과 배출가스측의 산소 이온의 차가 작아지게 되므로 이때 발생 되는 기전력 또한 작아지게 된다.

산소센서 신호
- 리치(rich) : 이론 공연비 보다 혼합비가 농후하면 약 0.9V 정도의 전압 발생
- 린(lean) : 이론 공연비 보다 혼합비가 희박하면 약 0.1V 정도의 전압 발생

이렇게 출력된 전압값은 그림[3-43]과 같은 출력 특성을 나타내며 이론 공연비 상태에서 전압값이 급격히 변화하여 약 0.45V를 기준으로 리치 상태(농후 상태)인지 린 상태(희박 상태)인지를 엔진 ECU는 판단하여 이론 공연비를 제어하도록 하고 있다. 엔진의 난기 상태에서 실제 산소 센서의 출력 값은 약 0.1V~ 0.9V범위를 변화하고 있는 것을 스코프를 통해 볼 수 있다.

산소 센서의 ECU 입력 회로는 그림[3-45]와 같이 컨트롤 릴레이를 통해 전원을 공급받고 있는 히터와 산소 농도를 검출하는 산소 센서 회로로 구성되어 있다.

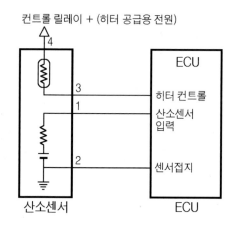

△ 그림3-45 산소센서의 ECU 입력 회로

① **촉매** : 촉매 작용이란 어떤 물질을 첨가해 화학 반응을 일으키면 자기 자신은 소모나 변화 되지 않으며 화학 반응 속도를 가속 시키는 작용을 말한다. 일종의 반응 촉진제라 고 생각 할 수 있는데 이와 같이 촉매 작용을 일으키는 물질을 촉매(catalyst)라 하며 자동차의 촉매 장치는 인체의 유해 가스인 CO, HC, NOx를 백금(Pt) 촉매를 사용하여 CO_2, H_2O, O_2, N_2 의 성분으로 화학 변화하도록 촉진시키는 역할을 하고 있다.

② **산화와 환원** : 산화는 다른 물질과 산소가 화합하는 것을 말하고 환원은 산화물로부터 산소가 떨어져 나오는 것을 환원이라고 한다. 주위에 산소가 많이 있는 상태를 산화 분위기라 하고 산소가 부족한 상태를 환원 분위기라 한다. 디젤의 연소 과정에서 항상 산소가 과잉 상태에 있기 때문에 산화 분위기가 되지만 산화하기 어려운 질소가 산화해 질소산화물이 발생하게 되며 반면 가솔린 엔진에서는 공기가 조금 부족하기 때문에 환원 분위기가 되어 탄화수소(HC)와 일산화탄소(CO)가 발생하게 된다.

③ **전해질** : 물체에 전류를 흘렸을 때 전류가 잘 흐름과 동시에 화학 변화를 일으키는 물질을 전해질이라 하며 예를 들면 소금이 물에 녹는 경우 Na(염화나트륨)은 NaCl과 같은 분자로 존재 하지 않고 나트륨의 양이온과 염소인 음이온으로 전리 되는 물질을 말하며 따라서 이와 같은 물질에 전류를 흘리면 전류가 잘 흐르게 된다.

[2] 티타니아식 산소 센서

대기측과 배기측의 양단간 산소의 분압차에 의해 산소 이온이 이동하면 산소 이온의 차에 의해 기전력이 발생되는 지르코니아(ZrO_2) 전해질형 산소 센서와는 달리 배기가스 중에 산소 분압에 의해 저항값이 변화하는 티타니아(TiO_2) 전해질형 산소 센서가 있다.

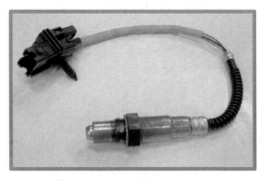

🔺 사진3-45 티타니아식 산소센서

🔺 사진3-46 산소센서의 검출부

이 티타니아식 산소 센서의 구조는 원판상의 티타니아 전해질에 백금(Pt) 선인 전극을 접속하여 소성(구워서 만드는 것을 말함)시켜 만든다.

리드선은 세라믹 절연체 앞에 티타니아 소자와 서미스터 소자를 부착하여 그 소자의 양

단과 양소자의 중간 접속 부분으로 각각의 리드선을 빼내어 커넥터에 접속하고 있는 구조를 가지고 있다.

이 티타니아 전해질은 결정 격자 안에서 산소 이온과 결합을 가지는 N형 반도체로 저항값이 산소 분압에 의존하는 성질 때문에 산소가 많으면 저항값이 커지고 산소가 적으면 저항값이 작아지는 성질이 있다. 따라서 티타니아 주위에 배기가스가 농후한 상태가 되면 산소 농도 차에 의해 산소 이온은 티타니아에서 배기가스 측으로 전도되고 티타니아의 격자 결합은 산소 이온의 전도를 활성화시켜 저항을 감소시키는 작용을 한다.

따라서 산소 분압에 의한 저항 변화를 하는 티타니아는 엔진의 공여비 제어용 산소 센서로 이용하고 있다. 이와 같은 티타니아는 온도에 대해 강한 의존성을 가지고 있어 별도의 온도 보상 회로가 필요하기 때문에 그림〔3-46〕과 같이 티타니아의 소자의 직렬로 서미스터 저항을 연결하여 사용하고 있다. 또한 티타니아는 저온에서 저항에서 저항값이 증가하기 때문에 엔진이 저온시에는 정확한 동작을 기대 할 수 없어 내부에 히터를 내장하여 센서의 출력값을 활성화 시키고 있다.

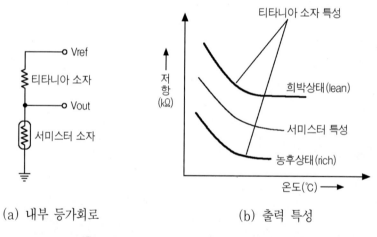

(a) 내부 등가회로   (b) 출력 특성

🔺 그림3-46 타타니아식 산소센서의 특징

티타니아식 산소 센서의 ECU 입력 회로는 그림〔3-47〕과 같이 내부의 히터 전원은 컨트롤 릴레이로부터 공급 받고 티타니아 소자 전원은 ECU로부터 공급되어 티타니아 저항값과 서미스터의 온도 보상용 저항값에 따라 전압값이 변화되어 ECU로 입력하고 있다.

보통 아이들 시에는 약 2.5V, 고속 영역에서는 약 4.5V정도 변화한다.

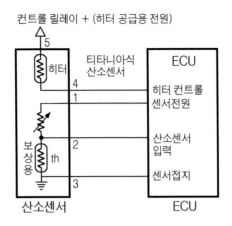

그림3-47 산소센서의 ECU 입력회로

[3] 2중 산소 센서 방식

산소 산세는 배기측에 부착되어 장기간 사용하면 카본 등의 퇴적으로 산소 센서의 감응 능력은 현저히 저하하게 돼 공연비 피드백(feed back) 제어가 어려워지게 된다. 또한 삼 원 촉매 장치가 손상이 되는 경우는 배출 가스 정화는 물론 공연비 계통의 트러블로 인한 고장 코드를 운전자에게 알려 줄 수 있는 방법이 없게 된다. 따라서 삼원 촉매 장치의 전 측과 후측에 산소 센서를 부착하여 2차 공연비 제어는 물론 삼원 촉매 장치의 이상 여부 를 모니터링 하고 있는 방식이다.

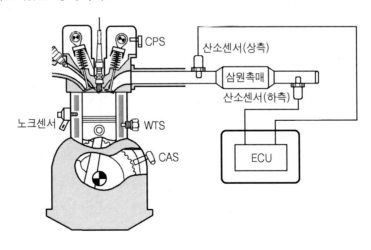

그림3-48 2중 산소센서 시스템

point

최고의 본질

1 산소 센서

1. 산소 센서의 기능
- 배기 매니폴드 측에 부착하여 배기가스 중에 산소 농도를 검출하는 센서
- ECU 입장에서는 삼원 촉매의 정화율을 높이기 위해 산소 센서의 신호를 받아 공연비 제어를 하게 된다.
- 공연비 제어 : 혼합비가 이론 공연비가 되도록 연료를 약 10% 정도의 범주에서 보정하여 주는 제어를 말한다.

2. 산소 센서의 종류
① 지르코니아식 산소 센서
- 지르코니아의 고체 전해질을 이용한 센서로 산소 이온의 농도차에 의해 백금 전극에 기전력이 발생하는 것을 이용한 센서
- 출력 전압 : 약 0.1V ~ 0.9V(린 상태 0.45V 이하, 리치 상태 0.45V 이상)
② 티타니아식 산소 센서
- 티타니아의 고체 전해질을 이용한 센서로 산소 이온의 결합에 의해 저항값이 변화 하는 산소 센서

 **보정용 센서**

1. 차속 센서

차속 센서는 트랜스미션의 드리븐 기어와 연결되어 차량의 주행 속도를 감지하는 센서로 전자 제어 엔진의 주행 상태를 검출하는 보정용 센서로 사용되고 있으며 TCU(자동변속 장치 ECU)에서 차속 센서는 변속 패턴을 제어하는 신호로 사용되고 있는 센서로 리드 스위치를 사용하여 드리븐 기어의 회전수를 검출하는 리드 스위치 방식과 홀 소자를 이용하여 드리븐 기어의 회전수를 검출하는 홀 센서 방식이 사용되고 있다.

리드 스위치 방식의 차속 센서는 그림[3-49]와 같이 스피드 케이블과 연결되는 회전 자석과 리드 스위치로 구성되어 있어서 드리븐 기어의 회전에 따라 회전 자석이 회전하면 리드 스위치는 자석의 자화력에 의해 리드 스위치 접점이 ON, OFF를 반복하는 구조로

되어 있는 방식의 센서이다. 리드 스위치 방식의 차속 센서의 내부에 있는 리드 스위치가 드리븐 기어의 회전에 따라 ON, OFF를 반복하면 리드 스위치의 한쪽 단자는 IGN전원 (이그니션 전원) 또는 별도의 센서의 전원으로부터 연결되어 있어서 리드 스위치가 ON 시에는 0V, OFF시에는 12V(또는 ON시에 0V, OFF시에는 5V)의 디지털 신호가 출력 하여 ECU(컴퓨터)에 입력하고 있는 방식이다.

🔺 사진3-47 차속센서

🔺 사진3-48 차속센서의 연결부

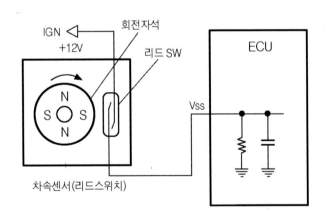

🔺 그림3-49 차속센서의 ECU 입력회로

이에 반해 홀 센서 방식의 차속 센서는 그림〔3-50〕과 같이 홀 IC를 사용하여 차속을 검출하는 방식으로 차속 센서 내부에 4개의 구멍이 난 슬릿(slit) 판이 드리븐 기어에 의 해 회전하면 슬릿판의 측면에 붙어 있는 자석의 자력선은 슬릿판의 구멍을 통해 이동하여 홀 IC를 통과하게 돼 홀 IC 내부에 있는 홀 소자에 의해 홀 전압이 출력되는 방식이다.

이 방식은 리드 스위치 방식의 차속 센서와 달리 스피드 케이블이 필요가 없다는 이점 때문에 현재에는 홀 센서 방식의 차속 센서를 많이 사용하고 있다. 리드 스위치 방식의 차속 센서와 홀 센서 방식의 차속 센서의 구분은 실무적으로 커넥터의 핀 수를 확인하면 쉽게 구분 할 수 있다.

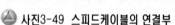

🔺 사진3-49 스피드케이블의 연결부

🔺 사진3-50 차속센서의 커넥터부

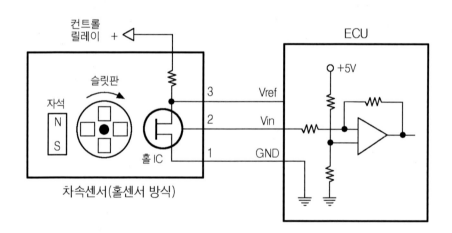

🔺 그림3-50 차속센서의 ECU 입력회로

리드 스위치 방식의 차속 센서의 커넥터 핀의 수른 2개를 가지고 있으며 홀 센서 방식의 차속 센서는 3개의 핀을 가지고 있어 육안으로도 쉽게 구분 할 수가 있다. 홀 센서 방식의 센서 전원 공급은 컨트롤 릴레이로부터 공급 받아 작동하는 경우가 일반적이며 홀 센서의 구동에 의해 출력 펄스 신호 전압이 ECU의 입력과 연결되어 신호를 입력하도록

하고 있다.

차속 센서의 신호는 그림[3-51]과 같이 회전 자석 또는 4개의 구멍이 난 슬릿판의 회전을 하면 그림과 같은 디지털 신호 전압이 출력되어 ECU(컴퓨터)는 이 신호를 토대로 차속을 산출하고 있다. 4륜 자동차의 경우는 크랭크 축의 1회전에 즉 회전 자석 또는 슬릿판의 1 회전에 4개의 펄스 신호가 출력되도록 되어 있어 이 신호를 기준으로 ECU(컴퓨터)는 차속을 산출하게 된다. 이때 발생되는 차속 센서의 신호 전압 레벨은 그림[3-51]과 같이 리드 스위치가 배터리 전압 레벨인 경우는 Vpp 값은 12Vpp값이 되며 그림[3-50]과 같이 ECU로부터 기준 전압을 공급 받고 있는 경우는 Vpp 값은 5Vpp 값이 되어 ECU(컴퓨터)로 입력하고 있다.

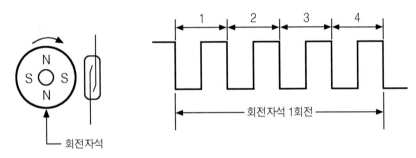

🔺 그림3-51 차속센서와 차속신호

형식	회전수(rpm)	속도(km/h)	주파수
		[표3-2] 차속센서의 규격	
4륜차	637	60km/h	42.5Hz

따라서 차속 센서의 신호 전압 점검은 디지털 멀티 테스터로는 평균값으로 차속에 따라 변화하는 값이 측정되므로 실제 차속 센서의 출력값을 측정하기 위해서는 디지털 신호 전압 을 측정할 수 있는 특정의 멀티 테스터나 스코프를 사용하여 측정 할 수가 있다. 만일 이와 같은 장비가 없는 경우에는 간이 점검하는 방법으로 차속 센서의 작동 상태를 확인 할 수 있는 방법을 생각할 수 있다.

이 방법은 차량을 리프트에 올려놓고 점화 스위치를 ON 한 상태에서 차속 센서의 출력 단자에 LED식 체크 램프를 연결하여 차륜(바퀴)을 회전 하였을 때 LED 체크 램프가 점멸(깜박임)하는 것을 확인하는 것으로 간단히 점검하는 방법을 생각할 수 있다.

point ●

차속 센서

1 차속 센서의 기능

- 엔진 ECU : 차속을 검출하여 차량의 주행 정보에 따라 분사량을 보정하기 위해 사용
- A/T TCU : 차속을 검출하여 변속 패턴을 제어하기 위해 사용
- 스피드 미터 : 스피드미터의 지시값 정보용으로 사용

※ 엔진 회전수 : 637 rpm = 60㎞/h(4륜차)

2 차속 센서의 종류

① 리드 스위치 방식 : 2핀 커넥터
- 드리븐 기어의 회전을 스피드 케이블로 연결하여 차속 센서의 회전 자석을 회전하는 방식

② 홀 센서 방식 : 3핀 커넥터
- 드리븐 기어의 회전을 슬릿판을 회전하여 홀 전압을 발생하도록 하는 방식

■ 2. 수온센서

WTS(수온 센서)는 실린더 블록 또는 서모스탯 입구에 부착되어 엔진의 냉각수 온도를 검출하는 센서로 수온 센서의 내부에는 그림〔3-52〕와 같이 온도가 상승하면 저항값이 낮아지는 서미스터 소자가 내장되어 있는 센서이다.

🔺 사진3-51 장착된 수온센서

🔺 사진3-52 수온센서

이 센서는 엔진의 냉각수 온도에 따라 연료의 분사량을 보정하기 위해 사용하는 센서로 냉간시 시동성 향상과 저온시 연료를 증량 보정하도록 하는 입력 정보로 사용하고 있다. 엔진의 냉간시에는 인젝터의 분사시간을 길게하여 보조 증량을 증가시키고 엔진의 난기시에는 기본 분사량만으로도 분사하도록 하고 있는 보정용 센서이다.

엔진의 난기시에는 자동차의 메이커에 따라 다소 차이는 있지만 증량을 하지 않고 있는 것이 일반적이다. 또한 시동시에는 시동성 향상을 위해 엔진 ECU는 CAS(크랭크 각 센서) 신호와 WTS(냉각수온 센서)의 신호를 받아 초기 시동성을 향상하기 위해 증량 보정하고 있다. 초기 증량 보정은 크랭킹 후 약 5~20초간 연료를 증량 보정하여 시동성을 향상하고 있다.

서미스터

냉각수온	저항값(kΩ)
−20℃	16.0
0℃	5.9
20℃	2.5
40℃	1.1
60℃	0.6
80℃	0.3
100℃	0.2

🔺 그림3-52 수온센서의 구조와 저항치

또한 엔진 냉간 상태에서 가속 증량을 보정하기 위해 냉간시 가속 증량 보정 기능을 가지고 있는데 이것은 엔진의 냉간시에도 운전자 가속 페달을 밟는 경우 엔진이 난기 상태에서와 같이 주행할 수 있도록 하기 위한 보정 증량으로 WTS(수온 센서)의 신호와 TPS(스로틀 포지션 센서) 신호를 입력으로 보정 증량하고 있는 기능이다.

이 기능은 WTS(냉각 수온 센서)와 TPS(스로틀 포지션 센서)의 신호를 받아 ECU(컴퓨터)는 인젝터의 분사 보정을 약 5초정도 지속하여 냉간시 급출발에 대한 보정을 하고 있다. 이와 같이 WTS(수온 센서)는 엔진의 냉간시 연료를 증량 보정하는 센서로 WTS(수온 센서)에 이상이 발생하면 연료의 증량 보정 또는 증량 보정을 하지 않게 돼 초기 시동성 불안정 및 냉간시 엔진 부조 현상 등이 발생하는 경우가 있다.

WTS(수온 센서)는 NTC형 서미스터를 사용한 센서로 수온 센서의 온도 특성은 그림 〔3-53〕과 같이 온도가 상승하면 센서의 저항값이 낮아지는 특성을 가지고 있다. 보통 WTS(수온 센서)는 상온시(20℃시) ECU의 P점의 전압은 약 3.4V, 난기시(약 80℃)는 약 1.3V정도의 전압값이 측정되는 것이 보통이다. 이것은 그림〔3-54〕와 같이 WTS의 ECU입력 회로는 구성되어 있어서 ECU의 내부 회로에 따라 달라질 수 있지만 수온 센서의 사용 온도 범위와 센서의 온도 특성에 의해 ECU의 내부 저항값이 설정되어 지므로 그 값은 거의 비슷한 값을 가지게 된다.

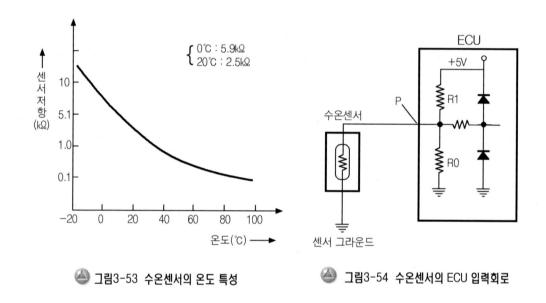

그림3-53 수온센서의 온도 특성   그림3-54 수온센서의 ECU 입력회로

ECU 내부 회로에는 저항을 통해 정전압 전원이 연결되어 있어서 냉각수의 온도에 따라 WTS의 저항값이 변화하는 것을 저항 R0와 R1를 통해 분압되어 P점의 전압은 WTS의 온도에 따라 전압값이 변화하도록 하여 ECU(컴퓨터)는 입력된 WTS의 정보를 판독하도록 하고 있다. P-점의 전압은 상온시(약 20℃ 시) 2.6V정도이며 난기시(약 80℃ 시)에는 0.59V정도의 전압값을 나타낸다. 그림〔3-54〕의 회로에서 Rth+R0=R2라 하면 P-점의 전압 Vp는 $Vp = R2/(R1+R2) \times 5V$로 결정되어진다.

또한 ECU의 내부 회로에는 저항 R0가, WTS(수온 센서)와 병렬로 연결되어 있어서 수온 센서가 단선되어도 ECU는 학습 모드를 통해 단선 상태를 확인하여 기본 분사량을 분사할 수 있도록 페일 세이프 모드(fail safe mode)로 동작을 하도록 하고 있다.

point

WTS(수온센서)

1 WTS(수온 센서)의 기능

- 냉간 시동성을 향상하기 위해 엔진의 냉각 수온을 검출하고 이 신호를 기준으로 ECU는 연료 증량 보정을 약 5~20초 정도 하도록 한다.
- 엔진이 난기시까지 보조 증량을 보정하도록 냉각 수온을 검출 한다.

※ 증량 보정 : 기본 분사량 외에 연료를 증량하여 분사할 필요가 있는 경우 인젝터를 분사 시간을 길게 하여 주는 것을 말한다.

2 WTS(수온 센서)의 특성

- 냉각수의 온도가 상승하면 저항값이 낮아지는 NTC형 서미스터 센서
- 상온시 입력 전압 : 약 20℃시 → 약 3.4V
- 난기시 입력 전압 : 약 80℃ 이상시 → 약 1.3V

3. 노크 센서

노크 센서는 엔진의 고유 진동수와 다른 진동수를 검출하여 ECU로부터 노킹 영역을 판정하도록 하는 센서로 가솔린 엔진의 노킹(knocking) 현상은 실린더 내의 이상 연소와 조기 점화 현상으로 나누어 볼 수 있는데 이상 연소의 경우는 연소 후 실린더 내의 미연소 가스가 자연 발화돼 대단히 빠른 속도로 화염 전파해 나가는 것을 말하며 조기 점화 현상인 경우는 연소실 내의 과열로 인해 정상적인 점화전에 과열 개소에 의해 점화되는 현상을 말 한다. 따라서 노킹 현상은 정상적인 점화 상태와 달라서 실린더 블록을 두드리는 타음과 함께 심한 경우에는 피스톤의 손상과 배기 밸브의 손상을 가져오게 된다.

사진3-53 실린더 내의 연소실

사진3-54 노크센서

이와 같은 노킹 현상의 주 요인은 옥탄가가 낮은 연료를 사용하는 경우나 점화시기가 너무 빠른 경우 또는 이상 연소로 연소실 내의 카본이 퇴적된 경우 등에 발생하게 되므로 엔진의 노킹 진동수를 검출할 수 있는 방법만 있다면 점화시기를 조절하여 노킹을 방지할 수 있다.

노킹을 검출할 수 있는 센서는 실린더의 타음(노킹음)의 고유 진동수 데이터를 ECU (컴퓨터)에 미리 입력하여 놓고 실린더의 타음을 검출할 수 있는 압전 소자를 사용하여 노킹음을 검출하여 ECU로 입력하여 주는 것이 노킹 센서이다. 노킹 센서의 구조는 그림 [3-55]의 (a)와 같이 내부에는 압전 효과를 가지고 있는 압전 세라믹을 넣어 만든 것으로 산화실리콘 재나 티탄산바륨과 같은 소재를 사용하고 있다.

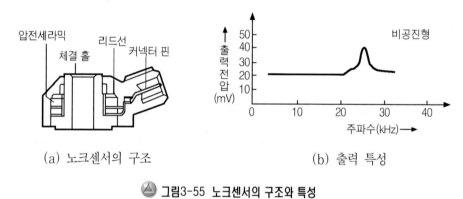

(a) 노크센서의 구조　　　　　　(b) 출력 특성

🔺 그림3-55 노크센서의 구조와 특성

노크 센서의 종류는 실린더 블록의 노킹 주파수 영역에서 공진 특성과 일치시키는 공진형 센서와 공진시키지 않고 사용하는 비공진형 노크 센서가 있다. 공진형 노크 센서의 경우에는 자동차의 엔진마다 가지고 있는 노킹 주파수가 달라 각 차종에 따른 노킹 주파수와 일치하도록 별도의 노크 센서를 만들어야 하는 문제가 있어 현재에는 많이 사용하지 않고 있는 방식이다. 이에 반해 비공진형 노크 센서는 그림[3-55]의 (b)와 같이 엔진의 노킹 주파수 보다 높게 공진 주파수를 갖도록 설계되어 있어 엔진의 종류마다 별도의 노크 센서를 만들어야 하는 문제점이 없어 현재에는 대부분 비공진형 노크 센서를 사용하고 있다.

노킹을 잘 검출하기 위해서는 각 실린더마다 삽입형 노크 센서를 사용하는 경우가 가장 이상적이지만 경제성이 떨어지는 단점으로 현재에는 실린더 블록에 장착하는 간접 측정 방식의 노크 센서가 주류를 이루고 있다. 간접 측정 방식의 노크 센서는 4기통 엔진의 경우에는 1개의 노크 센서를 장착하고 6기통 엔진의 경우에는 2개의 노크 센서를 장착하는

것이 일반적이면 장착 위치는 4기통 엔진의 경우에는 2번 실린더와 3번 실린더의 중간 부분에 장착하는 것이 보통이다.

노크 센서의 ECU 입력 회로를 살펴보면 그림[3-56]과 같이 외부 전원 공급 없이 자체 진동에 의해 1번 단자를 통해 진동 신호를 ECU(컴퓨터)로 입력하여 주고 있으며 ECU 내부에는 정전압 전원 5V가 저항 R를 통해 풀-업(pull up) 되어 있어 노크 센서로부터 발생되는 신호는 그림[3-57]과 같이 약 20kHz의 진동 주파수가 나타나게 된다.

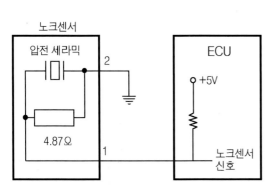

🔺 그림3-56 노크센서의 ECU 입력회로

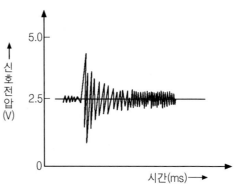

🔺 그림3-57 노크센서의 신호 전압

point ●

노크센서

1 노크 센서의 기능

- 엔진의 노킹 주파수를 검출하는 센서로 노크 센서로부터 검출된 주파수는 ECU로 입력한다.
- 입력된 노크 센서의 신호는 ECU에 미리 설정된 데이터 값과 비교하여 노킹 상태를 파악하고 ECU는 점화시기를 지각하도록 한다.
- ※ 노킹 방지법 : 점화시기 지연, 고옥탄가 연료 사용, 연소실 내의 카본 제거

2 노크 센서의 종류

- 공진형 노크 센서 : 엔진의 노킹 주파수와 노크 센서의 진동자의 공진 주파수 영역을 일치 시키는 방식
- 비공진형 노크 센서 : 엔진의 노킹 주파수 보다 노크 센서의 진동자의 공진 주파수를 높게 설정하여 검출하는 방식으로 현재에는 많이 사용하고 있는 방식이다.
- ※ 압전 효과 : 수정이나 산화실리콘(SiO_2), 티탄산바륨($BaTiO_3$)과 같은 물질에 물리적인 외형이 가해지면 전기적인 신호가 발생하는 현상

6 연료 공급 장치

■ 1. 인젝터

연소실의 고압에 의해 자기 착화하는 디젤 엔진과 달리 가솔린 엔진의 경우 연료를 분사하는 인젝터는 연소실의 연료와 직접 접촉하는 경우가 없고 연료 분사량을 직접 조절할 필요 없이 ECU(컴퓨터)에 의해 제어되어 정확한 분사량을 분사할 수 있는 전자식 밸브이다.

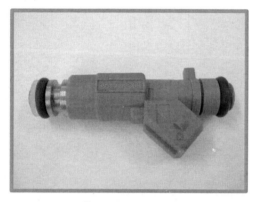

▲ 사진3-55 인젝터

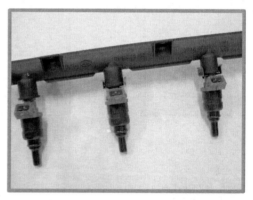

▲ 사진3-56 공급관 부착된 인젝터

인젝터의 구조를 살펴보면 그림[3-58]과 같이 연료의 양을 조절할 수 있도록 솔레노이드 코일과 플런저, 그리고 연료의 주입을 개폐하는 니들 밸브로 구성되어 있다. 니들 밸브는 연료의 분사 홀(구멍)을 스프링 힘과 연료 압력에 의해 막고 있어 연료가 차단되어 있다가 커넥터를 통해 공급된 펄스 신호 전원은 솔레노이드 코일에 자장을 만들고 플런저를 자화하여 자화된 플런저는 니들 밸브를 열게 한다. 밸브가 열리면 연료 펌프에 의해 가압된 연료는 열려진 밸브의 틈을 통해 분사하도록 하고 있다. 즉, 연료의 분사량은 인젝터 솔레노이드 코일의 통전 시간을 ECU(컴퓨터)가 제어하므로 연료의 분사량이 결정되도록 하고 있다.

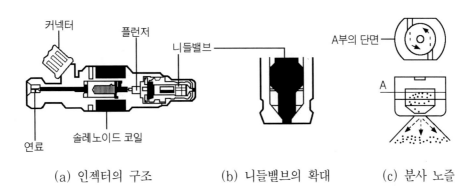

(a) 인젝터의 구조　　　(b) 니들밸브의 확대　　　(c) 분사 노즐

🔺 그림3-58 인젝터의 구조와 분사노즐

　실제 인젝터의 연료 분사량은 인젝터의 분사 홀의 지름과 인젝터에 가해진 분사압력에 의해 결정 되어지므로 같은 종류의 인젝터라 하더라도 차량의 배기량에 따라 인젝터의 분사 홀의 지름이 다를 뿐만 아니라 차종에 따라서는 그림[3-59]와 같이 분사하는 홀의 수가 다르다. 연소실 내의 연료의 미립화는 엔진의 완전 연소와 직결되어 있으므로 인젝터의 노즐에 따라 여러 가지 종류의 분무 형상을 가지고 있다.

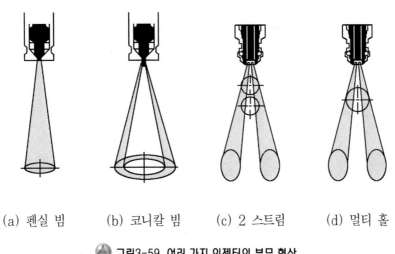

(a) 펜실 빔　　(b) 코니칼 빔　　(c) 2 스트림　　(d) 멀티 홀

🔺 그림3-59 여러 가지 인젝터의 분무 형상

　일반적으로 단일 홀을 통해 분사되는 펜실 빔(pancil beam)의 분무는 제한된 부위에 극한하여 미립화하는 경우에 사용되며 코니칼 빔(conical beam)의 분무는 니들 밸브의 끝 부분이 원추형상을 갖고 있어 엔진이 요구하는 다양한 형태의 분무가 가능한 방

식이다. 또한 그림(c)와 같이 2개의 홀을 통해 분무하는 2스트림(stream) 방식의 인젝터는 실린더에 2개의 흡기구를 갖는 엔진에 적합하다. 그림(d)와 같이 멀티 홀(multi hole)을 갖고 있는 인젝터는 연소실 내에 연료의 미립화 효과를 향상할 고성능 엔진에 적합하다.

인젝터의 연료 분사량은 분사 홀의 지름과 연료의 압력에 의해 결정되어지지만 동일 엔진에 장착된 엔진의 인젝터는 그림[3-60]과 같이 ECU(컴퓨터)가 제어하는 펄스 신호의 폭(인젝터의 통전 시간)에 의해 결정된다.

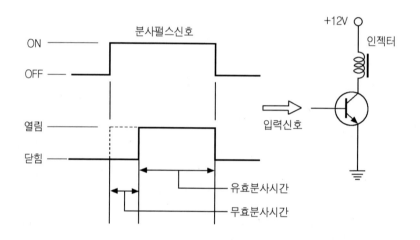

그림3-60 인젝터의 니들밸브 개반 시간

실제 ECU는 엔진의 여러 가지 정보를 입력 받아 미리 설정된 데이터 값에 의해 최적의 연료량을 제어 하도록 인젝터의 분사 펄스 폭을 제어하고 있다. 인젝터로부터 출력된 펄스 신호는 구형파 신호로 인젝터의 솔레노이드 코일에 공급되면 솔레노이드 코일이 자화되는 시간과 니들 밸브가 열리는 시간이 차이가 발생하게 되는데 이것은 코일이 갖고 있는 고유의 인덕턴스 성분 때문이다.

따라서 그림[3-60]의 상측 분사 펄스 신호가 인젝터에 가해진다 하여도 인젝터의 니들 밸브는 즉시 열리지 않고 일정 시간 지연 후 니들 밸브가 열리게 된다. 따라서 ECU로부터 인젝터의 분사 펄스 신호가 인젝터에 가해진 후 니들 밸브가 열리기 직전까지 시간을 무효 분사시간이라 하며 니들 밸브가 열리기 시작하여 닫힐 때까지 시간을 유효 분사시간이라 말한다. 결국 인젝터의 실제 연료 분사량은 노즐의 지름과 연료 압력 그리고 유효 분사시간에 의해 결정된다.

ECU(컴퓨터)의 분사 펄스에 의해 구동되는 인젝터의 종류는 전압 제어식과 전류 제어식이 사용되고 있다.

[1] 전압 제어식

전압 제어식 인젝터는 솔레노이드 코일에 직렬로 저항을 연결하여 사용하는 방식이다. 일반적으로 인젝터는 무효 분사시간을 줄이기 위해 플런저의 응답성을 좋게 하여야할 필요성이 있는데 이렇게 하기 위해서는 솔레노이드의 코일의 지름을 크게 하고 권선수를 작게 하여야할 필요가 생기게 된다. 그러나 코일의 권선수를 작게 하면 내열성이 떨어져 연속으로 작동하는 코일을 보호하기 위해서는 코일에 직렬로 저항을 삽입하는 방법이 있다.

[2] 전류 제어식

이에 반해 전류 제어식 인젝터는 솔레노이드 코일에 직렬로 연결하여 사용하는 저항이 필요 없는 방식으로 솔레노이드 코일에 흐르는 전류의 양을 ECU(컴퓨터)가 제어하는 방식이다. 이 방식은 플런저의 초기 응답성을 좋게 하기위해 초기 플런저를 흡입시 큰 전류가 흐르도록 하여 무효 분사 시간을 감소시키고 플런저가 흡입되어 니들 밸브가 열리면 솔레노이드 코일의 과열을 방지하기 위해 전류를 감소시켜 플런저의 유지하도록 하는 방식이다. 이 방식은 소비 전력을 감소할 수 있는 장점이 있어 현재는 전류 제어식을 많이 사용하고 있다.

그림[3-61]은 인젝터의 회로를 나타낸 것으로 인젝터의 전원은 IGN(이그니션) 전원을 통해 공급을 받고 있거나 IGN 전원이 컨트롤 릴레이를 통해 공급 받도록 하여 인젝터가 점화시에만 동작할 수 있도록 하고 있다. 인젝터의 다른 한선은 ECU(컴퓨터)와 연결되어 ECU(컴퓨터)의 분사 펄스 신호에 의해 구동되도록 하고 있다.

ECU 내에는 인젝터를 구동할 수 있는 TR(트랜지스터)이 내장되어 있어서 ECU(컴퓨터)의 각종 입력 신호를 ECU에 입력하면 ECU는 이 신호를 토대로 필요한 연료량을 산출하고 산출된 연료량의 값은 분사 펄스 폭으로 구동 TR(트랜지스터)의 베이스 신호로 입력돼 구동 TR(트랜지스터)를 구동하므로서 연료량을 조절하고 있는 회로로 구성되어 있다.

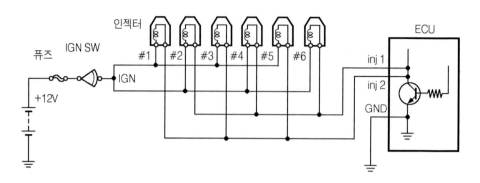

그림3-61 인젝터 회로

2. 연료 펌프 모터

연료 펌프 모터는 연료 탱크로부터 연료를 펌핑하여 인젝터로 송출하는 기능을 가지고 있는 모터로 연료를 인젝터로 송출하기 위해 연료 펌프로부터 연료를 가압하여 송출하고 있다.

사진3-57 연료펌프 모터

사진3-58 연료펌프 내의 임펠러

연료 펌프로부터 가압된 연료의 압력은 그림[3-62]와 같이 연료 필터를 거쳐 연료 압력 레귤레이터로 송출하여 인젝터에 가해진 연료의 압력을 일정하게 유지하여 주지 않으면 안된다. 이것은 인젝터로부터 분사되는 연료의 토출량은 인젝터의 노즐의 지름 및 연료의 압력에 의해 결정되고 연소실에 분사 제어량은 인젝터에 공급되는 분사 펄스 신호의 폭에 의해 결정되어 지므로 ECU(컴퓨터)에 의해 제어되는 전원 공급(분사 펄스폭)이 정

상적이라도 인젝터에 가해지는 연료의 압력이 일정하지 않으면 연소실의 연료 분사량은
달라지기 때문이다.

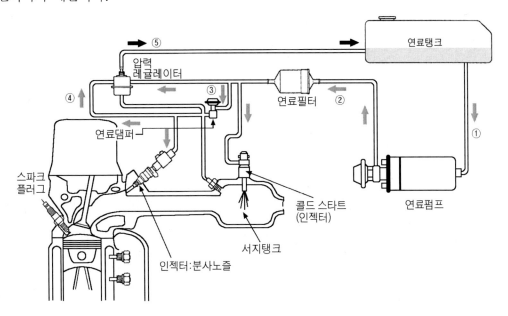

🔺 그림3-62 **연료 공급 장치**

　　연료 펌프의 구조는 그림[3-63]과 같이 연료 펌프 모터의 회전력을 이용해 연료를 펌핑
할 수 있는 임펠러를 그림(b)와 같이 회전시켜 원심력에 의해 흡입구로부터 연료를 흡입하
여 토출구로 연료를 토출하는 구조로 되어 있으며 연료 펌프 모터 내에는 연료 라인을 보
호하기 위해 릴리프 밸브(relief valve)와 체크 밸브(check valve)를 내장하고 있다.

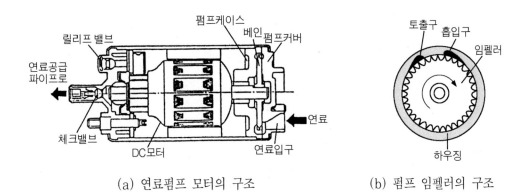

(a) 연료펌프 모터의 구조　　　　　(b) 펌프 임펠러의 구조

🔺 그림3-63 **연료펌프 모터와 임펠러의 구조**

릴리프 밸브의 경우에는 연료 라인의 이상 상승으로 연료 압력이 상승하면 밸브가 개방되어 연료가 모터 내부를 순환시켜 압력을 낮추어 연료 라인의 파손을 방지하기 위한 밸브이다. 체크 밸브는 연료 펌프 모터에 전원이 차단되어 연료 펌프 모터가 정지되어도 체크 밸브의 스프링 장력에 의해 밸브는 닫혀 연료 라인은 일정 시간 연료 압력을 유지하게 하는 기구이다.

또한 연료 라인에 잔압을 유지하기 위한 것은 초기 시동성을 향상하기 위한 것이다. 연료 펌프 모터는 연료 탱크 밖에 장착하는 외장용 연료 펌프 모터와 연료 탱크 내부에 장착하고 있는 내장용 연료 펌프 모터가 있으나 모터의 수음과 장착 부피의 감소로 최근에는 연료 탱크 내장형 연료 펌프 모터가 주종을 이루고 있다. 최근에는 사진〔3-59〕와 같이 연료 펌프 모터와 연료 레벨 센서가 일체형으로 되어 연료 탱크에 내장하고 있어 자동차의 조립 공수를 줄일 수 있는 일체형 방식을 사용하고 있다.

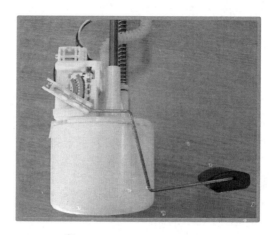

🔺 사진3-59 **연료펌프** Ass'y

연료 펌프의 회전 속도는 보통 약 $1500 \sim 2500\mathrm{rpm}$ 정도 회전을 하며 연료 펌프로부터 토출되는 압력은 약 $2.7 \sim 3.4\mathrm{kg/cm^2}$ 이다. 연료 압력의 표준치는 차종에 따라 다소 차이는 있지만 보통 아이들(idle) 시에는 $2.7 \sim 3.4\mathrm{kg/cm^2}$ 정도이면 정상이며 엔진이 정지 상태에서 잔압은 $2.3 \sim 2.7\mathrm{kg/cm^2}$ 정도이면 정상이다.

그림〔3-64〕와 〔3-65〕는 연료 펌프 모터의 전원 공급 회로를 나타낸 것으로 자동차의 메이커 및 차종에 따라 다소 차이는 있지만 엔진이 동작 중에 작동 하도록 회로를 구성한 것은 동일하다.

　그림〔3-64〕의 회로를 살펴보면 배터리로부터 전원은 메인 릴레이를 통해 컨트롤 릴레이로 연결되어 있고 컨트롤 릴레이는 AFM(에어 플로 미터)의 연료 펌프 스위치에 의해 연료 펌프 모터가 작동하도록 되어 있는 회로이다. 또한 점화 스위치를 ST(스타트)로 위치하면 컨트롤 릴레이가 작동하여 연료 펌프 모터에 전원을 공급하도록 하는 회로이다. 컨트롤 릴레이 내에 저항 R과 콘덴서 C를 내장하고 있는 것은 AFM(에어 플로 미터) 내에 있는 연료 펌프 스위치가 급격한 감속 등에 의해 OFF 상태가 되면 컨트롤 릴레이도 OFF 되어 연료 펌프 모터의 전원을 차단하게 된다.

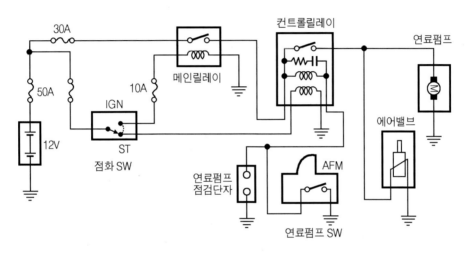

🔺 그림3-64 연료펌프 전원공급회로

　주행 중 연료 펌프 모터의 회전이 정지되는 것을 방지하기 위해 순간적으로 연료 펌프 스위치가 차단되어도 콘덴서에 충전된 전원 전압이 컨트롤 릴레이의 코일에 흐르도록 하여 일정 시간 컨트롤 릴레이의 접점이 유지하고 동시에 릴레이 접점에 의한 아크(arc) 방전으로 접점이 손상되는 것을 방지하는 기능을 가지고 있다.

　이에 반해 그림〔3-65〕의 연료 펌프 전원 공급 회로를 살펴보면 배터리로부터 전원은 퓨즈를 거쳐 컨트롤 릴레이로 전원을 공급하고 있고 컨트롤 릴레이의 코일 전원은 점화 스위치와 ST(스타트) 스위치를 통해 공급하고 있는 것을 볼 수 있다. 컨트롤 릴레이의 내부 회로를 살펴보면 릴레이가 2개 내장 되어 있는 것을 볼 수 있다. 다이오드를 통해 공급되는 전원은 좌측 릴레이의 코일 L1를 공급하여 접점 P1은 우측에 있는 릴레이의 코일 L3의 전원 공급 및 인젝터 등에 전원 공급용으로 사용되고 우측에 있는 릴레이는 코일

L2 및 L3의 자화에 의해 접점 P2를 통해 연료 펌프 모터의 전원 공급용으로 사용 되고 있다. 즉 좌측에 있는 릴레이는 우측의 코일과 인젝터 등의 전원 공급용이고 우측에 있는 릴레이는 연료 펌프 전원 공급용 릴레이이다.

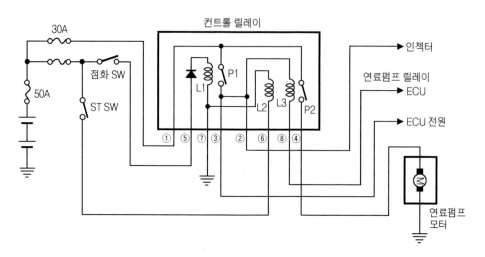

그림3-65 연료펌프 전원공급 회로

3. 연료 압력 레귤레이터

ECU(컴퓨터)에 의해 제어 되는 인젝터의 분사 펄스폭이 정상적으로 제어 되더라도 인젝터에 가해지는 연료의 압력이 일정하지 않으면 연소실의 연료 분사량은 달라지게 되므로 인젝터에 가해지는 연료 압력을 일정하게 유지하기 위해 연료 압력 레귤레이터를 사용하고 있다. 연료 압력 레귤레이터를 통한 일정한 연료 압력은 흡기관의 압력이 낮은 경우에는 연료의 분사량이 증가하고 흡기관의 압력이 높은 경우에는 분사량이 감소하므로 인젝터의 압력은 흡기관의 압력에 대해 항상 설정압력 보다 높게 유지되도록 압력 레귤레이터를 만들어 사용하여 인젝터의 분사 펄스 시간에 의해서만 분사량을 조절할 수 있게 하고 있다.

그림〔3-66〕은 연료 압력 레귤레이터의 구조를 나타낸 것으로 내부 구조를 살펴보면 연료의 흐르는 양을 조절하는 밸브와 흡기관의 부압을 감지하는 다이어프램, 연료실로 나누어져 있어서 연료 압력이 규정압을 초과하는 경우에는 다이어프램의 컨트롤 스프링 힘을 밀고 올라가 밸브는 닫히게 되어 리턴 라인으로 들어온 연료는 연료 탱크로 순환하게 되고 규정압 보다 작은 경우에는 스프링 힘에 의해 다이어프램을 밀어 흡입구로 들어온 연료는 밸브를 통해 연료 탱크로 흘러 들어가 연료의 압력이 일정하도록 조절하고 있다. 보통 연료의 압력은 연료 펌프의 회전 속도에 의해 달라지는데 연료 펌프의 회전 속도가 1500~2500rpm정도이면 압력은 4~6kg/cm²정도가 되며 연료 압력 레귤레이터에 의해 조정된 압력은 2.7~3.4kg/cm²정도가 된다.

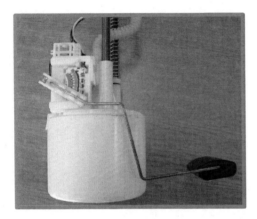

🔺 사진3-60 연료 압력 레귤레이터

🔺 사진3-61 부착된 연료 압력 레귤레이터

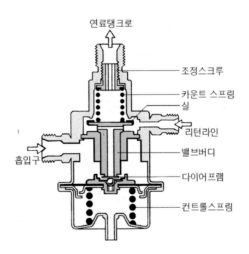

🔺 그림3-66 연료 압력 레귤레이터의 구조

연료 공급 장치

1 인젝터

1. 인젝터의 기능

① 인젝터의 조건 : 정확한 분사량, 일정한 분무 특성, 기밀 유지

② 기능 : ECU에 의해 분사 펄스폭만큼 연료를 분사하는 전자 솔레노이드 밸브이다.

③ 분사량의 결정

- 기계적인 요소에 의한 결정 : 인젝터의 노즐의 지름, 연료 압력
- 전기 신호에 의한 결정 : 인젝터의 분사 펄스 폭에 의한 유효 분사 시간
- 입력 신호에 의한 결정 : 기본 분사량 + 보정 증량 분사량

2. 인젝터의 구동 방식

① 전압 제어식 : 솔레노이드 코일의 외경을 크게 하고 권선수를 줄여 응답 특성을 향상하고 있는 방법으로 인젝터의 솔레노이드 코일과 직렬로 저항을 삽입하여 구동하고 있는 방식이다.

② 전류 제어식 : 솔레노이드 코일의 발열을 감소하고 소비 전력을 적게 하기 위해 초기 구동시 전류를 크게 하여 밸브가 열리기 시작하면 전류를 작게 하는 방식이다.

2 연료 펌프 모터 및 연압 레귤레이터

1. 연료 펌프 모터의 기능

① 연료 탱크로부터 연료를 펌핑하여 인젝터로 연료를 공급하는 기능

※ 연료 라인의 압력

- 연료 펌프의 토출 압 : 약 4~6kg/cm²
- 연료 압력 : 약 2.7~3.4kg/cm² (아이들 시)
- 연료 잔압 : 약 2.3~2.7kg/cm² (엔진 정지 시)

② 릴리프 밸브 : 연료 라인을 보호하기 위한 연료 압력 조절 밸브

③ 체크 밸브 : 연료 라인에 잔압을 유지하기 위한 밸브

2. 컨트롤 릴레이의 기능

- 연료 펌프 모터의 전원 공급 및 인젝터, EGR 밸브 등의 전원 공급

3. 연료 압력 레귤레이터의 기능

- 흡기관의 압력 변화에도 연료 분사량이 분사 펄스 시간에 의해서만 결정될 수 있도록 연료 압력을 일정하게 조절하는 밸브

4. EGR 밸브

NOx(질소산화물)은 인체의 중추 신경을 자극하는 유해 물질 뿐만 아니라 광학적 스모그 현상의 주요인으로 HC(탄화수소), CO(일산화탄소)와 더불어 자동차의 3대 배출 규제 항목 중에 하나이다. 이와 같은 NOx은 가솔린의 연소 과정에서 연소실 온도가 상승하면 약 1000℃정도에서 발생하기 시작하여 약 2000℃ 부근에서 급격히 증가하는 경향을 나타내고 있다. 따라서 NOx을 감소하기 위해서는 연소실의 온도를 낮추는 방법을 생각할 수 있는데 이 방법이 EGR(Exhaust Gas Recirculation) 작용이다.

🔺 사진3-62 EGR밸브

🔺 사진3-63 퍼지 솔레노이드 밸브

EGR 작용은 그림[3-67]과 같이 EGR(배기가스 재순환) 밸브를 이용하여 배기관의 배기가스 일부를 흡기측에 재순환시켜 연소실의 온도를 낮추는 방법으로 질소산화물의 최대 60%까지 감소하는 효과를 볼 수 있는 장치이다. 그러나 이 방법은 배기가스의 재순환 율이 증가하여 연소실의 온도가 낮아지면 연소실의 착화성이 떨어져 엔진의 출력이 떨어지게 되므로 EGR(배기가스 재순환)율을 최적의 상태로 조절할 필요가 있게 된다.

ECU(컴퓨터)로부터 EGR율의 제어는 그림[3-67]과 같이 EGR 밸브 통해 배기되는 가스의 량을 EGR 솔레노이드 밸브 또는 VCM 솔레노이드 밸브를 통해 배기가스 순환량을 조절하도록 하고 있다. ECU(컴퓨터)로부터 제어 신호는 펄스 신호의 폭(듀티 비)을 변화시켜 EGR 솔레노이드 밸브 또는 VCM 솔레노이드 밸브의 통전 시간을 조절하도록 하고 있다.

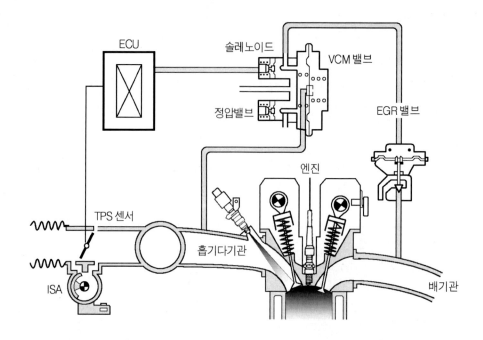

⚠ 그림3-67 EGR 시스템 구성도

    EGR 밸브의 작동은 흡기관의 부압을 이용하여 흡기관의 부압에 의해 EGR 밸브의 다이어프램에 부압이 작용하면 다이어프램의 중심축과 니들 밸브가 연결되어 흡기관의 부압이 작용한 만큼 밸브가 열리게 돼 배기가스가 흡기관으로 유입되도록 되어 있다. 이때 흡기관으로 유입되는 EGR율은 다음과 같이 산출할 수 있다.

$$EGR율 = \frac{배기가스재순환량}{(흡입 공기량 + 배기가스재순환량)} \times 100\%$$

    보통 EGR 율은 10%전후로 제어하여 질소산화물을 감소하고 차량의 출력이 저하되는 것을 방지하고 있다. EGR 제어의 종류는 흡기관 부압만을 이용한 기계식 EGR 밸브가 있으며 순수한 기계식 EGR 제어의 경우에는 EGR율을 약 5~15% 범주에서 제어 하도록 하고 있는 방식과 EGR 솔레노이드 밸브 또는 VCM 솔레노이드 밸브를 이용하여 EGR율을 15% 상회하는 전자 제어 방식을 사용하고 있다.

전자 제어식의 경우에는 흡입 공기량에 따라 EGR율을 최적의 상태로 제어하기 위해 엔진의 회전 신호, 부하 상태, 냉각수 온도 등의 정보를 입력 받아 미리 설정된 데이터에 따라 최적의 EGR율을 제어 하도록 솔레노이드의 통전 시간을 제어하고 있다.

point

EGR 시스템

1 EGR의 기능

① NOx(질소산화물)은 연소 온도가 약 2000℃정도에서 급격히 증가하는 것을 감소하기 위해 배기가스 일부를 흡기측에 순환하여 연소 온도를 낮추는 장치이다.

2 EGR의 종류

① 기계식 EGR 밸브 : 흡기관의 부압을 이용 순수한 기계식 밸브로 EGR율이 약 5~15%정도 순환시키고 있다.

② 전자 제어식 EGR 밸브 : ECU는 흡입 공기량, 엔진 회전수, 부하, 수온 센서의 신호를 받아 EGR 솔레노이드 밸브의 통전 시간(듀티 비)을 제어하여 적정량의 배기량을 순환시키고 있는 방식이다.

7 전자제어 점화장치

1. 점화시기

가솔린 엔진은 기체를 압축하여 자기 착화가 일어나도록 하는 디젤 엔진과 달리 실린더 내로 흡입된 공기와 주입된 가솔린을 혼합시켜 고전압에 의한 아크 방전으로 점화하도록 되어 있어 실린더 내의 혼합 가스를 적절한 시점에 점화하도록 하는 것은 엔진의 출력 및 연비, 배출 가스에 지대한 영향을 가지고 있다.

보통 실린더 내에 혼합 가스가 착화하여 최고 압력이 되는 점은 압축 상사점후 약 8~13° 정도 부분으로 이 영역은 엔진 출력이 최고로 도달하지만 연소실의 온도가 최고로 되어 NOx(질소산화물)의 증가 하게 돼 엔진 출력이 다소 떨어지더라도 NOx이 감소되는 영역으로 점화 시점을 결정하지 않으면 안된다. 따라서 점화 시점은 압축 상사점 전에 엔진의 운행 상태에 따라 엔진 출력 및 배출가스를 감안한 범위를 제어 해 주어야 한다.

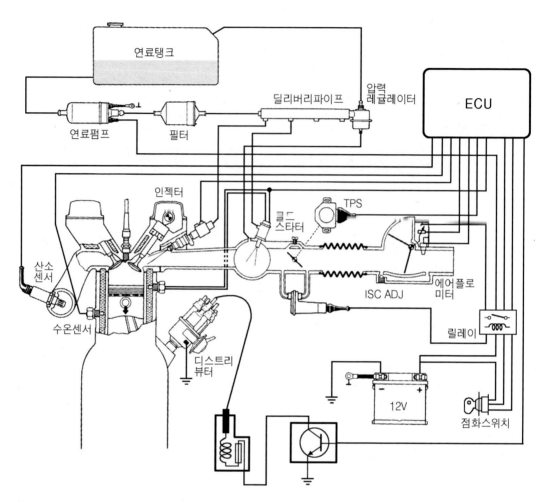

🔺 그림3-68 L 제트로닉 전자제어엔진 시스템 구성도

　　전자 제어 엔진에서 연료의 분사량과 분사 시점은 기본적으로 흡입 공기량과 엔진 회전수에 의해 결정되어 지므로 점화시기를 결정하는 것은 인젝터의 분사 펄스 시점에 맞추어 점화하도록 하여야 하므로 분사 펄스폭과 엔진의 회전수에 의해 결정된다. 엔진의 몇 번 실린더가 점화를 하여야 하는지 언제 하여야 하는지를 결정하는 것은 기통 식별을 판별하는 TDC센서 또는 CPS(캠 포지션 센서)를 기준으로 하고 점화 시점을 결정하는 것은 CAS(크랭크 각 센서)의 신호를 기준으로 하여 ECU(컴퓨터)에 미리 입력된 데이터 값에 따라 순차적으로 점화 신호를 출력하도록 하고 있다. 그러나 엔진 회전이 상승하면 실린더 내의 와류 회전과 화염 전파가 빨라지게 되어 CPS나 CAS의 신호만으로는 정확한

점화시기를 결정 하는 것은 한계가 있다.

실린더 수	4기통	6기통	8기통
점화 순서A	1→3→4→2	1→5→3→6→2→4	1→8→4→3→6→5→7→2
점화 순서B	1→2→4→3	1→4→2→6→3→5	

[표3-2] 점화 순서

따라서 그림〔3-69〕와 같이 엔진의 회전수와 부하 상태에 따라 점화시기를 결정하여 주어야 한다. 그림〔3-69〕는 진공식 진각 장치의 특성도를 나타낸 것으로 진공식 진각 조정 장치는 엔진의 회전수에 따라 흡기관의 부압을 이용해 진각을 조정하는 장치이지만 ECU 엔진(전자 제어 엔진)의 경우에는 점화시기를 결정하기 위해 기본적으로 CPS(캠 포지션 센서), CAS(크랭크 각 센서) 외에 엔진의 부하 상태 상태에 따라 점화 진각을 조장하기 위해 엔진의 회전에 대해 TPS(스로틀 포지션 센서)로부터 스로틀 개도 각을 검출하여 보정 진각을 하도록 하고 있다.

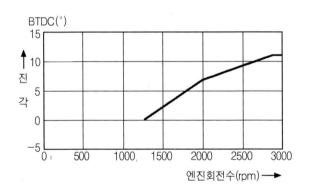

🔺 그림3-69 진공식 진각장치의 특성도

전자 제어 엔진의 점화시기를 결정하는 것은 그림〔3-70〕의 3차원 특성도에 나타낸 것과 같이 엔진의 회전수와 흡입되는 공기량에 따라 결정되어 이들의 데이터 값 모두를 ECU(컴퓨터)의 기억 장치에 기억시켜 놓고 있다가 각 센서로부터 검출된 센서의 신호의 값을 토대로 ECU(컴퓨터)에 기억되어 있는 점화시기 값을 불러내어 점화시기를 조정하

도록 하고 있다. 결국 전자 제어 엔진의 점화시기는 기본 점화 진각값과 보정 점화시기의 합으로 결정되어 지게 된다.

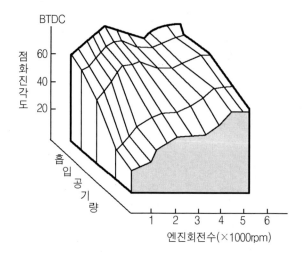

🔺 그림3-70 기본 점화 진각 특성

전자 제어 엔진의 점화 장치는 표(3-3)과 같이 배전기(디스트리뷰터)가 있는 방식과 배전기가 없는 DLI(Distributor Less Ignition) 점화 방식으로 구분할 수 있는데 DLI 점화 방식의 경우에는 실린더 2개에 점화 코일을 1개 사용하는 동시 점화 방식과 각 실린더 마다 점화 코일을 개별적으로 사용하는 독립 점화 방식이 사용되고 있다. 이들 중 배전기를 사용하고 있는 방식은 주로 SOHC 엔진에 사용이 되며 배전기가 없는 DLI 점화 방식은 엔진의 출력 향상을 도모한 DOHC 엔진에 사용이 되고 있다.

[표3-3] 전자제어 점화장치의 종류별 비교

구 분	순차 점화방식	동시 점화방식	독립 점화방식
배전기	있음	없음(DLI)	없음(DLI)
점화코일	개자로 / 폐자로 코일	폐자로 코일	폐자로 코일
점화코일 개수	1개 사용	실린더 2개당 1개	실린더 1개당 1개
1차코일 개폐	파워 트랜지스터	파워 트랜지스터	IGBT

2. 배전기를 사용한 점화 방식

전자 제어 엔진 중 배전기(디스트리뷰터)를 사용하고 있는 점화 방식은 접점식 점화 방식과 같이 점화 코일과 배전기, 고압 케이블로 구성 되어 있으며 ECU(컴퓨터)로부터 점화 신호가 출력되면 파워 TR(트랜지스터)를 통해 점화 1차 코일을 단속하여 점화 2차에 높은 전압을 발생하게 한다.

사진3-64 배전기

사진3-65 폐자로 점화코일

이렇게 발생된 25~35kV정도의 높은 고압을 배전기의 중심 전극으로 전송하여 캠축의 회전을 이용해 각 실린더로 고압을 배전하는 방식이다.

이 방식은 2차 코일의 고압을 배전기의 중심 전극의 에어 갭(air gap)을 거쳐 각 실린더 까지 고압 케이블을 통해 전송하도록 하고 있어 에너지 손실이 크며 엔진의 실린더 수가 많은 경우에는 점화 신호에 따라 고압을 정확히 배전하여 하기 때문에 배전기의 로터 외경을 크게 하지 않으면 안되는 단점을 가지고 있다.

ECU(컴퓨터)로부터 점화 신호는 CPS(캠 포지션 센서) 및 CAS(크랭크 각 센서) 신호를 기준으로 그림〔3-71〕과 같이 점화 신호를 출력하면 이 신호는 파워 TR의 베이스(base)에 가해져 베이스 전류를 흐르게 한다. 베이스 전류에 의해 파워 TR의 컬렉터와 연결되어 있던 점화 1차코일 전류는 흐르게 되면 파워 TR의 베이스 신호 전압은 그림〔3-71〕의 (b)와 같이 기울기를 갖는 점화 신호로 나타나게 된다. 이때 점화 신호의 1주기는 크랭크 각의 180°를 나타낸다.

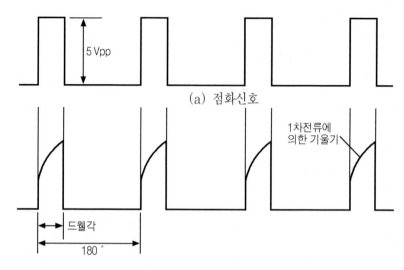

(a) 점화신호

1차전류에
의한 기울기

드웰각

180°

(b) 파워TR 베이스 신호

🔺 그림3-71 점화 신호

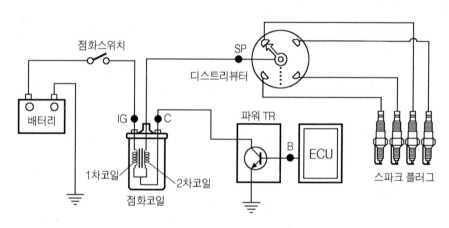

🔺 그림3-72 전자제어엔진의 점화장치(SOHC)

■ 3. DLI 점화 방식

(1) 동시 점화 방식

동시 점화 방식은 배전기(디스트리뷰터)를 사용하지 않고 점화 코일 1개당 2개의 실린 더를 점화하는 방식으로 4기통 엔진의 경우에는 그림〔3-73〕의 회로와 같이 2개의 점화 코일과 2개의 파워 TR이 사용되며 6기통 엔진의 경우에는 3개의 점화 코일과 3개의 파워 TR을 사용하는 점화 방식이다. 1개의 점화 코일을 사용하여 2개의 실린더를 점화하여야 하는 관계로 한 개의 실린더가 배기 행정일 때 다른 실린더는 압축 행정이 되어 점화하는 경우로 점화 플러그로부터 동시에 점화한다하여 동시 점화 방식이라 말하는 것이다.

사진3-66 DLI 점화장치(4기통)

사진3-67 동시 점화방식의 코일

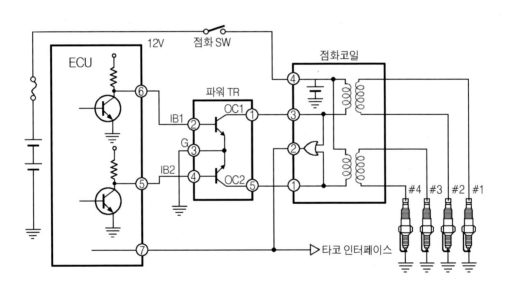

그림3-73 동시 점화방식 회로

실제로는 1개의 실린더가 배기 행정일 때 다른 실린더는 압축 행정이 되므로 점화 코일로부터 동시에 고압이 발생한다 하여도 실제 점화하는 실린더는 압축 행정에 있는 실린더가 착화하게 된다. 이 방식은 배전기를 사용하지 않아 일명 DLI(Distributor Less Ignition) 점화 방식이라 하며 배전기를 사용하지 않아 고압측의 에너지 손실이 적으며 1개의 코일을 가지고 2개의 실린더를 사용하고 있어 엔진이 고속 회전시 점화 1차 전류를 충분히 제어할 수 있도록 드웰 각(캠 각) 제어가 가능한 이점이 있어 고성능 엔진에 적합한 방식이라 하겠다. 배전기를 사용하는 방식의 경우에는 점화 코일로부터 발생된 고압을 배전기의 축(캠 축)으로 점화 위치를 검출하여 배전기를 통해 분배하지만 DLI (Distributor Less Ignition) 점화 방식은 배전기가 없어 점화 위치를 검출할 별도의 CPS(캠 포지션 센서)가 필요하게 된다. 즉 CPS는 배전기의 위치 검출 기능을 대신하는 센서가 되는 셈이다.

한편 6기통 엔진의 경우에는 CPS(캠 포지션 센서)가 1회전 하면(엔진 회전으로는 2회전에 1회) 6번 실린더의 압축 상사점을 검출하여 이 신호를 기준으로 점화 위치를 검출하게 하고 있다. 점화 신호는 점화 코일 1개당 실린더 2개를 점화하고 있어 4기통 엔진의 경우에는 그림[3-74]와 같이 파워 TR A측의 점화 신호와 파워 TR B측의 점화 신호가 각각 180° 위상차를 가지고 있어 크랭크 각의 1회전에 2회 점화 신호를 하는 것을 알 수가 있다.

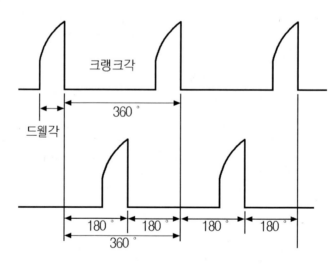

그림3-74 동시 점화방식의 점화 신호

따라서 점화 코일 1개를 사용하는 방식보다 드웰 각(캠 각) 제어를 할 수 있는 시간이 2배로 증가하는 셈이 돼 엔진의 고속 회전에도 실화로 이어지는 경우가 그 만큼 적어지게 된다. 또한 이 방식은 1개의 코일당 2개의 실린더를 점화하여야 하는 문제로 그림〔3-73〕 과 같이 타코메터(tacho meter)로 입력되는 신호가 배전기를 사용하는 입력 신호에 2배 의 펄스 신호가 발생하는 결과가 되어 타코메터를 동작하기 위해서는 사진〔3-70〕과 같은 인터페이스 유닛(interface unit)이 필요하게 된다.

🔺 사진3-68 DLI 점화장치(6기통)

🔺 사진3-69 동시 점화방식의 코일

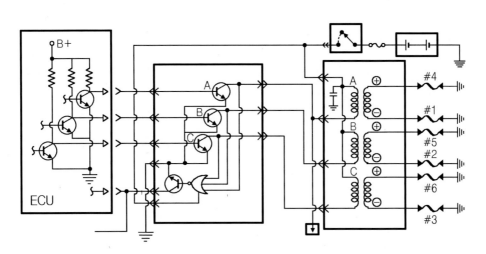

🔺 그림3-75 동시 점화 방식(V6)

이 인터페이스 유닛은 차종에 따라 사진〔3-70〕과 같이 별도로 독립해 사용하는 외장형 이 있으며 사진〔3-71〕과 같이 파워 TR 내부에 내장하여 파워 TR 기능과 인터페이스 기 능을 하는 파워 TR이 사용되고 있기도 하다.

△ 사진3-70 외장형 인터에이스 유닛

△ 사진3-71 내장형 인터페이스

(2) 독립 점화 방식

△ 사진3-72 독립 점화 방식의 코일

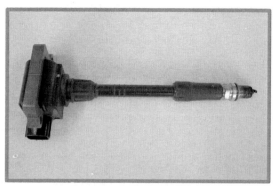

△ 사진3-73 점화코일 ASS'Y

독립 점화 방식은 점화 코일 1개당 실린더 1개를 개별적으로 점화하는 DLI 점화 방식으로 그림[3-76]과 같이 점화 코일 1개당 파워 TR이 1개가 필요한 구조를 가지고 있는 점화 장치이다. 이 방식은 배전기를 사용하는 방식에서 나타나는 누설 전류에 의한 실화 현상이 나타나는 경우가 적으며 엔진의 고속회전에서도 동시 점화 방식보다 우수한 드웰 각(캠 각) 제어가 가능한 이점이 있는 점화 방식이다. 또한 폐자로 코일을 사용하여 소형화할 수 있어 최근에는 점화 코일 내에 파워 TR를 내장하여 점화 코일과 일체화 되어 있어 고압 케이블을 사용하지 않고 있다.

따라서 고압 케이블을 사용하지 않아 케이블에 의한 누설 전류가 발생하지 않아 실화가 적으며 배전기를 사용하지 않아 에너지 손실이 작은 특징을 가지고 있는 점화 방식이다. 이 방식은 점화 코일 1개로 2개의 실린더를 점화하는 동시 점화 방식의 경우에는 1기통이 압축 행정인 경우에는 다른 한 기통은 반드시 배기 행정인 관계를 가지고 있지만 독립 점화 방식의 경우에는 각 기통을 개별적으로 제어할 수 있는 특징이 있어 고성능 엔진에 적합하다.

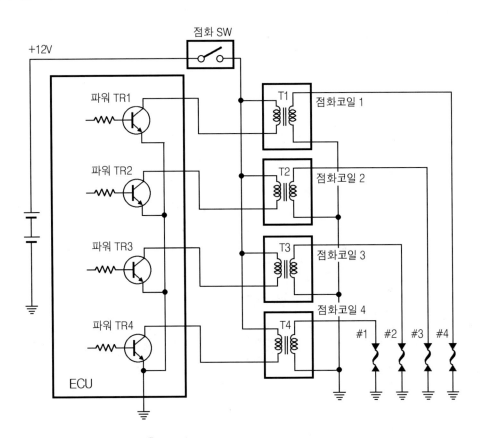

🔺 그림3-76 독립 점화 방식의 DLI 회로

독립 점화 방식은 각 기통별 점화를 개별적으로 하도록 되어 있어 ECU(컴퓨터)로부터 출력 되는 점화 신호는 그림[3-77]과 같이 엔진 2회전 당 1회 점화 신호를 각 실린더별 출력하고 있다. 즉 4기통 엔진의 경우 1기통 당 점화 신호는 크랭크각 720° 1회 점화 신호가 출력된다.

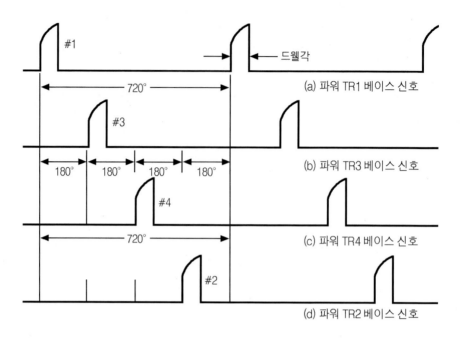

#1
드웰각
720°
(a) 파워 TR1 베이스 신호

#3
(b) 파워 TR3 베이스 신호
180° 180° 180° 180°

#4
720°
(c) 파워 TR4 베이스 신호

#2
(d) 파워 TR2 베이스 신호

그림3-77 독립 점화 방식의 점화 신호

사진3-74 독립 점화 방식

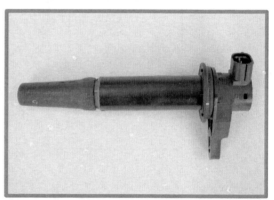

사진3-75 독립 점화 방식의 코일

point

점화장치

1 점화시기

1. 전자 제어 점화시기

※ 점화시기 = 기본 점화 진각도 + 보정 점화 진각도

① 기본 점화 진각도 : 흡입 공기량과 엔진 회전수에 의해 결정되어 지는 기본 진각도

② 보정 점화 진각도 : 엔진의 회전수, 엔진의 부하 상태, 냉각수 온도 등에 의해 결정
  되어지는 보정 점화 진각도

2. 점화시기를 결정하는 센서

① CPS 또는 TDC 센서 : 실린더의 압축 상사점을 검출하는 센서

② CAS : 실린더의 점화 기통을 판별하는 센서

2 전자 제어 점화 장치

1. 배전기 타입 점화 방식

  : 1개의 점화 코일만을 사용하는 점화 방식

① 실린더의 압축 상사점의 검출 : 배전기의 캠축에 의한 결정

② 점화 신호 : 4기통 엔진 → 1회/180° CA   6기통 엔진 → 1회/120° CA

2. 동시 점화 방식

  : 점화 1개당 2개의 실린더를 점화 하는 방식(DLI 방식)

① 실린더의 압축 상사점의 검출 : CPS에 의해 결정

② 점화 신호 : 4기통 엔진 → 1회/180° CA
  6기통 엔진 → 1회/120° CA

③ 특 징

  • 배전기를 사용하지 않아 고압측 에너지 손실이 적다.

  • 고속 회전시 실화 없이 점화 1차 전류를 제어할 수 있어 고성능 엔진에 적합하다.

  • 폐자로 코일을 사용하여 소형화가 가능하다.

  ※ 점화시 : 1기통이 압축 행정인 경우 다른 기통은 배기 행정에 위치

3. 독립 점화 방식

  : 실린더 1개당 1개의 점화 코일을 사용하는 점화 방식(DLI 방식)

① 실린더의 압축 상사점의 검출 : CPS에 의해 결정

② 점화 신호 : 4기통 엔진 → 1회/180°, CA 6기통 엔진 → 1회/120° CA

③ 특 징

  • 배전기를 사용하지 않아 고압측 에너지 손실이 적다.

  • 고속 회전시 실화 없이 점화 1차 전류를 제어할 수 있어 고성능 엔진에 적합하다.

  • 폐자로 코일을 사용하여 소형화가 가능하다.

04

전자제어엔진의 기능

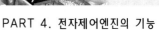

4 CHAPTER

전자제어엔진의 기능

 **1.** 시스템 구성과 기능

1. 시스템 구성과 적용 목적

[1] 시스템의 구성

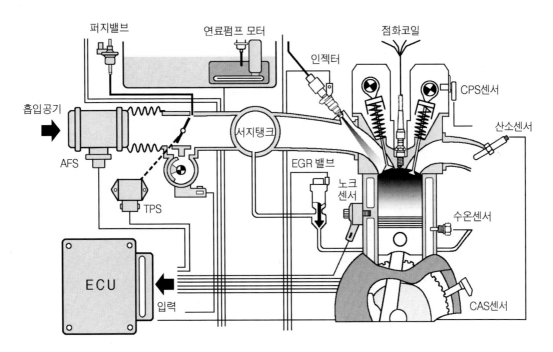

🔺 그림4-1 전자제어엔진의 시스템 구성도

전자 제어 엔진의 주요 기능은 연료 분사량과 점화시기를 제어하기 위한 장치로 생각할 수 있다. 이들 시스템의 구성을 살펴보면 연료를 공급하기 위한 연료 공급 장치와 공기의 류량을 조절하고 측정하는 흡기 장치, 연소실 내의 혼합 가스를 점화하는 점화 장치 그리고 이들 장치 및 엔진 상태를 파악하기 위해 구성된 센서와 액추에이터, ECU(컴퓨터)로 구성된 제어 장치로 나누어 생각할 수 있다.

▲ 사진4-1 엔진 ECU(미쓰비시)

▲ 사진4-2 엔진 ECU(보쉬)

연료를 공급하는 장치는 연료 탱크로부터 연소실로 연료를 공급하여 주는 장치로 연료 펌프 모터와 연료 압력 레귤레이터, 딜리버리 파이프 및 인젝터로 구성되어 있다. 연료 공급 라인에는 공급 압력 및 흡기 맥동에 의해 공급 라인의 압력이 변동하는 것을 방지하기 위해 연압 레귤레이터를 장치하여 두고 있다.

흡기 장치는 연소에 필요한 공기의 양을 측정하고 제어하는 장치로 AFS(에어 플로 센서), 흡기온 센서, 흡입 공기의 개도 장치인 스로틀 버디와 스로틀 개도 검출 센서인 TPS(스로틀 포지션 센서), 공회전 속도 제어 기구인 아이들 스피드 액추에이터 등으로 구성되어 있다. 이들 흡기 장치에는 흡입 공기를 측정하는 AFS의 방식에 따라 D-제트로닉 방식(간접 검출 방식)과 L-제트로닉 방식(직접 검출 방식으로)으로 구분되어 지며 간접 검출 방식은 주로 흡기관의 압력을 검출하는 MAP 센서(맵 센서)가 사용이 된다. 직접 검출 방식은 주로 흡입 공기의 온도를 검출하는 핫-필름 AFS(에어 플로 센서)나 칼만 와류를 이용한 AFS(에어 플로 센서)가 이용되고 있다.

연소실의 혼합 가스를 점화하는 장치로는 배전기(디스트리뷰터)를 사용하는 방식과 배전기가 없는 DLI(Distributor Less Ignition) 점화 방식이 이용되고 있다.

이 중 DLI 점화 방식에는 점화 코일 1개당 실린더 2개를 동시에 점화하는 동시 점화 방식과 점화 코일 1개당 실린더 1개를 점화하는 독립 점화 방식을 사용하고 있어서 엔진이 고속 회전에서도 점화 1차 전류를 제어할 수 있도록 하고 있다. 이와 같이 연료 공급 장치, 흡기 장치, 점화 장치 등을 운전 조건에 따라 엔진의 최적의 조건으로 제어하여 주기 위에서는 별도의 ECU(컴퓨터)와 같은 제어 장치가 필요하게 되는데 이들 전자 제어 엔진의 전장 부품을 총칭해 전자 제어 장치라고 부르기도 한다.

(2) 적용 목적

가솔린을 이상적으로 연소하기 위해서는 이론적으로 약 15 : 1정도의 공연비를 맞추어 주어야 하지만 실제로는 연소실의 온도에 의해 인체의 유해 가스인 NOx(질소산화물)이 증가하는 요인이 되기도 하며 엔진의 저속시나 고속시의 흡입되는 공기의 양이 흡기 저항 등에 의해 다소 차이가 발생하여 엔진의 출력과 배출 가스를 고려한 이론 공연비가 필요로 하게 된다.

그러나 실제로는 운행 상태에 따라 연비, 배출 가스 및 차량의 출력 상태가 달라지게 되므로 이론 공연비(14.7 : 1)를 기준으로 연비가 농후(rich) 한지 희박(lean) 한지를 검출하여 배출 가스가 가능한 최소한 배출되는 영역을 제어하여 주어야 한다. 이와 같이 정확한 공연비를 제어해 주기 위해서는 기화기와 같은 기계적인 방법으로는 연료를 정밀하게 제어하는 것은 한계 있어 각 실린더에 연료를 균일하게 분배하기란 더더욱 불가능하게 된다. 따라서 연료와 공기의 비율을 정밀하게 제어하기 위해 전자 솔레노이드 밸브(인젝터)를 사용하고 있다

그러나 가솔린 엔진은 배출 가스를 억제하기 위해 인젝터를 사용하여 연료의 공급량을 정확히 제어 한다 하더라도 공기 중에는 질소가 3/4정도 차지하고 있어 연소 과정에서 필연적으로 질소산화물이 발생하게 된다. 질소산화물은 고온의 연소 과정에서 질소가 산화되어 그 부산물로 발생되는 배출가스로 연소 온도가 1000℃ 전후에 발생되기 시작하여 고온이 될 수록 그 량이 증가하게 돼 NOx(질소산화물)을 억제하는 방법으로 EGR 제어

장치를 통해 연소실의 온도를 낮추고 있다. 이러한 EGR 기능 또한 연소실의 온도 저하로 엔진의 출력 저하로 이어지게 돼 연비 악화의 상관관계를 갖게 된다. 결국 전자 제어 엔진의 적용 목적은 이러한 상관관계를 최적의 조건으로 제어하기 위해서는 ECU(컴퓨터)를 사용하지 않고 기계적인 방법으로만 제어 한다는 것은 불가능한 일이다.

따라서 전자 제어 엔진은 기계적으로 제어할 수 없는 한계를 극복하여 엔진의 성능을 향상함과 동시에 그 근본 목적은 유해 배출 가스 억제에 있다고 해도 과언이 아니다. 전자 제어 엔진의 특징을 간단히 살펴보면 인젝터를 사용하기 때문에 정확한 양의 연료를 주입할 수 있을 뿐만 아니라 각 연소실 마다 균일한 연료량을 분사할 수 있고, 흡기 포트 부근에 연료를 분사하기 때문에 흡기관의 지름을 크게 할 수 있어 흡입 효율을 증가시킬 수 있고 고속 회전시 실린더 내로 연료를 부드럽게 보낼 수가 있다. 또한 급감속시 스로틀 밸브가 급격히 닫혀 실린더 내의 미연소 가스의 증가로 HC(탄화수소)가 증가하는 것을 방지하기 위해 데시 포트 제어가 가능하며 엔진의 냉간 및 난기 상태를 판별하여 정확한 공연비 제어 등이 가능하다.

따라서 전자 제어 엔진은 연비 향상에도 좋은 특징을 가지고 있다.

■ 2. 구성 부품의 기능

전자 제어 엔진의 구성은 엔진 상태와 차량의 운행 상태를 검출하는 센서부와 이 신호를 받아 연료 분사량과 점화시기 등을 계산하고 결정하는 ECU(컴퓨터), 그리고 연료를 공급하고 점화시키는 구동부로 구성되어 있다.

전자 제어 엔진에 사용되는 구성 부품의 기능을 살펴보면 표(4-1)와 같이 입력 요소인 센서부와 표(4-2)와 같이 출력 요소인 구동부의 부품이 있다. 센서부의 기능은 엔진의 운전 상태를 검출하여 ECU(컴퓨터)가 판별할 수 있도록 전기 신호로 입력하여 주는 부품이며 구동부는 ECU로부터 출력된 제어 신호가 연료를 분사하고 점화하며, 이들 부품에 전원을 공급하기 위한 컨트롤 릴레이 등으로 구성된 부품이다.

표(4-1)와, 표(4-2)에 나타낸 구성 부품 들은 현재 전자 제어 엔진에 사용되는 부품들의 기능을 요약하여 놓은 것으로 전자 제어 엔진을 이해하기 위해서는 반드시 내용을 학습하여 놓는 것이 전자 제어 기능을 이해하기가 쉽다.

[표4-1] 입력 구성부품의 기능

입력부품	구성품의 기능	출력 신호
MAP센서	엔진의 회전수에 따라 흡기관의 부압이 변화하는 것을 이용 흡입되는 공기류량 검출하는 압력센서로 ECU는 기본 연료 분사량을 결정하는 신호로 사용하는 센서	아날로그 전압 신호
칼만 와류 AFS	흡기관에 흡입되는 공기의 관성을 이용 와류를 검출하는 방식으로 광전식 센서와 초음파식 센서가 있다. 출력값은 디지털 신호로 출력되며 ECU는 이 신호를 받아 기본 연료 분사량을 결정하는 신호로 사용하는 센서	디지털 펄스 신호
핫 필름 AFS	백금과 같은 정의 온도 계수를 가진 금속의 특성을 이용 흡입공기의 열손에 의해 핫 필름 저항값이 변화는 것을 이용한 센서로 아날로그 전압값으로 출력되며 ECU는 이 신호를 기본 연료량을 결정하는데 사용하는 센서	아날로그 전압 신호
흡기온 센서	흡입 공기량을 검출하는 서미스터 센서로 체적류양을 검출하는 AFS 센서는 흡입되는 공기의 온도에 따라 흡입되는 공기의 밀도가 달라지므로 이를 보정하시 위해 사용되는 센서	전압 변환 신호
대기압 센서	대기 압력을 검출하는 센서로 흡입되는 공기 밀도는 대기압에 따라 달라지므로 이를 보정하기 위한 센서	아날로그 전압 신호
TPS	운전자의 가·감속 의지를 검출하는 센서로 스로틀의 개도각을 검출하여 전압값으로 변환하여 ECU로 입력하는 센서로 이 신호와 엔진의 회전수 등과 함께 엔진의 운전상태를 판단하여 연료 분사량을 보정하여 주는 센서	전압 변환 신호
TDC 센서	NO.1의 실린더 압축 상사점을 검출하는 기준 신호로 ECU는 이 신호와 CAS(크랭크각 센서)의 신호를 받아 연료 분사시기와 점화시기를 결정하고 있는 센서로 광전식 센서를 적용하는 경우 센서의 출력 신호는 디지털 펄스 신호로 출력된다.	디지털 펄스 신호
CPS	기존 사용하던 배전기 대신 점화할 위치를 검출하는 센서로 DLI 점화방식에 사용되고 있는 센서이다. 주로 홀 센서 방식과 마그네틱 픽업(펄스 제너레이터 방식)의 센서가 적용되고 있다.	• 홀 센서 방식 : 디지털 펄스 신호 • 마그네틱 픽업 방식 : 아날로그 신호

입력부품	구성품의 기능	출력 신호
CAS	크랭크각을 검출하는 센서로 크랭크샤프트가 압축 상 사점에 어느 위치에 있는지를 검출하여 ECU로 입력하고 있다. 이 ECU는 이 신호를 받아 엔진 회전수(rpm)를 산출하고 또한 연료 분사시기를 결정하는 신호로 사용하고 있다. CAS에 사용되는 센서는 홀 효과를 이용한 홀 센서 방식과 전자유도를 이용한 마그네틱 픽업(펄스 제너레이터 방식)방식 또는 광전 효과를 이용한 광전식 센서를 사용하고 있나.	• 홀 센서 방식 : 디지털 펄스 신호 • 마그네틱 픽업 방식 : 아날로그 신호 • 광전식 : 디지털 펄스 신호
차속센서	엔진의 주행 상태를 검출하는 센서로 변속기의 드리븐 기어의 회전수를 검출하여 ECU로 입력하고 속도 미터로도 입력하고 있는 센서이다. 이 센서는 주로 리드 스위치를 이용한 리드 스위치 방식과 홀 센서 방식이 사용된다.	• 홀 센서 방식 : 디지털 펄스 신호 • 리드 스위치 방식 : 디지털 퍼스 신호
수온센서	냉각수 온도를 검출하는 서미스터 센서로 이 신호를 받아 연료 분사량 및 점화 진각도를 보정하는 신호로 사용하고 있다. 냉각수온에 따라 저항이 변화하는 것을 전압 변환하여 ECU로 입력하고 있다.	전압 변환 신호
산소센서	배출되는 배기가스 중에 산소농도를 검출하여 ECU로 입력하는 센서로 ECU는 이 신호를 받아 공연비 피드백 제어를 수행한다. 이 센서는 고체 전해질의 종류에 따라 산소 농도차에 따라 전압이 발생하는 지르코니아 산소센서와 저항값이 변화하는 티타니아 산소센서가 사용되고 있다.	• 지르코니아 방식 : 아날로그 신호 • 티타니아 방식
노크센서	압전 세라믹을 이용하여 엔진의 고유 노킹 주파수를 검출하는 센서로 ECU는 노킹을 검출하면 점화시기를 보정하여 노킹 영역을 벗어나도록 하는 보정용 센서	아날로그 신호
아이들 SW	아이들 스위치 신호는 스로틀밸브의 위치가 아이들(공회전) 상태에 있는 것을 검출하는 ON / OFF 스위치 센서로 ECU는 이 신호를 받아 연료 분사량 및 점화시기를 제어하고 ISC 액추에이터를 제어하여 공회전 속도를 제어하도록 하고 있다.	ON / OFF 신호
MPS 센서	ISC 서보 모터의 회전 위치를 검출하는 센서로 ECU는 이 신호를 받아 ISC 서보 모터의 회전수를 제어하고 있다.	전압 변환 신호

입력부품	구성품의 기능	출력 신호
배기온 센서	삼원 촉매 장치가 과열되는 것을 방지하기 위해 배기 측의 온도를 검출하는 서미스터 센서로 ECU는 이 신호를 받아 경고등을 점등시키고 있다.	전압 변환 신호
ST SW	시동 모터의 S단자 전압에 의해 엔진이 시동상태에 있는 것을 검출하여 연료 분사량 및 점화시기, 아이들 스피드 액추에이터를 제어하고 있는 스위치 센서이다.	ON / OFF 신호
인히비터 SW	오토 트랜스미션의 변속 레버 위치가 중립상태인지 주행모드 상태인지를 검출하여 ECU는 이 신호를 받아 아이들 스피드 액추에이터 또는 ISC 서보 모터를 제어하고 있다.	ON / OFF 신호
A/C 스위치	에어컨 스위치의 조작 위치를 검출하여 ECU로 보내고 ECU는 이 신호를 받아 ISC 액추에이터나 ISC 서보 모터를 통해 공회전 제어를 하고 있다.	ON / OFF 신호

[표4-2] 출력 구성부품의 기능

출력부품	구성품의 기능	출력 신호
컨트롤 릴레이	엔진의 회전 중에만 연료 펌프 모터가 구동하도록 전원을 공급하여 주는 릴레이로 일명 연료 펌프 릴레이라 표현하는 경우도 있다. 또한 차종에 따라서는 연료 펌프 모터의 전원 및 인젝터, EGR 솔레노이드 밸브, CAS 센서 등에 전원을 공급하는 기능을 가지고 있어 컨트롤 릴레이라 칭한다.	배터리 전원 전압
인젝터	ECU로부터 분사 펄스 시간 동안만 연료를 분사하도록 만든 솔레노이드 밸브로 ECU는 엔진의 흡입 공기량과 엔진 회전수 등의 신호를 받아 연료의 기본 분사량과 보정 분사량을 노즐을 통해 분사하도록 하는 전자밸브이다.	분사 펄스 신호

ISC 액추에이터	공회전 속도를 제어하기 위해 스로틀 밸브의 바이패스 통로를 조절하는 밸브로 엔진 ECU는 아이들 SW신호, 엔진의 회전수, 냉각수온신호, 에어컨 SW, 라이트 SW 등의 신호를 받아 공회전 속도를 조절하여 주는 밸브이다. ISC 액추에이터는 DC모터 방식의 경우에는 듀티 제어를 통해 바이패스 통로를 조절하고 스텝 모터 방식인 경우에는 디지털 펄스 신호에 의해 바이패스 통로를 조절하고 있다.	•ISC 액추에이터
		  : 듀티 제어 신호
		•ISC 서보 모터
		  : 디지털 펄스 신호

출력부품	구성품의 기능	출력 신호
파워 TR	점화 1차코일의 전류를 단속하여 고압을 만들어주는 트랜지스터로 ECU는 CAS, CPS 등의 신호를 받아 ECU 출력측으로는 점화신호를 파워 TR의 베이스로 입력하여 준다.	• 베이스 신호 전압 : 드웰각 신호 • 컬렉터 신호 전압 엔진정지시 : 12V 엔진 회전시 : 점화 1차 신호
EGR 솔레노이드 밸브	연소 온도의 상승으로 질소산화물이 증가하는 것을 방지하기 위해 배기측의 공기 일부를 흡기측으로 되돌리는 전자밸브이다.	듀티 제어 신호
퍼지 솔레노이드 밸브	연료 라인의 증발가스를 흡착하기 위한 캐니스터로부터 일부 미연소 가스 성분을 재연소하기 위해 시동직후 흡기측으로 되돌려주는 전자밸브이다.	ON / OFF 신호
연압 조절 밸브	고온시 연료 라인 내에 증발가스로 인해 재시동성이 떨어지는 것을 방지하기 위해 고온 시동시 연료 압력을 일시적으로 조절하기 위한 전자밸브이다.	ON / OFF 신호
가변 흡기 솔레노이드	터보차저 사양 차량에만 설치되는 솔레노이드 밸브로 저속영역에 있어서는 토크를 증대하기 위해 흡기포트를 1차와 2차로 구분하고 차량이 저속 영역에서는 1차 포트만 흡기를 공급하도록 하여 2차 포트에 설치된 가변 흡기 솔레노이드 밸브를 차단하는 전자밸브이다.	ON / OFF 신호
체크 램프	대기 오염을 방지하기 위해 배출가스 제어장치에 이상이 있는 경우나 전자제어엔진 시스템이 이상이 있는 경우 계기판에 장착된 경고등으로부터 운전자에게 알려주기도 하며 이상 개소를 코드화하여 경고등으로 표시한다 하여 malfunction indicator lamp 라고도 한다.	• 점등 및 소등시 ON, OFF 신호 • DTC 코드시 디지털 신호
CAN 통신 단자	자동차의 모든 ECU(컴퓨터)와 통신을 하기 위해 개발된 직렬 표준 통신 방식으로 동시에 송·수신이 가능한 고속 응답에 적합한 통신방식이다.	디지털 신호
자기진단 단자	미리 ROM내에 설정된 프로그램에 의해 ECU시스템을 자기 진단하여 출력하는 단자로 ECU에 자기 진단을 요구하면 자기 진단을 수행하여 결과를 출력하여 주는 단자이다.	디지털 신호
MUT 전송 단자	스캐너를 이용하여 RAM내에 저장되어 있는 데이터의 전송을 부탁하면 RAM 내에 저장되어 있는 정보를 전송하여 주는 통신 단자	디지털 신호

[표4-3] 센서의 종류와 검출 방법

센서의 종류		검출 방법	출력 신호
구 분	센서 방식		
AFS	메저링 플레이트	포텐쇼미터	전압 변환
	칼만 와류	광전식	
	칼만 와류	초음파를 이용한 검출	
	핫 와이어	물체의 온도 계수	
	핫 필름	물체의 온도 계수	
	MAP 센서	압전 효과	
CAS & CPS	마그네틱 픽업식 (펄스 제너레이터식)	전자유도	교류 신호 전압
	포토 TR 방식	광전 효과	디지털 신호
	홀 센서 방식	홀 효과	디지털 신호
TDC 센서	마그네틱 픽업식	전자 유도	교류 신호 전압
	포토 TR 방식	광전 효과	디지털 신호
차속 센서	리드 스위치 방식	리드 스위치	디지털 신호
	홀 센서 방식	홀 효과	디지털 신호
산소센서	지르코니아식	산소 분압	전압 변화
	티타니아식	산소 분압	저항 변화
흡기온, 냉각수온, 배기온 센서	서미스터	물체의 온도 계수	전압변환
TPS	가변저항	포텐쇼미터	전압변환
MPS	가변저항	포텐쇼미터	전압변환
노크 센서	압전 세라믹	압전 효과	교류 신호 전압

point

시스템 구성과 부품의 기능

1 시스템 구성과 적용 목적

① 시스템의 구성 : 연료 공급 장치, 흡기 장치, 점화 장치, 제어 장치

② 적용 목적

- 이론 공연비 제어에 의해 유해 배출 가스 저감
- 흡기 저항이 적고 관성 과급 효과를 이용 충진 효율이 좋아 출력이 향상된다.
- 실린더 마다 균등한 연료 분사가 가능하며 연소실 입구 가까이 분사가 가능하여 연비가 향상된다.

2 구성 부품의 기능

1. 입력측 센서부

① 칼만 와류식 AFS, 핫-필름 AFS : 공기류량을 검출하는 센서

② MAP 센서 : 흡기관 부압을 이용 흡입 공기를 간접 검출하는 센서

③ 흡기온 센서 : 흡입 공기의 온도에 의한 밀도차를 보정하여 주는 센서

④ 대기압 센서 : 대기의 압력차를 보정하여 주는 센서

⑤ TPS : 운전자의 가감속 의지를 검출하는 센서

⑥ TDC 센서 : 1번 실린더의 압축 상사점을 검출하는 센서

⑦ CPS : 점화할 실린더의 위치를 검출하기 위한 센서

⑧ CAS : 엔진의 회전수를 검출하는 센서로 점화 시점을 결정하기 위한 센서로도 사용되는 센서이다.

⑨ 차속 센서 : 차량의 속도를 검출하는 센서

⑩ 수온 센서 : 엔진의 냉각수 온도를 검출하여 연료 보정을 하여 주는 센서

⑪ 산소 센서 : 배출가스 중에 산소 농도를 검출하여 이론공연비 제어를 하기 위한 센서

⑫ 노크 센서 : 엔진의 노킹 영역을 검출하는 센서로 노킹시 점화시기를 제어하여 주는 센서로 사용한다.

⑬ MPS : ISC 서보 모터의 제어 위치를 검출하는 센서

2. 출력측 액추에이터

① 컨트롤 릴레이 : 연료 펌프 모터 및 액추에이터의 전원을 엔진 회전시 공급하기 위한 릴레이

② 인젝터 : 분사 펄스폭에 의해 연료의 분사량이 결정되는 전자 밸브

③ ISC 액추에이터 : 공회전 속도를 제어하기 위해 스로틀 밸브의 바이패스 통로 양을 조절하여 주는 액추에이터

④ 파워 TR : 점화 1차 코일의 전류를 단속하기 위한 스위칭 트랜지스터

⑤ EGR 솔레노이드 밸브 : 배기측의 공기 일부를 흡기측에 되돌려 주어 연소 온도를 낮추어 주는 밸브

2 ECU 기능

■ 1. 전자 제어 회로

모든 전자 제어 회로의 기본 구성은 ECU(컴퓨터)의 입력측 정보를 제공하는 센서부와 입력측 센서부로부터 각종 정보를 입력받아 목표 설정값을 제어하는 ECU(컴퓨터)가 있다. ECU(컴퓨터)는 목표 설정값을 전기 신호로 출력하여 각종 액추에이터를 구동하는 구동부로 구성되어 있다. 이렇게 구성된 전자 제어 회로는 차종에 따라 제어하는 구동부의 종류 및 센서의 종류가 달라지게 되어 복잡하게 느껴지지만 기본적인 구성은 어느 시스템이든 동일하다.

△ 사진4-3 엔진 ECU(보쉬 제휴)

△ 사진4-4 엔진 ECU(미쓰비시)

그림〔4-2〕는 현대 자동차의 소나타 전자 제어 엔진 회로의 예를 나타낸 것으로 ECU(컴퓨터)를 중심으로 좌측은 입력측 회로와 우측은 액추에이터인 구동부로 구분 된다. 이들 회로를 살펴보면 다음과 같다.

(1) 전원부

① **백-업 전원** : 이 전위치를 OFF 하여도 RAM(임시 저장 메모리) 내에 기록되어 있는 운행중 정보나 에러 코드가 지워지지 않도록 공급되는 상시 전원을 말한다.

② **IGN 전원** : 이 전원은 점화 스위치 ON시 ECU(컴퓨터)가 점화 상태에 있다는 것을 알리기 위한 전원으로 점화 스위치를 거쳐 입력되는 전원이다.

③ **IGN 구동 전원** : 이 전원은 IGN 전원과 동일한 전원을 사용하지만 출력측 액추에이터를 구동하기 위한 전원으로 컨트롤 릴레이를 통해 공급하고 있다는 점이 IGN 전원과 다르다.

④ **정전압 전원** : ECU(전자 제어 장치) 내에는 핵심 부품인 마이크로컴퓨터가 내장되어 있어 마이크로컴퓨터와 주변 IC(집적 회로) 회로를 공급하기 위한 +5V의 정전압 전원이다.

⑤ **센서 전원** : 자동차의 내부 환경은 상당히 과혹하여 외부 또는 내부로부터 전원 전압이 변동 및 신호 잡음의 영향을 쉽게 받을 수 있는 환경에 노출되어 있다. 따라서 센서와 같이 전압 변동 없이 거의 일정하게 공급되어야 하는 센서의 전원을 말한다. 이 센서 전원은 정전압 전원을 사용하여 전압 변동 없이 일정하게 공급하고 있다.

(2) 센서부

ECU의 입력 회로를 살펴보면 전원부와 센서부로 나누어 볼 수 있다. 이 센서부에는 그림 [4-2]의 예와 같이 엔진의 냉각수 온도를 감지하는 수온 센서, 흡입 공기의 밀도 보정을 위한 흡기온 센서(온도에 따라 저항값이 감소하는 것을 이용한 NTC 서미스터 센서가 연결되어 있다. 운전자의 가속 의지를 검출하는 TPS(스로틀 포지션 센서), 아이들 서보 모터의 위치를 감지하는 MPS(모터 포지션 센서)와 같이 포텐쇼미터로 이루어진 센서가 연결되어 있다.

포텐쇼미터는 중심축의 움직이는 위치에 따라 저항값이 변화하면 저항값이 변화하도록 되어 있어 서미스터 센서와 마찬가지로 ECU 내부에는 센서 전원을 공급하여 센서의 출력측에는 전압 변환을 하도록 회로가 구성되어 있다.

산소 센서는 약 350℃정도가 되면 자체 활성화가 되어 산소 이온의 분압차에 의해 전압이 발생하는 일종의 발전기이므로 산소 센서로부터 발생되는 전압이 그대로 ECU로 입력되도록 연결되어 있다. 전자 제어 엔진은 연료의 분사량 뿐만 아니라 엔진의 전기 부하나 운행 상태에 대해서도 엔진을 안정적으로 회전하도록 하는 기능을 가지고 있어 자동 미션의 변속 레버가 현재 N(중립) 상태인지 D(드라이브) 상태인지를 검출하는 인히비터 스위치, 에어컨이 작동 상태인지, 정지 상태인지를 검출하는 에어컨 스위치 등의 신호를 입력하고 있다. 이와 같은 스위치의 입력 회로는 주로 배터리로부터 +12V를 ECU로 입력하고 있어 배터리의 공급 전원과 입력 신호용과는 구분되어지는 입력 신호 회로이다.

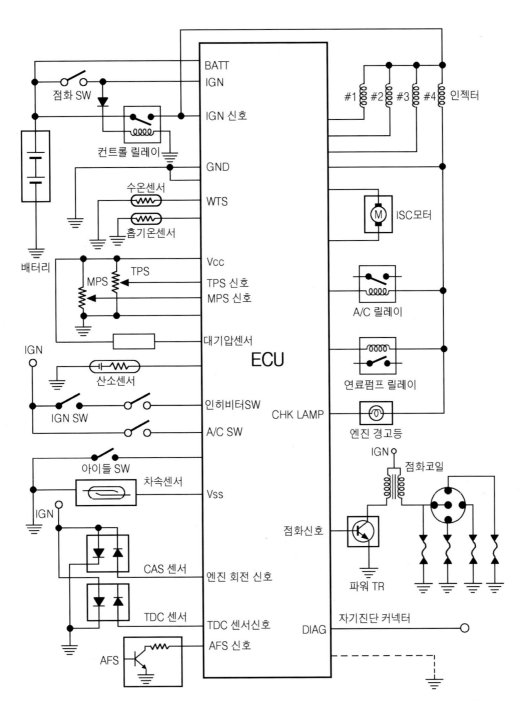

🔺 그림4-2 전자제어엔진 회로도(현대 쏘나타)

아이들 스위치는 현재 엔진이 아이들 상태인지를 판별하는 신호원으로 사용하고 있는 센서 신호로 배터리로부터 +12V 또는 그림[4-2]와 같이 접지하여 스위치 신호를 입력하고 있다.

이 방식은 ECU 내부에 정전압 전원을 저항을 통해 아이들 스위치와 연결되어 있어 ECU는 아이들 스위치가 ON 상태인지 OFF 상태 인지를 인식할 수 있도록 하고 있다. 차속 센서는 아이들 스위치와 병렬로 연결되어 있어 작동 상태가 아이들 스위치와 동일하다는 것을 예상할 수 있다. 현재 차속 센서는 리드 스위치 방식과 홀 센서 방식을 사용하고 있는데 회로상으로는 2가지 방식을 모두 적용할 수 있다.

홀 센서 방식의 경우에는 센서 공급 전압만 공급되면 리드 스위치 방식과 동일하게 차속에 따라 동일 주기의 구형파 펄스 신호가 출력되도록 되어 있어 ECU는 리드 스위치 방식이나 홀 센서 방식이나 입력되는 신호를 동일하게 인식할 수가 있다.

그림[4-2]에서 CAS(크랭크 각 센서) 및 TDC 센서는 회로상으로 보아 광전식 센서를 사용하고 있는 방식으로 광전식 센서는 발광 다이오드를 통해 발광되는 빛을 슬릿판(구멍난 홀판)을 통해 포토 다이오드가 작동하도록 되어 있어 슬릿판의 구멍만큼 회전수에 따라 디지털 펄스 신호가 출력 되도록 되어 있어 CAS(크랭크 각 센서) 및 TDC 센서는 구형파 펄스 신호가 출력 된다. 그러나 이와는 달리 마그네틱 픽업 방식을 사용하는 CAS나 CPS(캠 포지션 센서)라면 광전식 센서와 달리 센서의 공급 전원 없이 ECU(컴퓨터)로 센서 신호가 입력되도록 하고 있다.

AFS(에어 플로 센서)는 회로상으로 보았을 때 칼만 와류 방식을 사용한 센서로 ECU로부터 센서 전원을 공급받아 동작하도록 하고 있다. MAP 센서 방식의 경우에도 센서 전 전원을 ECU로부터 공급 받아 흡기관의 부압을 검출하여 ECU로 입력하도록 회로가 구성되어 있어 차종에 따라 입력부인 센서의 적용하는 종류에 따라 연결하는 회로가 달라진다.

[3] 구동부

구동부에는 전자 제어 엔진의 핵심인 인젝터가 그림[4-2]와 같이 연결되어 있다. 인젝터의 전원은 보통 그림과 같이 컨트롤 릴레이를 통해 공급하고 있으며 컨트롤 릴레이로부터 공급된 인젝터의 전원은 ECU(컴퓨터)의 제어에 따라 인젝터 밸브의 개도 시간을 제어하고 있다. 이 회로는 4개의 인젝터가 연결되어 있는 것으로 보아 4기통 엔진 ECU의 회로임을 알 수가 있다.

전자 제어 엔진에서 아이들 스피드 제어 기구인 액추에이터는 스텝 모터 방식과 솔레노이드 방식의 액추에이터를 사용하고 있어 액추에이터의 종류에 따라 ECU 내부의 구동회로가 달라지며 제어하는 출력값이 달라지게 된다. 여기서 나타낸 회로는 회로상으로 보아 서보 모터를 사용한 방식으로 전압 극성에 따라 정회전 또는 역회전하는 것을 알 수가 있다.

연료 펌프 릴레이나 에어컨 릴레이와 같이 코일을 자화하여 작동하는 회로는 전원을 외부로부터 공급받아 작동하도록 되어 있다. 작동 조건 및 작동 시간은 ECU에 의해 제어된다. 엔진 경고등은 운전자에게 알려주는 인디케이터로 ECU(컴퓨터)의 입력 조건에 따라 점등 또는 소등되도록 되어 있으며 전구의 전원은 회로와 같이 외부로부터 공급받아 점등하도록 연결되어 있다. 점화 장치는 점화 장치의 방식과 엔진의 기통 수에 따라 다소 차이는 있지만 그 구성은 동일하다.

그림[4-2]의 회로는 배전기(디스트리뷰터)를 사용하는 방식으로 파워 TR로부터 점화 1차 코일을 단속하여 점화 2차 코일에 고압을 발생하도록 하고 발생된 고압을 배전기를 통해 각 실린더로 공급되도록 구성되어 있다. 전자 제어 엔진에 사용되는 파워 TR은 일반 TR과 달리 약 5A정도의 점화 1차 전류를 단속하며 높은 서지 전압을 견디어야 하는 문제로 주로 ECU 외부에 장착되어 있으나 최근에는 고 전압 TR인 IGBT가 개발되어 내장형 파워 TR을 많이 사용하고 있어 ECU의 연결선을 간결하게 할 수 있게 되었다.

2. 전자 제어 엔진의 기능

전자 제어 엔진이 행하는 제어에는 연료의 분사량을 제어하는 연료 분사 제어, 점화시기를 제어하는 점화시기 제어 냉간시 시동성 향상을 위해 초기 냉간시 제어, 공회전 상태에서 전기 부하 등에 의한 엔진 부하를 제어하기 위한 공회전(아이들 스피드) 제어, 이론 공연비 제어를 하기 위한 피드백 제어, 일정 속도 이상 주행시 연료를 차단하는 연료 차단 제어, 급감속시 배출 가스 억제를 위한 대시 포트 제어, 연료 라인의 압력을 일정하게 유지하기 위한 연료 압력 제어 터보차저 차량에만 적용되는 과급압 제어, 가변 흡기 제어, 연료 펌프 모터 및 액추에이터의 전원을 공급하기 위한 컨트롤 릴레이 제어, 배출 가스 계통 이상시 경고등을 점등하게 하는 경고등 제어, RAM 내의 데이터 값을 스캐너와 전송

하기 위한 전송 데이터 제어 등을 들 수가 있다.

여기서 표현하는 제어란 ECU(컴퓨터)가 각 센서로부터 수집한 정보로부터 목표 설정 값을 제어하기 위해 출력측의 액추에이터를 구동하는 것으로 전자 제어 엔진은 대표적으로 연료 분사 제어를 들 수가 있다. 예컨대 ECU(컴퓨터)는 실린더 내로 들어오는 공기량을 AFS(에어 플로 센서)로부터 측정된 정보를 받으면 ECU는 여러 정보를 종합해 현재의 연료 분사량을 결정하여 인젝터라는 액추에이터를 구동하게 된다. 인젝터로부터 분사되는 연료의 량은 ECU(컴퓨터)로부터 출력되는 분사 펄스 신호의 펄스 시간에 의해 실세 분사량이 결정되게 된다

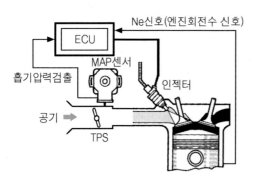

(a) D제트로닉 시스템 구성

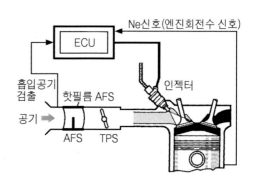

(b) L제트로닉 시스템 구성

🔺 그림4-3 연료 분사 방식의 구분

🔺 사진4-5 D제트로닉 흡기장치

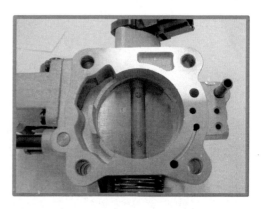

🔺 사진4-6 스로틀 밸브

인젝터는 그림[4-4]와 같이 연료를 분사 전자 노즐로 전압를 공급하면 솔레노이드 코

일로부터 자화되어 플런저를 밀어 올리게 하여 일정하게 가해진 연료의 압력에 니들 밸브를 통해 분사하도록 되어 있어서 실제는 그림[4-4]와 같이 인젝터에 가해지는 분사 펄스 폭에 의해 연료의 분사량이 결정하게 된다. 이때 그림[4-4]와 같이 인젝터의 단자가 구동 트랜지스터의 컬렉터에 연결되어 있는 경우에는 펄스 신호 전압이 마이너스 구간 동안만 인젝터의 솔레노이드 코일을 자화하여 연료를 분사하도록 하고 있다.

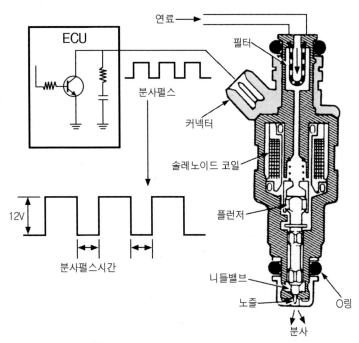

🔺 그림4-4 인젝터의 분사 펄스 시간

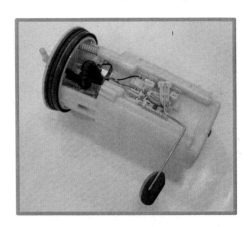

🔺 사진4-7 연료펌프 모터 ASS'Y

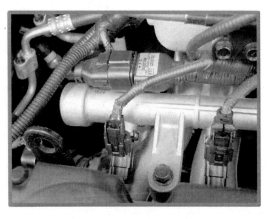

🔺 사진4-8 연료 공급 장치

공연비 제어의 경우에는 실린더 내로 흡입되는 공기의 량에 따라 분사할 연료의 양을 결정하여야 하므로 연료의 분사량의 제어에 있어서는 흡입 공기를 측정하는 AFS(에어 플로 센서)와 엔진의 회전수를 검출하는 CAS(크랭크 각 센서)의 신호 정보가 기준 역할을 하게 된다. 엔진이 1회 회전하여 흡입하는 공기량은 거의 동일하지만 2000rpm 일 때 AFS가 측정한 공기의 량과 4000rpm 일 때 AFS가 측정한 공기의 양이 2배가 되어 엔진의 회전수와 공기의 류량을 검출하는 AFS는 연료 분사에 있어서 기준량을 결정하는 중요한 센서가 된다.

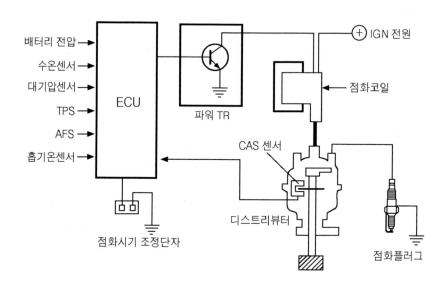

🔺 그림4-5 전자제어 점화장치

따라서 인젝터로 출력되는 분사 펄스 시간은(흡입 공기량/엔진 회전수)×정수값으로 결정되게 된다.

여기서 말하는 정수값이라는 것은 엔진의 기통수와 인젝터의 노즐 직경 등의 값에 따라 달라지는 값을 의미한다. 그러나 자동차의 경우는 차량의 부하나, 도로 사정에 따라 차량의 속도와 엔진 회전수가 다르고 운전자의 운전 상태에 따라서도 달라지게 되므로 공기 류량을 검출하는 AFS(에어 플로 센서)와 엔진의 회전수를 검출하는 CAS(크랭크 각 센서)만으로는 공연비 제어가 불가능하게 된다.

따라서 엔진의 상태를 검출하기 위한 여러 가지 센서가 필요하게 되는데 그 중 운전자의 가속 의지를 검출하는 점화시기는 기본적으로 연료를 분사 후 점화가 이루어지기 때문에 점화시기는 기본적으로 공기 류량을 검출하는 AFS(에어 플로 센서)와 CAS(크랭크 각 센서)의 정보가 기준 데이터가 되지만 점화시기는 엔진의 출력과 배출 가스의 문제가 직결되기 때문에 실제로는 여러 가지 센서의 신호를 종합하여 ECU(컴퓨터)에 미리 입력된 3차 원 맵 데이터에 의해 점화시기는 결정되게 된다. 또한 초기 냉간 시동성을 향상하기 위해 엔진의 냉각수온을 검출하는 수온 센서로부터 정보를 입력하여 연료량을 증량하는 제어를 하고 있다.

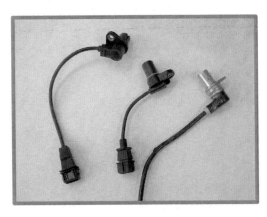

사진4-9 회전수 검출센서

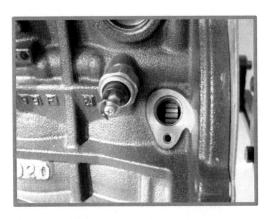

사진4-10 크랭크 각 검출 홀

또한 엔진의 냉간시 웜-업 기간 단축이나 전기 부하에 의한 엔진 회전수가 감소하는 것을 조절하기 위한 아이들 업 제어 기능을 가지고 있는데 이것은 엔진 냉간시 엔진 회전수를 증가하여 웜-업 기간을 단축하고 엔진이 부하가 증가하는 경우에는 엔진 회전수가 감소하여 불안정하게 되는 것을 방지하기 위해 엔진의 회전수를 조절하여 줄 필요가 있다. 이것을 우리는 공회전 속도 조절 또는 아이들 스피드 제어라고 말한다.

아이들 스피드 제어는 그림〔4-6〕과 같이 스로틀 보디 측에 별도의 흡입 공기 바이 페스 통로를 설치하고 액추에이터를 사용하여 제어하는 방식으로 전자 솔레노이드 밸브 방식을 사용하는 경우는 듀티 신호에 따라 바이패스 통로의 양을 조절하고 스텝 모터 방식인 경우에는 스텝 제어를 통해 바이패스 통로의 개폐정도를 조절하게 된다. 전자 엔진의 기능 중 하나는 공연비 피드백 제어를 들 수가 있는데 이것은 3원 촉매 장치의 정화 효율을 높이기 위해 이론 공연비(14.7 : 1) 영역으로 제어하도록 배출구에 산소 센서를 설치하여 배출되는 가스 성분 중 산소 성분을 검출하여 공연비 상태가 리치(농후) 상태인지 린(희박) 상태인지를 ECU(컴퓨터)로 정보를 입력하여 이론 공연비 영역으로 연료를 분사하도록 하는 제어를 말한다. 즉 공연비 피드백 제어는 삼원 촉매가 이론 공연비 영역에서 가장 정화능력을 발휘할 수가 있어 이를 제어해주는 것을 말한다.

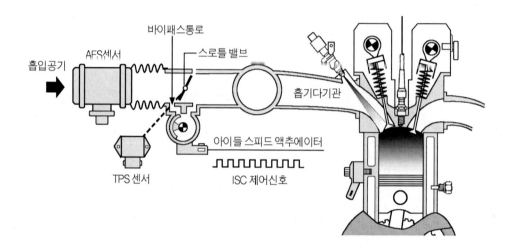

🔺 그림4-6 전자제어엔진의 흡기장치

🔺 사진4-11 스로틀보디 ASS'Y A

🔺 사진4-12 스로틀보디 ASS'Y B

실제 3원 촉매 장치가 정화 효율이 우수한 범위에서 이론 공연비 제어하는 것은 공연비 제어를 할 수 있는 영역의 범위가 좁기 때문에 그림[4-7]과 같이 산소 센서의 입력 신호를 받아 공연비 제어 범위로 들어오도록 피드백(feed back) 제어를 해주지 않으면 안된다. 일반적으로 배출 가스는 연비가 농후한 상태인 경우는 HC(탄화수소)와 CO(일산화탄소)가 증가하게 되고 배출 가스가 희박한 경우에는 NOx(질소산화물)이 증가하게 되므로 산소 센서를 통해 이론 공연비 제어를 한다하여도 일정분 유해 배출 가스 성분은 대기중으로 배출하게 된다. 따라서 그림〔4-7〕과 같이 좁은 이론 공연비 영역을 제어하기 위해 2중 산소 센서를 사용하는 방식을 채택하는 차량도 있다.

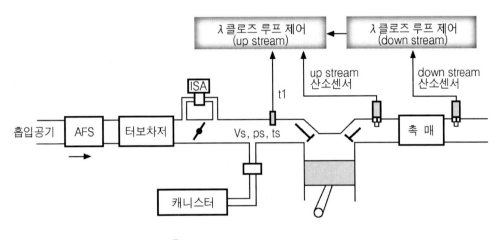

🔺 그림4-7 2중 산소센서 시스템

이 방식은 촉매장치 앞측에 설치된 1차 산소로 이론 공연비 영역으로 클로즈 루프 제어(close loop control)를 하고 배출 가스가 촉매 장치에 의해 정화 되면 촉매장치를 통해 정화된 배출가스를 촉매 장치 뒤측에 설치된 2차 산소 센서를 통해 클로즈 루프 제어를 하도록 하여 정확한 공연비 제어를 할 수 있도록 하는 방식이다.

연료 차단 제어 기능은 차량의 최고 속도를 제한하기 위해 일정 이상 엔진의 회전수가 상승하거나 일정 이상 차속이 상승하면 인젝터의 연료 분사를 차단하여 차속을 제한하는 기능이다. 터보차저 차량의 경우 기능은 과급압이 이상 상승하는 것을 방지하기 위해 연료를 차단하는 기능이다. 대시 포트 제어 기능은 차량의 급감속시 스로틀 밸브가 급격히 차단되어 흡입되는 공기의 급격한 감소로 HC(탄화수소)가 급격히 증가하는 것을 방지하기 위해 스로틀 밸브의 개폐를 서서히 닫히도록 제어하는 기능을 말한다.

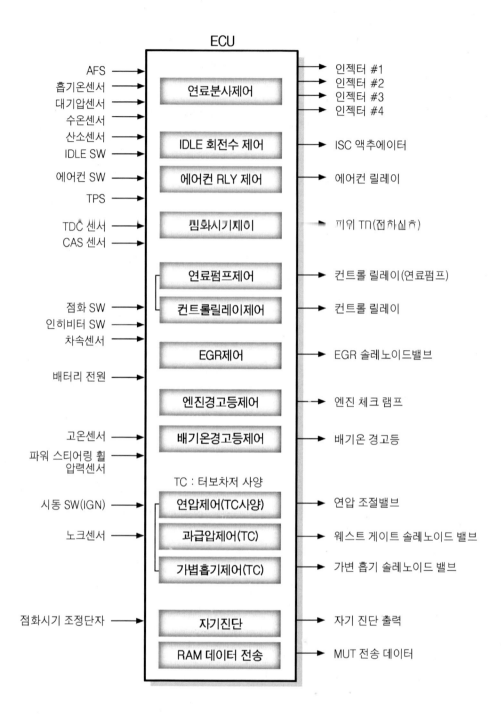

ECU

입력	제어 블록	출력
AFS	연료분사제어	인젝터 #1
흡기온센서		인젝터 #2
대기압센서		인젝터 #3
수온센서		인젝터 #4
산소센서	IDLE 회전수 제어	ISC 액추에이터
IDLE SW		
에어컨 SW	에어컨 RLY 제어	에어컨 릴레이
TPS		
TDC 센서	점화시기제어	파워 TR(전하실측)
CAS 센서		
	연료펌프제어	컨트롤 릴레이(연료펌프)
점화 SW	컨트롤릴레이제어	컨트롤 릴레이
인히비터 SW		
차속센서	EGR제어	EGR 솔레노이드밸브
배터리 전원		
	엔진경고등제어	엔진 체크 램프
고온센서	배기온경고등제어	배기온 경고등
파워 스티어링 휠 압력센서		

TC : 터보차저 사양

입력	제어 블록	출력
시동 SW(IGN)	연압제어(TC사양)	연압 조절밸브
노크센서	과급압제어(TC)	웨스트 게이트 솔레노이드 밸브
	가변흡기제어(TC)	가변 흡기 솔레노이드 밸브
점화시기 조정단자	자기진단	자기 진단 출력
	RAM 데이터 전송	MUT 전송 데이터

그림4-8 전자 제어 엔진의 제어 블록도

point ○

○ **ECU (전자제어 엔진) 의 기능**

1 전자 제어 엔진 회로 구성

① 전원부
- 백업 전원 : RAM 내에 있는 데이터를 유지하기 위한 배터리 상시 전원
- IGN 전원 : 점화 스위치가 ON상태인 것을 ECU에 알리기 위한 전원
- 정전압 전원 : 컴퓨터 및 주변 IC 회로를 구동하기 위한 전원(+5V)
- 센서 전원 : 센서측을 구동하기 위한 정전압 전원

② 센서부
- 전압 변환 센서 : 서미스터 센서, 가변 저항 센서
- 스위치 검출 센서 : ON, OFF 검출 센서
- 전압 변화 센서 : 반도체 압력 센서, 지루코니아 산소 센서
- 회전수 검출 센서 : 광전식 센서, 마그네틱 픽업식 센서, 홀 효과식 센서

③ 제어부 : 센서의 입력 정보를 종합하여 목표값을 제어하기 위한 컴퓨터

④ 구동부 : 컨트롤 릴레이, 연료 펌프, 인젝터, 파워 TR, 아이들 액추에이터, 솔레노이드 코일 등을 구동하기 위한 출력 회로

2 ECU의 기능

① 연료 분사 제어 : 공기 류량을 기준으로 연료를 분사하는 제어
- 분사 방식 : 동기 분사, 비동기 분사
- 분사 모드 : 연속 분사, 동시 분사, 연료 차단
- ※ 기본 분사 제어＝(흡입 공기량/엔진 회전수) × 정수

② 점화시기 제어
- 점화시기 제어 : 점화 진각도 제어 + 보정 진각도 제어
- 통전 시간 제어 : 드웰 기간 제어

③ 공회전 속도 제어 : 부하에 의한 공회전 속도 제어
- 공회전 속도 제어의 방식 : 오픈 루프 제어, 회전수 피드백 제어
- 에어컨 릴레이 제어 : 에어컨 릴레이를 구동하기 위한 제어

④ 이론 공연비 제어 : 삼원 촉매의 정화 효율을 높이기 위한 제어
- 피드 백 제어 : 촉매의 정화 효율을 높이기 위해 이론 공연비 범위 내에서 제어하는 클로즈 루프 제어

⑤ 컨트롤 릴레이 제어 : ECU 및 구동 회로에 전원을 공급하기 위한 제어
- 연료 펌프 모터의 구동 제어

⑥ 터보 차저 제어(터보차저 사양 차량에만 해당)
- 연압 제어, 과급압 제어, 가변 흡기 제어

⑦ 그 밖에 제어 : 배기온 경고등 제어, 체크 램프 경고등 제어, 자기 진단

 **연료 분사 제어**

1. 분사 방식의 구분

전자 제어 엔진의 연료 분사 장치는 그림〔4-9〕와 같이 연료 펌프로부터 연료를 압송하여 보내진 연료는 연료 필터를 통해 수분 및 불순물을 제거한 후 인젝터의 입구측에 일정압(약 $2.7 \sim 3.4 kg/cm^2$)으로 가해지게 되며 이때 인젝터의 연료 분사 능력은 인젝터에 가해진 압력과 인젝터의 분사 노즐에 의해 결정되게 된다. 그러나 전자 제어 엔진의 기능 중 가장 기본이 되는 것은 공연비를 제어하는 것으로 실제 엔진 상에서 흡입 공기와 연료 중 공연비(흡입 공기와 연료의 비율)를 제어하기 위해서는 연료의 양을 제어해 주어야 한다.

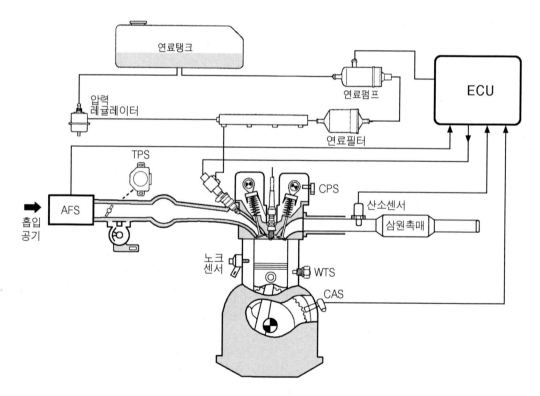

▲ 그림4-9 연료분사의 기본 동작

🔺 사진4-13 연료라인의 압력 측정

🔺 사진4-14 딜리버리 파이프 ASS'Y

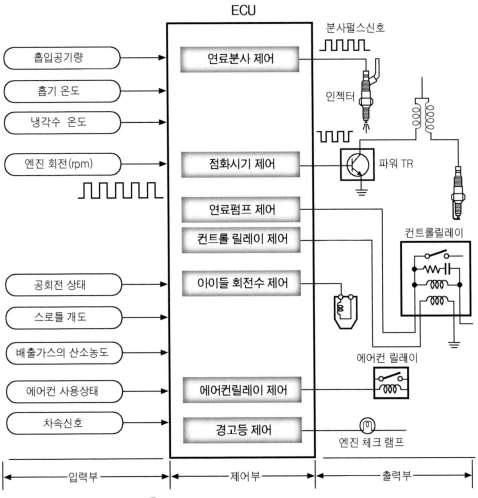

🔺 그림4-10 전자제어엔진의 기본 동작

공연비를 제어하기 위한 연료의 분사량은 인젝터에 가해진 일정압(약 $2.7 \sim 3.4 \ kg/cm^2$)에 전자 밸브인 인젝터의 통전 시간을 제어함으로서 분사량을 결정하게 된다.

가솔린 엔진의 토크는 이미 알고 있는 바와 같이 실린더로 흡입되어지는 흡입 공기의 양에 비례하게 되므로 결국 인젝터에 분사되는 연료의 양은 기본적으로 흡입 공기의 엔진의 회전수에 의해 결정되게 된다. 그러나 자동차의 경우 등판길과 같이 엔진 부하가 큰 경우에는 흡입 공기량 대비 엔진의 회전수가 정상적인 주행시와 달라지게 되므로 이에 따른 연료의 증감량을 보정하여 주지 않으면 안된다.

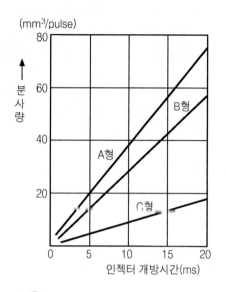

그림4-11 인젝터의 분사류량 특성

따라서 연료의 분사량의 양은 흡입 공기와 엔진 회전수에 의해 결정되어지는 기본 분사량과 여러 가지 차량의 변수에 의해 결정되어지는 보정 분사량의 조합에 의해 연료의 분사량을 결정한다. 이와 같이 연료량을 제어하기 위한 기본 분사량은 흡입 공기와 엔진 회전수에 의해 결정되며 연료의 분사 시기는 AFS(에어 플로 센서)와 동기하는 AFS 동기 방식과 엔진 회전수에 동기하는 엔진 회전수 동기 방식이 적용되고 있다.

칼만 와류식 AFS는 그림[4-12]의 특성과 같이 흡입되는 공기의 양에 대해 출력되는 신호는 디지털 펄스 신호로 출력되어 지므로 출력 신호에 대해 동기하여 분사한다하여 AFS 동기 방식이라 한다.

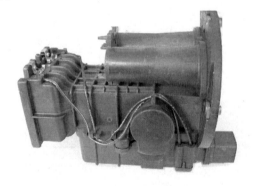

사진4-15 칼만 와류 AFS

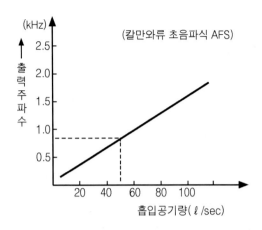

🔺 그림4-12 AFS의 출력 특성

그림[4-13]은 실제 연료의 분사량(분사 시간)이 AFS(에어 플로 센서)의 출력 펄스 신호에 동기하여 분사하는 것을 나타낸 것이다. 분사 횟수는 인젝터 당 3분주하여 분사하게 된다. 예를 들면 AFS(에어 플로 센서)의 출력 분사 펄스 신호 3개에 인젝터의 1회 분사 비율로 분사하는 것이 보통이다.

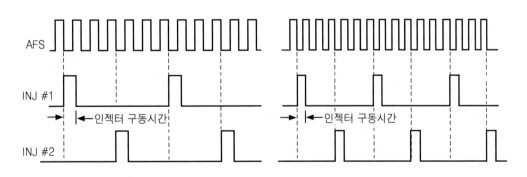

🔺 그림4-13 6분주의 경우 인젝터 분사 횟수

인젝터는 솔레노이드 코일로 만들어진 밸브이기 때문에 AFS로부터 출력되는 디지털 펄스 신호에 맞추어 인젝터의 밸브를 열고 닫을 수가 없게 된다. 즉 인젝터에 맞는 개반 시간의 펄스 시간에 맞추어 동기 신호를 설정하지 않으면 인젝터는 정확한 분사량을 분사할 수가 없게 되기 때문으로 보통 AFS 신호에 1/3로 하고 있다. 기본적으로 연료의 분사량은 흡입 공기량과 엔진 회전수에 의해 결정되어지며 분사 횟수는 AFS의 디지털 출력

신호와 동기하여 AFS의 3펄스당 1회 분사 하도록 하고 있다. 엔진의 운전 조건에 따라서는 보정 분사 계수값에 따라 분사 하도록 하고 있다.

이에 반해 엔진 회전수에 의해 동기하여 분사하는 방식은 그림〔4-14〕와 같이 CAS(크랭크 각 센서) 신호를 기준으로 동기하여 분사하는 방법이 있다. 초기의 시동시는 시동을 원활히 하기 위해 전기통 동시 분사한 후 순차 분사를 하도록 하고 있는 패턴 이다. 이 방식은 주로 마그네틱 픽업 센서(펄스 제너레이터) 방식을 사용하고 있는 CAS(크랭크 각 센서) 방식에 채택하고 있는 방식으로 최초에 크랭크 센서를 기준으로 전기통 분사한 후 그 이후부터는 G1 신호(실린더 판별 신호)에 의해 순차 분사하도록 하는 방식이다. CAS(크랭크 각 센서)가 검출한 엔진의 크랭크의 TDC(상사점)의 위치는 차종에 따라 다르며 일반적으로 상사점 전 90°~150° 로 설정하고 있다.

그림〔4-14〕의 패턴에서는 동시 분사 후 1번 실린더의 인젝터가 순차 분사 펄스 없는 것은 초기에 동시 분사하여 연료를 충분히 공급한 상태이기 때문에 다음 순차 분사시 1번 실린더가 분사되지 않아도 엔진은 회전은 원활하다.

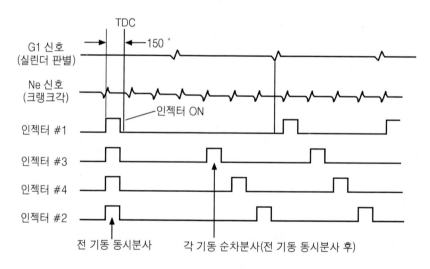

🔺 그림4-14 크랭크각 센서와 동기 시작하여 분사하는 경우

그림〔4-15〕는 국내 일부 차량에 적용되고 있는 AFS(에어 플로 센서) 동기 방식의 분주비의 예를 나타낸 것으로 1.6(cc)의 배기량의 차량인 경우에는 엔진의 속도에 따라 4, 8, 16 분주를 하도록 하고 있고 2.0(cc)의 배기량의 경우에는 6, 12, 24 분주를 하도록

하고 있다. 실제 분주비는 엔진의 출력과 회전 속도에 따라 분주비를 정하고 있다. 이와 같이 AFS(에어 플로 센서)에 동기하여 분사하고 분사 횟수를 결정하는 방식은 그림 [4-16]과 같이 엔진이 회전수에 따라 6분주일 때 1회 분사하는 경우와 12분주 일 때 1회 분사, 24분주 일 때 1회 분사하도록 하고 있다.

연료 분사량은 엔진의 운전 상태에 따라 기본 분사량을 보정하여 최적의 공연비가 되도록 제어하고 있다. 결국 연료의 분사량은 인젝터의 구동 시간 T(즉 인젝터의 개반 시간)와 분사 횟수로 결정하게 된다.

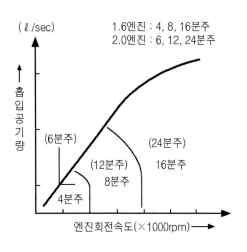

그림4-15 회전속도에 따른 분사 횟수

인젝터는 앞서 설명한 바와 같이 솔레노이드 밸브이므로 전압이 인가되면 밸브가 열리고 전압이 공급되지 않으면 밸브가 닫히도록 되어 있어 연료의 분사량은 인젝터 구동 시간(개반 시간)에 의해 결정되게 된다. 이때 연료의 압력이 변화하면 인젝터의 구동 시간(개반 시간)이 일정하다 하더라도 분사량은 변화하게 되므로 연료의 압력이 일정하도록 하지 않으면 안된다. 따라서 연료의 압력을 일정하게 유지하도록 하는 연압 레귤레이터의 기능은 중요하다.

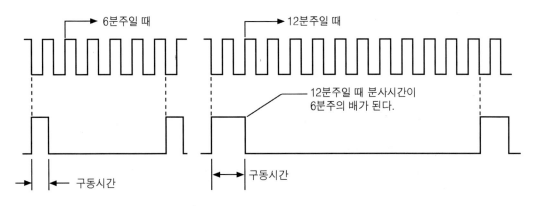

그림4-16 AFS의 출력값에 의한 인젝터의 구동 시간

point ●

연료 분사 방식

1 연료의 분사량
- 분사량 = 기본 분사량 + 보정 분사량
- 보정 분사량 : 차량의 운전 상태에 따라 달라지는 보정 계수값

2 연료의 분사 시기
① AFS의 동기 방식 : AFS로부터 측정된 흡입 공기의 양이 디지털 신호로 출력되는 경우에 AFS에 동기하는 방식
② 엔진 회전수 동기 방식 : AFS로부터 측정된 흡입 공기의 양이 디지털 신호로 출력되는 경우에 CAS에 동기하는 방식

3 분사 횟수
① AFS의 동기 방식 : 엔진의 회전수에 따라 분주비 결정
- 1.6cc 배기량(예) : 4, 8, 16분주 • 2.0cc 배기량(예) : 6, 12, 24분주

■ 2. 연료 분사 모드

전자 제어 엔진에서는 ECU(컴퓨터)가 인젝터를 통해 연료를 분사하는 방식은 보통 3가지가 사용되고 있는데 하나는 초기 시동시나 저온 시동시 시동을 원활히 하기 위해 동시 분사 모드와 둘째 엔진이 정상적인 상태에서 분사하는 방식으로 AFS 또는 CAS를 기준으로 동기하는 순차 분사 모드, 그리고 급가속시 가속 성능을 향상하기 위해 비동기하는 비동기 분사 모드를 사용하고 있다.

🔺 사진4-16 기관의 연료분사장치

🔺 사진4-17 광전식 CAS 내부

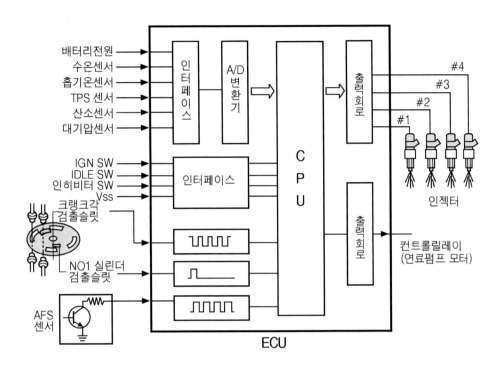

그림4-17 ECU의 연료분사 내부 회로 블록도

[1] 동시 분사 모드

그림[4-18]은 광전식 AFS(에어 플로 센서)를 기준으로 동기하는 분사 방식으로 동시 분사의 패턴(pattern)을 나타내고 있다. 동시 분사는 실린더의 전기통을 동시에 분사하는 방식으로 엔진 1회전 당 2번씩 분사하도록 하고 있다. 엔진의 냉간시에 혼합 가스는 착화성이 떨어지게 돼 엔진의 시동성이 떨어지게 되는데 이것을 방지하기 위해 수온이 낮은 저온 시동시에는 동시 분사 모드를 사용하고 있다고 하여 저온 시동 연료 분사라고도 한다. 엔진의 냉각수 온도 검출은 WTS(수온 센서)로부터 온도를 검출하여 ECU(컴퓨터)로 입력하면 ECU(컴퓨터)는 미리 ROM(읽기 전용 메모리) 내에 기록되어 있는 데이터 값에 따라 연료의 분사량을 결정하여 동시 분사하게 된다.

일반적으로 동시 분사는 냉각수 온도가 섭씨 약 15℃이하인 경우 ECU(컴퓨터)는 저온으로 판단하여 동시 분사 모드로 들어가게 된다. 즉 동시 분사는 냉각수 온도가 약 15℃이하일 때 크랭킹(시동시)시 동시 분사 모드로 들어가게 된다. 이때 각 실린더의 분사는 CAS(크랭크 각 센서)의 BTDC 75° 신호를 기준으로 인젝터의 구동 시간(통전 시간)

이 ON 상태가 되어 인젝터가 연료를 분사하는 시간이 된다. 마찬가지로 마그네틱 픽업 방식의 CAS를 사용하는 경우에도 그림〔4-14〕와 같이 CAS를 기준으로 각 기통 모두 동시 분사 모드로 들어가도록 하고 있다.

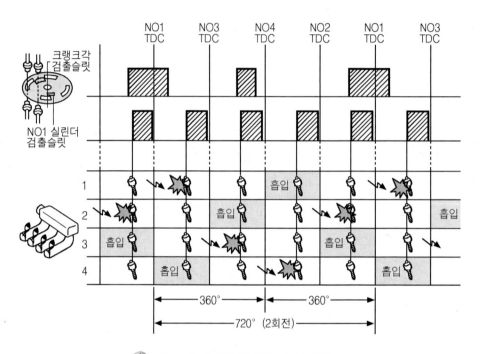

🔺 그림4-18 동시분사의 경우 분사 타이밍

(2) 순차 분사 모드

엔진이 난기 후 정상적인 운전 상태에서는 대부분 연료의 분사 모드는 순차 분사 모드로 작동하게 된다. 분사 수순은 점화 순서에 따라 1번→3번→4번→2번실린더 순으로 (4기통 엔진의 경우) 분사하며 6기통 엔진의 경우도 마찬 가지로 1번→5번→3번→6번→2번→4번실린더 순으로 분사하는 것이 보통이다.

점화 순서에 따라 인젝터의 분사 횟수도 그림〔4-19〕와 같이 크랭크샤프트 2회전에 1회 배기 행정에 분사하는 방식을 순차 분사 모드라 한다. 연료 분사 시점은 흡기 밸브가 TDC(상사점) 전 약 $20°\sim26°$(배기 행정)에서 열리기 시작할 시점으로 각 실린더의 분사 타이밍은 CAS(크랭크 각 센서)의 BTDC $75°$ 신호가 기준이 되어 결정하게 된다. 이때 연료를 분사할 기통 판별은 광전식 CAS의 경우에는 TDC 센서가 행하며 마그네틱 픽업 방식의 CAS의 경우에는 기통 판별 신호인 G1 신호가 판별하고 있다.

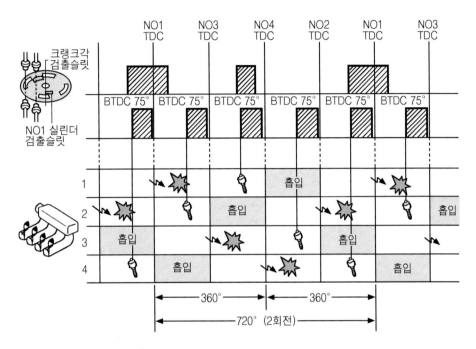

그림4-19 순차분사의 경우 분사 타이밍

사진4-18 연소실 내부

사진4-19 흡·배기 밸브

그림〔4-20〕은 마그네틱 픽업 방식(일명 펄스 제너레이터 방식)의 CAS를 사용한 경우 순차 분사 모드의 분사 타이밍을 나타낸 그림이며 이 방식인 경우도 광전식 CAS를 사용하는 경우와 거의 동일하다. 연료의 기본 분사량은 흡입 공기량을 검출하는 AFS(에어 플로 센서)와 CAS(크랭크 각 센서)에 의해 결정되며 분사 시점은 CAS 신호를 기준으로 분사하며 분사할 실린더의 기통 판별은 기통 식별 신호인 G1 센서(CPS 센서) 신호에 의해 결정하게 된다.

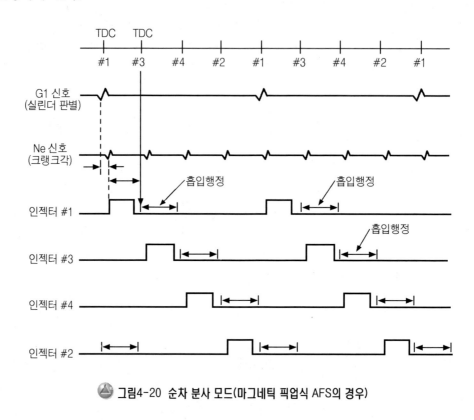

🔺 그림4-20 순차 분사 모드(마그네틱 픽업식 AFS의 경우)

(3) 비동기 분사 모드

시동성 향상을 위해 전 기통 동시에 분사하는 동시 분사 모드와 냉각수 온도가 15℃이상 일 때 엔진이 정상적인 상태에서 각 실린더별 점화 수순으로 분사하는 순차 분사 모드는 엔진의 회전수에 따라 일정하게 분사한다하여 동기 분사라 표현하기도 하며 이에 반해 비동기 분사는 엔진의 회전수에 관계없이 불규칙적으로 분사하다하여 비동기 분사라 한다. 비동기 분사는 엔진이 정상적인 순차 분사 모드 상태에서 급가속하여 추가로 실린더에 ROM(읽기 전용 메모리) 내에 기억되어 있던 데이터 값에 따라 불규칙적으로 분사하여 가속 응답성을 향상하기 위한 분사 방법이다.

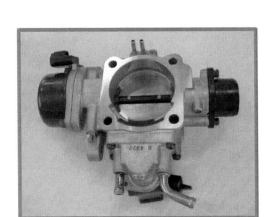

🔺 사진4-20 스로틀보디 ASS'Y

🔺 사진4-21 장착된 CAS

급가속 상태의 검출은 운전자의 의지를 검출하는 TPS(스로틀 포지션 센서)의 전압 변화 비율을 ECU(컴퓨터)가 확인하여 동기 분사 모드로 분사할지 비동기 분사 모드로 분사할지를 판단 한다. TPS(스로틀 포지션 센서)의 전압 변화 비율은 스로틀 밸브의 개도 변화량/변화에 필요한 시간 값으로 구한다.

$$\text{스로틀밸브의 개도변화율} = \frac{\text{밸브의 개도변화량}}{\text{변화에 필요한시간}}$$

ECU(컴퓨터)는 TPS 신호의 전압 변화 비율을 판단하여 급가속 상태라 판단하면 인젝터의 연료 분사는 그림[4-21]과 같이 급가속을 판단한 시점에 순차 분사와 관계없이 동시 분사하게 되며 차량이 탄력이 붙어 정상적으로 주행할 때에는 다시 순차 분사 모드를 들어가 결국 비동기 분사 모드는 급가속 응답성을 향상하기 위해 추가로 연료를 분사하는 것이 된다.

이와 같이 엔진의 운행 상태에 따라 분사 모드를 3가지 패턴(동시 분사, 순차 분사, 비동기 분사)으로 분사하는 것은 설계상 인젝터 노즐의 지름을 설정하는데 한계가 있기 때문이다. 엔진의 최고 출력에 맞추어 인젝터 노즐의 지름을 설정하면 아이들링 상태(공회전 상태)에서는 연료량이 많이 분사가 되어 농후한 혼합비가 되며 반대로 정속 주행 상태에 맞추어 인젝터 노즐 지름을 설정하면 엔진의 최고 회전수 상태에서 연료 분사량이 부족하게 되는 한계가 있어 엔진의 주행상태에 따라 분사 모드(mode)를 바꾸어 분사하도록 하고 있다.

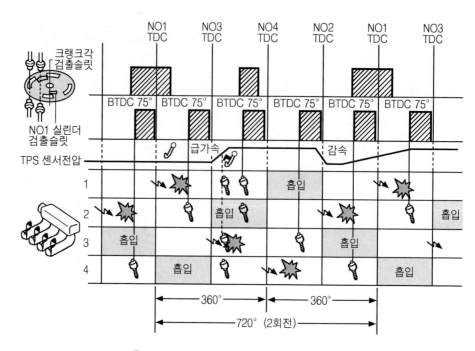

△ 그림4-21 비동기분사의 경우 분사 타이밍

point ●

연료 분사 모드

1 동기 분사

1. 동시 분사 모드

① 동시 분사 : 냉간 시동성을 향상하기 전기통에 동시에 분사하는 모드

② 분사 조건

- 분사 조건 : 시동시, 냉각수 온도가 약 15℃ 이하인 경우
- 분사 횟수 : 크랭크샤프트 1회전에 2회씩 전기통 분사
- 분사 타이밍 : 각 기통 BTDC 75° 기준(CAS)

2. 순차 분사 모드(시퀀셜 분사)

① 순차 분사 : 동시 분사와 비동기 분사를 제외한 모든 분사 점화 수순에 따라 분사하는 모드

② 분사 조건

- 분사 조건 : 일반적인 운행 상태의 전 영역에서 점화 수순에 따라 순차적으로 분사
- 분사 횟수 : 크랭크샤프트 2회전에 1회씩 전기통 분사
- 분사 타이밍 : 각 기통 BTDC 75° 기준(CAS)

2 비동기 분사

1. 비동기 분사 모드

① 비동기 분사 : 급가속시 엔진의 회전수에 관계없이(순차 모드에) 추가로 분사하여 가속 응답성을 향상하는 모드

② 급가속 검출 : TPS에 의해 검출

- 검출 방법 : 스로틀 밸브의 개도 변화율을 비교 TPS의 전압 변화율
- 스로틀 밸브의 개도 변화율 = 변화에 필요한 시간

3 전자 제어 엔진이 3가지 분사 모드를 사용하는 이유

- 인젝터 노즐의 직경에 대한 설정의 한계성 문제가 따르기 때문이다.

 **4** 기본 분사량의 보정

1. 연료 분사량 제어

연료 펌프 모터로부터 송압된 연료 탱크 내의 연료는 그림〔4-22〕와 같이 압력에 의해 연료 필터를 거쳐 인젝터에 가해지게 되고 인젝터에 가해진 연료는 인젝터의 구동 시간(인젝터 밸브의 개반 시간) 만큼 연료를 분사하게 된다. 이때 인젝터의 구동 시간(개반 시간)은 연료의 분사량이 된다. 실제 연료의 분사량은 흡입 공기량과 엔진 회전수에 의해 결정되는 기본 분사량과 엔진의 상태에 따라 보정하여 분사하는 보정 분사량에 의해 결정된다.

여기서 말하는 기본 분사량이라는 것은 연료의 혼합비를 기준으로 분사하는 분사량으로 AFS(에어 플로 센서)와 CAS(크랭크 각 센서)에 의해 결정되는 분사량이며 보정 분사량은 차량의 운전 조건에 따라 변화하는 요구 공연비를 조정하기 위해 결정되는 분사량이다. 또한 전자 제어 엔진의 근본 목적은 배출 가스 저감을 하기 위한 것으로 유해 배출 가스를 저감하기 위해 삼원 촉매 장치의 정화 효율을 높이가 위한 이론 공연비 제어와 그 밖에 차량의 배출 가스 억제와 최고 속도 이상 한계치를 초월하지 않도록 연료를 차단하는 연료 커트(cut) 제어가 있다.

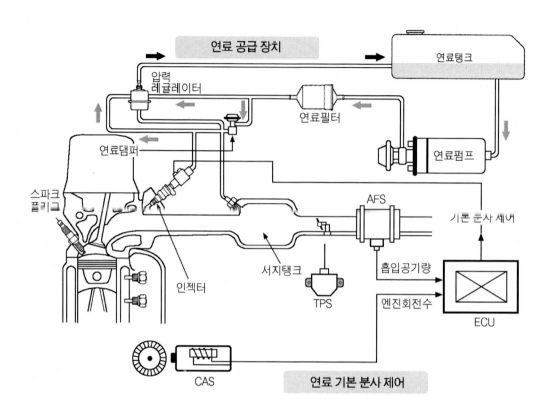

그림4-22 연료장치와 연료의 기본 분사 제어

2. 연료 분사량의 산출

　전자 제어 엔진의 연료 분사량은 흡입 공기량에 대응하여 엔진의 2회전 당 1회 순차적으로 분사하는 시퀀셜 분사, 시동성 향상을 위해 엔진의 1회당 2회 동시 분사하는 동시 분사량 등은 그림〔4-23〕과 같이 흡입되는 공기량에 엔진 회전수를 나눈값(흡입 공기량 ÷ 엔진 회전수)로 기본 분사량을 산출할 수 있다.

　이것은 ECU(컴퓨터)가 AFS(에어 플로 센서) 신호와 CAS(크랭크 각 센서) 신호만으로 기본 분사량을 산출하여 분사하게 된다. 전자 제어 엔진의 실제 연료 분사량은 흡입 공기량에 대응하여 분사하는 기본 분사량과 엔진의 운전 상태에 따라 보정하여 분사하는 보정 분사량의 합(기본 분사량 + 보정 분사량)으로 결정되어지므로 실제 분사시간은 기본 분사 시간과 보정 분사 시간의 합(기본 분사 시간 + 보정 분사시간)으로 나타낼 수 있다. 여기서 보정 분사 시간은 기본 분사 시간과 보정 분사 계수의 곱(기분 분사 시간 × 보정 분사 계수)으로 산출된다.

따라서 실제 연료 분사 시간은 그림[4-23]과 같이 기본 분사시간과 보정 분사 계수의 곱(기본 분사 시간 × 보정 분사 계수)에 기분 분사 시간을 더한 값으로 나타낼 수 있다. 보정 분사량은 엔진의 운전 조건에 따라 추가하여야할 분사량으로 기본 분사 시간에 보정 분사 시간의 합으로 나타내고 있는 것이다.

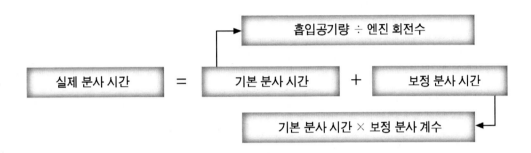

※ 기본 분사 시간 = 흡입공기량 ÷ 엔진 회전수
※ 보정 분사 시간 = 기본 분사시간 × 보정 분사 계수

그림4-23 연료 분사량의 산출

사진4-22 핫 필름식 AFS

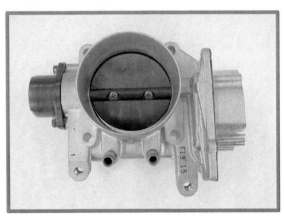

사진4-23 스로틀 보디 ASS'Y

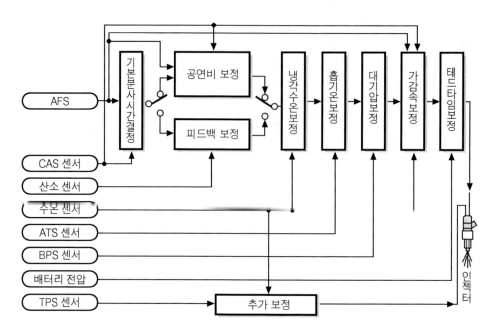

🔺 그림4-24 기본 분사 결정의 보정 계수 관계

보정 계수값을 결정하는 엔진의 각종 운전 조건에 따라 변화하는 보정 계수를 열거하여 보면 다음 같이 열거할 수 있다.

[1] 보정 분사 계수

① **냉각 수온 보정 계수** : 저온 시동성 향상을 위한 보정 계수

② **시동 직후 보정 계수** : 시동 직후 엔진의 불안정을 방지하기 분사하는 보정 계수

🔺 사진4-24 탑재된 V6엔진

🔺 사진4-25 탈착한 V6앤진

③ **공연비 보정 계수** : 피드백 보정과 관계없이 설정된 값에 따라 제어하는 보정 계수

④ **흡기온 보정 계수** : 흡입 공기의 온도차에 의해 공기의 밀도차를 보정하기 위한 계수

⑤ **대기압 보정 계수** : 대기압에 따라 흡입 공기의 밀도차를 보정하기 위한 보정 계수

⑥ **감속 보정 계수** : 감속시 촉매를 보호하기 위해 분사하는 보정 계수

⑦ **가속 보정 계수** : 가속 성능을 향상하기 위해 분사하는 보정 계수

⑧ **언 리치 보정 계수** : 고부하시 운전 조건을 향상하기 위한 분사 보정 계수

⑨ **전압 보정 계수** : 인젝터의 전원 전압을 보정하기 위해 분사하는 보정 계수

point ⚫

연료 분사량 제어

1 **연료 분사량의 산출**

1. **기본 분사량** : 혼합비에 맞추어 분사하는 분사량
   - 기본 분사량 : 흡입 공기량과 엔진 회전수에 의해 결정되는 분사량
   - 보정 분사량 : 차량의 운전 조건에 따라 변화함에 따라 요구되는 분사량

2. **실제 분사량** : 기본 분사량에 운전 상태에 따라 증량하는 보정 분사량

※ 실제 분사량 = 기본 분사량 + 보정 분사 분사량
   - 실제 분사 시간 = 기본 분사 시간 + 보정 분사 시간
   - 기본 분사 시간 = 흡입 공기량 ÷ 엔진 회전수
   - 보정 분사 시간 = 기본 분사 시간 × 보정 분사 계수
   - ∴ 실제 분사 시간 = 기본 분사 시간 +(기본 분사 시간 × 보정 분사 계수)

2 **보정 분사 계수**

1. **보정 분사 계수** : 운전 조건에 따라 보정하여 추가 분사하는 보정량의 분사 계수

2. **보정 분사 계수의 종류**
   - 냉각 수온 보정 계수 : 시동성 향상을 위한 보정 계수
   - 시동 직후 보정 계수 : 엔진의 불안정성을 향상하기 위한 보정 계수
   - 피드백 보정 계수 : 산소 센서에 의한 이론 공연비 제어 보정 계수
   - 공연비 보정 계수 : ROM 내의 데이터 값에 의한 공연비 보정 계수
   - 흡기온 보정 계수 : 공기 온도의 밀도차를 보정하기 위한 보정 계수
   - 대기압 보정 계수 : 대기압의 밀도차를 보정하기 위한 보정 계수
   - 감속 보정 계수 : 감속시 촉매 과열을 방지하기 위한 보정 계수
   - 가속 보정 계수 : 가속력을 향상하기 위해 증량하는 보정 계수
   - 언 리치 보정 계수 : 고부하시 운전성을 향상하기 위한 보정 계수
   - 전압 보정 계수 : 인젝터의 전압 강하를 보상하기 위한 보정 계수

3. 냉간시 제어

[1] 냉각 수온 보정

앞 절에서는 연료 분사 제어의 분사 방식에 대해 설명했지만 여기서는 전자 제어 엔진의 운전 조건에 따라 변화하는 보정 증량 분사량에 대해 알아보도록 하자.

전자 엔진의 연료 분사는 엔진의 냉간시 분사와 난기시 분사, 그리고 엔진의 부하 상태에 따른 가감속 분사 등을 들 수 있다. 엔진의 냉간시 분사는 시동시 분사와 시동 직후 분사로 생각할 수 있다. 엔진의 저온 상태에서 시동을 하는 경우에는 연료의 밀도가 높아 공기와 연료의 혼합 상태가 좋지 못하고 실린더 벽면에 혼합 가스가 부착되어 연소에 기여하는 연료량이 그만큼 감소하게 된다. 따라서 엔진의 저온시에는 엔진의 안정적으로 작동하도록 연료량을 증량하여 분사하여야 한다.

이와 같이 전자 제어 엔진은 냉각 수온이 낮을 때 이론 공연비 보다 농후(rich)하게 혼합 가스를 공급하지 않으면 엔진의 시동성이 떨어지고 시동직후 불안정한 상태가 되는 방지하기 위해 연료를 증량하는 보정을 냉각 수온 보정이라 한다. 냉각 수온 보정에는 시동시 연료 분사량 보정과 시동직후 연료 분사량 보정을 들 수가 있다.

🔺 사진4-26 수온센서

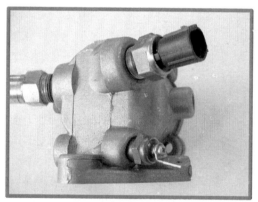

🔺 사진4-27 수온센서와 수온 스위치

[2] 시동시 보정

시동시 증량 보정은 엔진 시동성을 향상하기 위해 ECU(컴퓨터)는 그림[4-26]의 회로와 같이 수온 센서의 신호와 CAS(크랭크각 센서)의 신호를 받아 인젝터의 분사 시간을 증량하는 보정이다.

보통 엔진 온도가 약 70℃~80℃이하이고 CAS(크랭크 각 센서)가 50rpm 이상 회전 중일 때 ECU(컴퓨터)는 이 신호를 입력 받아 그림 〔4-25〕의 특성과 같이 시동 모터의 초기 회전시 인젝터의 분사 시간을 길게 하여 초기 시동성을 향상하고 있는 보정이다

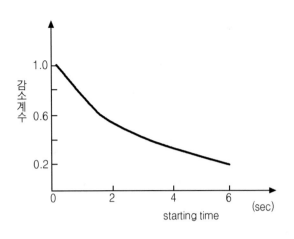

그림4-25 시동시 연료 분사량 보정

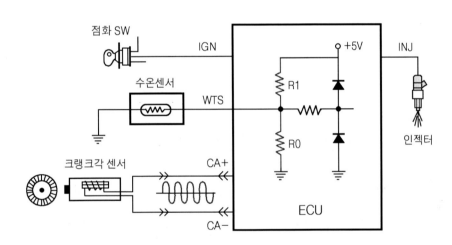

그림4-26 시동시 증량보정의 입력 신호

(3) 시동 직후 보정

엔진의 난기시에는 자동차의 메이커에 따라 다소 차이는 있지만 그림〔4-27〕과 같이 냉각수의 온도가 약 70℃~80℃ 이상인 경우 웜-업 계수가 1로서 보정 증량을 하지 않는다는 것을 의미한다. 이 말은 역으로 엔진의 냉간시에서 난기시(약 70℃~80℃일 때) 가 도달할 때 까지는 연료를 증량하여 분사한다는 것이다.

연료를 보정하는 이 기간에도 혼합 가스의 밀도가 높고 실린더의 벽에 혼합 가스가 붙

어 그 분량만큼 보정하여 줄 필요가 있게 된다. 또한 시동시에는 시동성 향상을 위해 엔진 ECU는 CAS(크랭크 각 센서) 신호와 WTS(냉각 수온 센서)의 신호를 받아 초기 시동성을 향상하기 위해 증량 보정하고 있다.

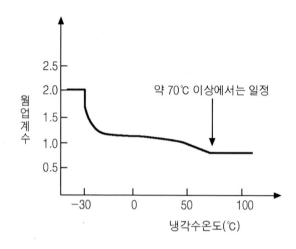

그림4-27 웜업시 연료 분사량 보정

초기 증량 보정은 크랭킹 후 약 5초~20초간 연료를 증량 보정하여 시동성을 향상하고 있는 보정이다. 그 밖에 엔진 냉간 상태에서 가속 증량을 보정하기 위해 냉간시 가속 증량 보정 기능을 가지고 있는데 이것은 엔진의 냉간시에도 운전자가 가속 페달을 밟는 경우 엔진이 난기 상태에서와 같이 주행할 수 있도록 하기 위한 보정 증량으로 ECU는 WTS(수온 센서)의 신호와 TPS(스로틀 포지션 센서) 신호를 받아 보정 증량을 하는 기능이다. 이 기능은 WTS(냉각 수온 센서)와 TPS(스로틀 포지션 센서)의 신호를 받아 ECU(컴퓨터)는 인젝터의 분사 보정을 약 5초정도 지속함으로서 저온시 급출발을 향상하고 있는 기능이다.

수온 보정에는 저온 시동성을 향상하기 위해 냉각수의 온도가 약 80℃이하이고 크랭킹 시 그림〔4-28〕의 (a)와 같이 CAS의 신호를 받아 연료를 증량 보정하고 시동 후에도 약 5초~20초간 증량 보정 하는 기능과 냉간시 급가속에 대한 연료를 보정하기 위해 그림 (b)와 같이 TPS(스로틀 포지션 센서)의 신호와 수온 센서의 신호를 받아 약 5초간 저온 급가속 보정하는 기능이 있다.

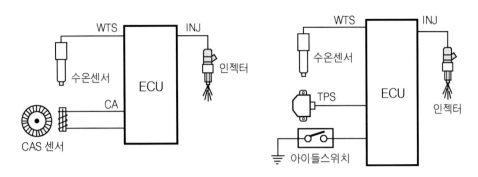

(a) 시동시 증량 보정 신호　　　(b) 가속시 증량 보정 신호

🔺 그림4-28 수온 보정의 입력 신호 모델

[4] 패스트 아이들 제어

　아이들 스피드 제어(공회전 속도 제어)는 본래 엔진의 공회전 상태에서 엔진의 전기 부하 또는 스로틀 밸브의 개도의 미세 변화량에 대한 보정 기능을 하도록 사용되고 있지만 엔진 냉간시 웜-업 시간을 단축하기 위해 공회전 속도를 증가시켜 웜-업 시간을 단축하는 기능도 가지고 있다.

🔺 사진4-28 D제트로닉의 흡기계

🔺 사진4-29 스로틀밸브의 통로

　패스트 아이들 스피드 제어는 그림〔4-29〕의 흐름도와 같이 ECU(컴퓨터)는 냉각 수온 센서의 신호를 바탕으로 ECU(컴퓨터)의 ROM(읽기 전용 메모리)내에 미리 설정된 목표 회전수를 제어하기 위해 냉각수의 온도 및 엔진 회전수, 그리고 아이들 액추에이터의

개도 위치를 검출하는 MPS(모터 포지션 센서)의 신호를 받아 패스트 아이들(fast idle) 제어를 하고 있는 기능을 말한다.

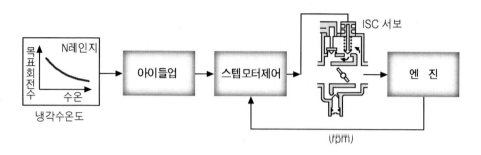

그림4-29 패스트 아이들 제어 흐름도(냉간시)

　냉각수의 온도 검출은 앞장에서 이미 설명하였지만 기본적인 원리는 NTC형(부온도 계수 특성) 서미스터의 온도 특성을 이용한 것으로 온도가 낮으면 저항값이 크고 온도가 높으면 저항값이 작아지는 특성을 이용 엔진의 냉각수 온도를 검출하고 있다. 이렇게 엔진의 냉각수 온도에 따라 저항값이 변화하는 WTS(수온 센서)는 ECU(컴퓨터)로 입력되면, ECU(컴퓨터)의 내부로부터 가해지고 있는 정전압 전원(+5V)값은 내부인 인터페이스 회로(정합 회로)를 통해 WTS(수온 센서)와 연결되어 있어 WTS(수온 센서)의 서미스터 저항이 엔진의 온도에 따라 변화하여 WTS(수온 센서)의 저항값은 전압 변환되어 ECU(컴퓨터)로 입력되어지는 것이다.

　예를 들면 냉각 수온이 낮을 때에는 WTS(수온 센서)의 저항값은 크게 되고 냉각 수온이 높을 때에는 WTS(수온 센서)의 저항값이 작아지게 돼 ECU(컴퓨터)의 내부 정전압 전원(+5V)과 연결된 WTS(수온 센서)에 흐르는 전류는 많아지게 된다. 이렇게 WTS(수온 센서)로 흐르는 전류가 많아지게 되면 많아지는 만큼 WTS(수온 센서)에 전압은 낮아지게 돼 보통 20℃정도인 경우 약 2.6V, 80℃정도인 경우는 약 0.95V가 입력되고 있다.

[표4-4] 수온센서의 특성표

온도(℃)	-20	0	20	40	60	80	100
저항(kΩ)	16	5.9	2.5	1.1	0.6	0.3	0.2

point

냉간시 보정 연료량 제어

1 수온 보정

(1) 시동시 보정 : 초기 시동성을 향상하기 위해 크랭킹시 증량하는 보정

(2) 시동 직후 보정
- 초기 시동 후 안정성을 확보하기 위해 약 5~20초간 시동 직후 보정 하는 보정
- 웜-업 보정 : 약 80℃이하까지 증량 보정하는 보정
- 저온 급가속시 보정 : 저온 급가속을 향상하기 위해 약 5초간 연료를 증량하는 보정

2 패스트 아이들 제어
- 냉간시 웜-업 시간을 단축하기 위해 ECU는 아이들 스피드 액추에이터를 제어하여 엔진의 목표 회전수를 증가하는 제어를 말한다.
- ※ 냉각수 온도 검출 : 부의 온도 특성을 가진 NTC형 서미스터에 의한 검출
- NTC형 특성 : 온도가 증가하면 저항값이 감소하는 특성을 가진 물체

4. 난기시 제어

연소실 내의 혼합 가스를 완전 연소하면 엔진의 출력 및 연비는 향상 될지 모르지만 오히려 배출 가스는 증가하는 경향이 있어 가솔린 엔진의 경우는 엔진 출력이 크게 감소하지 않고 배출 가스가 비교적 낮게 배출되는 이론 공연비(14.7 : 1)를 기준으로 하여 제어하고 있다. 공연비(A/F 비) 제어는 저속 상태에서는 얼마나 하는 것이 좋은지 고속 상태에서는 얼마나 하는 것이 좋은지는 자동차 제조사의 엔진에 따라 다소 차이는 있지만 엔진의 부하 조건에 따라 공연비(A/F 비)를 약 13~17정도 범주에서 사용하고 있는 것이 보통이다.

일반적으로 가솔린의 엔진의 경우 공연비(A/F 비)는 저속 구간에서는 13 : 1~14 : 1 범위에서 사용되며, 고속 구간에서는 14 : 1~15 : 1 범위의 비율에서 사용되며, 중속 구간에서는 15 : 1~17 : 1 범위의 비율에서 사용되고 있다.

이론 공연비 14.7 : 1보다 연료의 비율이 농후한 상태, 즉 λ(람다)가 1보다 작은 상태를 리치(농후한) 상태라 하고 λ(람다)가 1 보다 큰 상태를 린(희박한) 상태라 하며 λ(람다)가 1보다 작은 리치(농후한) 상태가 되면 그림[4-30]의 특성과 같이 산소가 부족한 상태가 돼 실린더 내의 연소는 불완전한 상태가 돼 CO(일산화탄소)와 HC(탄화수소)

는 증가하게 된다. 이와 반대로 λ(람다)가 1보다 크면 공연비는 린(희박한) 상태가 되면 산소는 풍부한 상태가 돼 CO(일산화탄소)와 HC(탄화수소)는 감소하지만 공연비가 1 7 : 1이상이 되면 점화가 어려워져 오히려 HC(탄화수소) 급격히 증가하게 된다.

λ = 1 : 이론 공연비
λ < 1 : 농후한 공연비
λ > 1 : 희박한 공연비

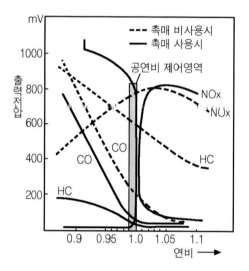

그림4-30 산소센서의 제어 영역

따라서 배출 가스가 낮게 배출되고 엔진 출력이 크게 떨어지지 않는 범위에서 공연비(A/F 비)와 이론 공연비를 엔진의 운전 조건에 따라 제어하는 것은 전자 제어 엔진의 중요한 목표 중에 하나이다.

[1] 피드백 보정

전자 제어 엔진의 연료 분사량은 앞서 설명한 바와 같이 흡입 공기량과 엔진 회전수에 의해 결정되는 기본 분사량에 엔진의 운전 조건에 따라 변화하여 이를 보정하기 위한 보정 분사량의 합으로 표시한다. 그러나 전자 제어 엔진의 연료 분사 제어는 인젝터의 일반 시간을 결정하는 분사 펄스폭에 의해 결정되어 지므로 기본 분사 펄스폭은(흡입 공기량/엔진 회전수×정수)값으로 표시할 수가 있다.

이 기본 분사 펄스폭은 대개 이론 공연비(14.7 : 1)가 되도록 설정되어 있어서 일반 주행시에는 크게 문제가 되지 않지만 저속 주행시나 고속 주행시에는 이론 공연비와 차이가 생기게 되므로 삼원 촉매 장치의 정화 효율이 크게 떨어지게 돼 유해 배출 가스 성분이 증가하게 된다.

삼원 촉매 장치의 정화 효율이 감소하는 것을 방지하기 위해 배기관 측에 O_2 센서(산소센서)를 부착하여 배출 중인 가스 중에 산소 농도를 검출하여 ECU(컴퓨터)가 이론 공연비 영역으로 제어하도록 공연비 제어하는 것을 우리는 피드백(feed back) 제어라 한다. 이 제어를 통해 이론 공연비를 보정하는 것을 피드백 보정이라 한다.

사진4-30 지르코니아 산소센서

사진4-31 장착된 산소센서

산소 센서의 특성은 약 350℃ 이상 되면 활성화 되어 배출 중인 산소의 농도차에 의해 $\lambda > 1$(희박한 상태)이 되면 기전력이 급격히 떨어져 약 0.2V정도의 기전력을 출력하며 배출되는 산소의 농도가 $\lambda < 1$(농후한 상태)이 되면 기전력이 급격히 증가해 약 0.8V 정도의 기전력을 출력하여 린(희박한) 상태와 리치(농후한) 상태를 ECU(컴퓨터)가 판별할 수 있도록 지르코니아 산소 센서(차량에 따라서는 티타니아 산소 센서 사용)가 사용되고 있다. 즉 O_2 센서(산소 센서)의 출력 신호 전압이 낮을 때에는 ECU(컴퓨터)는 공연비가 린(희박한) 상태라고 판단하게 되고 출력 신호 전압이 높을 때에는 공연비가 리치(농후한) 상태라고 판단하여 λ(람다)가 1인 이론 공연비 영역으로 피드백 보정을 하게 되는 것이다.

결국 엔진의 난기 상태에서 기본 분사량에 대해 산소 센서의 신호를 기준으로 이론 공연비 영역으로 보정하여 주는 것을 피드백(feed back) 보정이라 하며, 이 제어를 피드백(feed back) 제어라 한다. 그림〔4-32〕는 O_2 센서(산소 센서)의 출력 신호 전압과 피드백 보정을 계단 형식으로 하는 것을 나타낸 것이다. 실제 O_2 센서(산소 센서)는 그림〔4-31〕과 같이 이론 공연비($\lambda = 1$)인 영역을 기준으로 산소의 농도에 따라 급격히 변

화하는 특성을 가지고 있어 엔진의 회전수에 따라 O_2 센서(산소 센서)의 신호 전압은 정현파와 유사하게 출력되는 모습을 보인다.

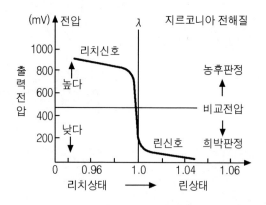

⚠ 그림4-31 산소센서의 출력 특성

ECU는 이 신호를 기준으로(0.45V를 기준으로) 리치(농후한) 상태인가 린(희박한) 상태 인가를 판단하고 있다. 그러나 이와 같은 O_2 센서의 신호 전압값으로 ECU(컴퓨터)는 어느 정도 리치(농후한) 상태인지, 어느 정도 린(희박한) 상태인지는 판별할 수가 없고 배출된 가스 중 산소 농도를 검출하여 이론 공연비($\lambda = 1$) 범위를 제어하기 위해 다시 인젝터의 분사 펄스폭을 제어하는 동안(feed back 하는 동안) 시간이 소요되기 때문에 분사 펄스폭의 변화량에 대해 O_2 센서(산소 센서)의 신호 전압의 반응이 지연이 생기게 된다.

연료를 공급하는 인젝터는 솔레노이드 코일로 이루어진 밸브로 인젝터에 전원을 공급하면 즉시 연료를 공급하지 않고 수 ms초 이지만 일정 시간 지연된 후 연료를 분사하는 특성을 가지고 있어 목표 공연비를 맞추기 위해 실제 연료를 분사하는 인젝터의 펄스 신호폭에 즉시 응답하지 않는 시간을 고려하지 않으면 정확한 분사량을 산출할 수 없다. 이와 같이 인젝터의 분사 펄스폭의 변화량에 대해 O_2 센서(산소 센서)의 출력 신호 전압이 지연되고, 인젝터의 무효 분사 시간을 감안하여 피드백 보정을 할 때에는 그림[4-32]와 같이 인젝터의 분사 펄스폭을 계단형으로 서서히 증가 또는, 감소시켜 다음 O_2 센서(산소 센서)의 신호 전압이 변화할 때 까지 반복하여 이론 공연비($\lambda = 1$) 근접 범위로 오도록 제어하고 있는 것이다.

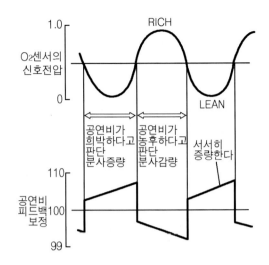

🔺 그림4-32 O₂ 센서의 공연비 피드백 보정

결국 혼합 가스의 공연비가 이론 공연비 보다 리치(농후한) 상태인 경우는 O₂센서의 신호 전압은 높게 되고 ECU(컴퓨터)는 이 신호 전압을 리치(농후한) 신호로 인식하게 돼 ECU(컴퓨터)는 피드백 보정 계수를 작게하여 인젝터의 분사 펄스 시간을 작게하여 분사량을 작게 한다. 반대로 혼합 가스의 공연비가 이론 공연비 보다 린(희박한) 상태의 경우에는 O₂센서(산소 센서)의 신호 전압은 낮게 되어 ECU(컴퓨터)는 이 신호 전압을 린(희박한) 신호로 인식하게 돼 ECU(컴퓨터)는 피드백 보정 계수를 크게하여 인젝터의 분사 펄스 시간을 길게 해 분사량 증량하여 보정하게 된다.

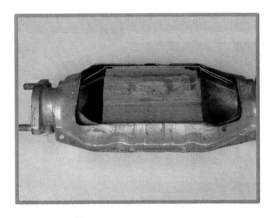

🔺 사진4-32 삼원 촉매 장치

🔺 사진4-33 촉매장치 전 산소센서

한편 O_2 센서(산소 센서)는 지르코니아 또는 티타니아 전해질을 사용하여 산소의 농도를 검출하는 센서로 약 350℃이상이 되지 않으면 전해질은 활성화 되지 않아 배출 가스 중의 산소 농도를 검출할 수가 없다. 즉 온도가 낮은 냉간시에는 O_2 센서(산소 센서)는 정상적으로 작동하지 않아 피드백 보정을 할 수가 없게 된다. ECU(컴퓨터)가 피드백 보정을 하지 않는 경우를 열거하여 보면 다음 같은 경우를 열거할 수 있다.

● 피드백 보정을 하지 않는 경우
  - 엔진의 시동중인 경우(크랭크 각 회전수가 아이들 rpm이하인 경우)
  - 냉각 수온이 낮은 경우(난기중 포함)
  - 산소 센서의 온도가 약 350℃이하인 경우
  - 고부하 및 가·감속 상태에서 주행하는 경우

(2) 공연비 보정

앞서 기술한 O_2 센서(산소 센서)의 신호 전압을 토대로 ECU(컴퓨터)가 이론 공연비 범위에 가까이 제어하는 피드백(feed back) 보정이 정지된 상태의 경우에는 기본적으로 공연비 보정을 하게 되는데 공연비 보정은 미리 ECU(컴퓨터)의 ROM 내에 기억되어 있는 공연비 보정 계수에 의해 보정하는 제어를 말한다. 즉 피드백 보정이 정지된 상태에서의 모든 보정을 공연비 보정이라 말할 수 있다.

이 공연비 보정 중에는 엔진의 고부하 상태에서 공연비 보정과 별도로 출력 공연비 보정이라 하는 구분하는 경우도 있는데 이 경우는 흡입 공기량과 엔진 회전수에 의해 결정되는 기본 분사량에 운전자의 가속의지를 검출하는 스로틀 밸브의 개도 신호를 받아 ECU(컴퓨터)는 차량의 고부하 상태 여부를 판단하고 최대 출력을 얻기 위해 약 $\lambda = 0.9$ 인 상태에서 기본 분사량에 증량하여 분사하는 보정 계수를 출력 공연비 보정 계수라 표현하고 있다.

(3) 대기압 보정

공기의 밀도는 온도나 압력에 의해 변화하는데 전자 제어 엔진의 경우에도 차량이 산간 지대나 해안 지대에 따라 대기의 압력차가 변화하여 흡입되는 공기의 밀도도 변화하게 된다.

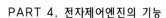

　　따라서 대기압의 크기에 따라 공연비를 보정할 필요가 생기는데 이것을 우리는 대기압 보정이라 한다.

　　대기압 보정은 그림〔4-33〕의 특성과 같이 수은주 760(mmHg) 이상인 경우는 보정을 하지 않고 그 이하인 경우에만 급격히 변화하여 보정을 하여주는 것을 특성도를 통해 알 수가 있어 산소가 희박한 산악지역이 보정 대상인 것을 알 수가 있다.

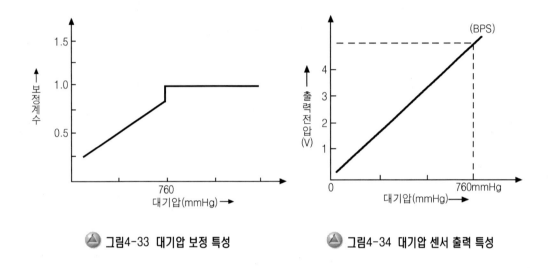

　　　　🔺 그림4-33 대기압 보정 특성　　　　　🔺 그림4-34 대기압 센서 출력 특성

〔4〕 흡기온 보정

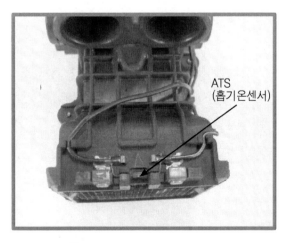

🔺 사진4-34 AFS에 부착된 ATS

AFS(에어 플로 센서)가 흡입 공기의 체적 류량을 검출하는 방식의 경우 흡입 공기의 체적이 동일하다 하여도 흡입 공기의 온도에 따라 공기의 밀도가 변화하게 되므로 이에 대한 보정할 필요가 생기게 된다. 흡기온 보정은 기본 분사량에 기준이 되는 흡입 공기의 온도를 ECU(컴퓨터)의 ROM 내에 미리 기억시켜 두었다가 흡입되는 공기의 온도차가 발생하면 보정하여 주도록 하고 있다.

그림[4-35]의 흡기 온도의 보정 특성을 살펴보면 약 80℃에서는 보정을 하지 않고 있다가 온도가 낮을수록 공연비를 증가하여 보정하여 주는 특성을 통해 알 수가 있다.

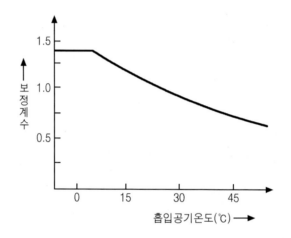

△ 그림4-35 흡기온도 보정 특성

[5] 가·감속 보정

가속시 보정은 가속 성능을 향상 할 목적으로 스로틀 밸브가 일시에 열리게 되면 연소실 실내의 혼합 가스는 린(희박한) 상태가 되어 일반적인 주행 상태 보다는 연료를 증량하여 보정할 필요가 있다. 가속시 보정 계수는 기본 분사량을 결정하는 흡입 공기량과 엔진의 회전수 및 운전자의 가속 의지를 검출하는 TPS(스로틀 포지션 센서) 그리고 따라서 감속시에는 촉매의 과열을 방지하기 위해 감량 보정할 필요가 생기게 돼 스로틀 개도의 변화에 대응하여 감량하여 보정하는 것을 감속 보정이라 한다.

[6] 언 리치 보정

언 리치(un rich) 보정은 운전자가 스로틀 밸브를 거의 전개 상태에서 주행하는 경우 고부하에 의해 노킹을 방지하고 고부하시 운전성을 향상하기 위해 연료의 분사량을 증량

하여 보정하는 경우를 말하며 스로틀 밸브가 전개된 상태에서는 연소실의 압력이 상승게
돼 실린더는 노킹할 수 있는 분위기가 증가하게 된다. 이것을 방지하기 위해 연료의 분사
량을 증량하여 보정하고 있는 것을 말한다.

(7) 전압 보정

전압 보정은 자동차의 제조사에 따라 데드 타임(dead time) 보정이라 부르는 보정으
로 인젝터에 가해진 전압이 변화에 의해 실제 분사량이 감소하는 것을 보정하여 주기위해
인젝터의 분사 펄스 시간을 길게 하여 주는 보정을 전압 보정이라 한다.

인젝터에 분사 펄스 전압이 가해지면 솔레노이드 코일의 특성상 수 ms시간이 지연(무
효 분사 시간이라 말함)이 되어 인젝터 밸브가 열리게 된다. 인젝터에 가해진 분사 펄스
전압부터 인젝터 밸브가 열리기 시작한 시간을 무효 분사 시간이라 하며 이 무효 분사 시
간은 인젝터에 가해진 전압이 낮을수록 무효 분사 시간은 증가하기 때문에 이것을 보정
하기 위해서는 전압이 낮은 만큼 인젝터의 분사 펄스 시간을 길게 하여 보정하도록 하고
있다.

그림[4-36]의 (a)는 인젝터의 분사 신호와 그림(b)는 인젝터의 인가된 배터리 전압의
전 압 보정 특성을 나타낸 것으로 인젝터의 분사 신호에 의해 실제 인젝터의 밸브가 열리
는 시간이 배터리 전압이 낮을수록 전압 보정이 길어지는 것을 특성을 통해 알 수 있다.

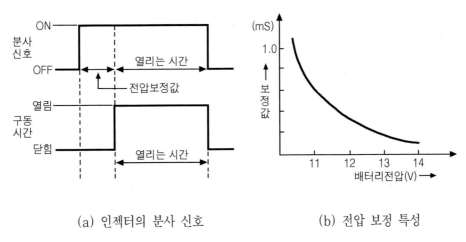

(a) 인젝터의 분사 신호   (b) 전압 보정 특성

🔺 그림4-36 전압 보정에 의한 분사 신호와 특성

point

난기시 제어

1 난기시 보정 연료량 제어

1. 가솔린 엔진의 공연비

① 일반적인 가솔린 엔진의 주행 공연비(A/F비)

- 저속시 : 약 13 : 1~14 : 1
- 중속시 : 약 15 : 1~17 : 1
- 고속시 : 약 14 : 1~15 : 1

② 공연비(A/F 비) : 약 14.7 : 1(λ =1)

- λ = 1 : 이론 공연비
- λ < 1 : 농후한 공연비(산소 센서의 출력 전압 : 0.6~0.9V)
- λ > 1 : 희박한 공연비(산소 센서의 출력 전압 : 0~0.2V)

2. 난기시, 난기후 보정

(1) 피드백 보정 : 삼원 촉매 장치의 정화 효율을 높이기 위해 배기 산소 센서를 부착하여 배출중인 산소 농도를 검출, 이론 공연비(λ =1) 범위로 연료를 분사 하도록 제어하는 보정

- 피드백 보정을 하지 않는 경우 : 엔진 시동 중, 냉각수온이 낮을 때, 산소 센소의 온도가 낮을 때, 가·감속 운전시, 고부하 운전시

(2) 공연비 보정 : 피드-백 보정을 제외한 공연비 보정을 말하며 연료의 기본 분사량을 기준으로 ROM 내에 미리 기억된 데이터 값에 의해 공연비를 보정하는 것을 말함

- 출력 공연비 보정 : 엔진 고부하시 최대 출력을 얻기 위해 약 λ =0.9인 상태로 증량 보정하는 공연비 보정

(3) 대기압 보정 : 대기압에 따라 흡입 공기의 밀도차가 발생하는 것을 보정하기 위한 것을 말 함

(4) 흡기온 보정 : 흡입 공기의 온도에 따라 공기의 밀도차가 발생하는 것을 보정하기 위한 것을 말 함

(5) 가속 보정 : 가속 성능을 향상할 목적으로 가속시 스로틀 개도의 신호를 받아 증량하는 보정

(6) 감속 보정 : 감속시 리치(농후한)한 공연비 상태에 의해 촉매 과열을 방지할 목적으로 스로틀 개도의 신호를 받아 감량하는 보정

(7) 언 리치 보정 : 고속 주행시 노킹을 방지하고 고부하시 운전성을 향상하기 위해 증량하는 보정을 말 함

(8) 전압 보정(데드 타임 보정) : 인젝터에 가해진 전압의 저하에 의해 인젝터로부터 분사량이 감소하는 것을 보정하기 위한 것으로 인젝터의 분사 펄스 시간을 길게 하여 보정하여 주고 있는 것을 말한다.

 **5** **점화시기 제어**

1. 전자엔진의 점화 제어

전자 제어 엔진의 기본 기능은 연소실의 혼합비(공연비)를 조절하기 위해 '연료의 분사량을 얼마나 분사하여야 하는지?, 언제 분사하여 하는지?' 를 결정한 후 '점화는 언제 하여야 하는지?, 점화 기간은 얼마나 하여야 착화가 잘 일어나는지?' 가 엔진을 구동하기 위한 가장 기본적인 기능이 아닐 수 없다. 점화는 연료 분사 후 점화를 결정하기 때문에 점화 제어와 관련 있는 센서는 그림[4-37]과 같이 기본적으로 연료 분사를 결정하기 위해 사용되는 센서와 동일하다.

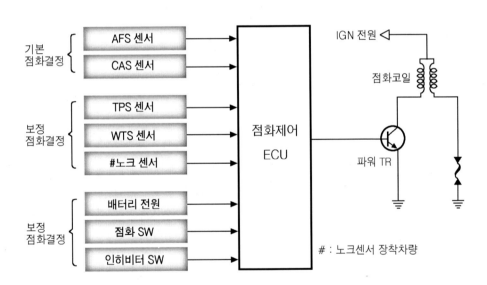

🔺 그림4-37 점화제어와 관계있는 센서

[1] 점화시기의 결정

기본 연료 분사량은 흡입 공기량과 엔진 회전수에 의해 결정되어 분사되면 점화시기는 기본 분사 펄스 신호와 엔진 회전수와 ROM 내의 데이터 값에 의해 결정 되어지므로 결국 점화시기 또한 기본 분사량을 결정하는 AFS(에어 플로 센서) 신호와 CAS(크랭크 각 센서) 신호에 의해 결정된다.

　　기계식 점화 방식인 경우 점화시기는 디스트리뷰터의 캠각과 진각 장치(원심력 또는 진공식)에 의해 점화시기를 결정하지만 전자 제어 엔진의 경우는 연료 분사를 토대로 결정하고 있다. 따라서 연료 분사 제어에 대해 충분히 이해하면 점화시기 제어는 쉽게 이해 할 수가 있다고 생각한다.

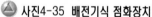 사진4-35 배전기식 점화장치

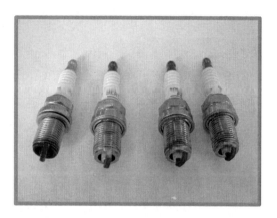

⚠ 사진4-36 점화 플러그

　　그림〔4-37〕과 같이 보정 점화 진각도를 제어하기 위해 인히비터 스위치와 배터리 전원을 입력으로 사용하고 있는 것은 차량의 주행 상태 인지, 정지 상태인지를 검출하고 배터리 전압이 낮은 경우에는 점화 에너지가 감소하게 돼 이것을 방지하기 위해 보정 진각도를 조정하기 위해 입력되고 있는 일종의 신호원으로 사용되고 있다.

　　전자 제어 엔진의 점화 제어는 점화를 언제 하여야 하는지를 결정하는 점화시기 제어와 연소실의 혼합 가스를 착화하기 위해 필요한 점화 폐각도(점화 통전 시간)를 제어하기 위한 점화 폐각도 제어 또는 통전 시간 제어가 있다.

　　점화시기를 BTDC(상사점전) 몇 도로 하여야 하는 것은 앞서 설명한 기본 분사 펄스와 엔진 회전수 그리고 ROM 내에 기억되어 있는 데이터 값에 의해 결정되어 진다. 여기서 점화시기의 기준이 되는 신호는 크랭크 각의 180°를 기준으로 하고 있어 ECU(컴퓨터)는 CAS(크랭크 각 센서) 신호의 180°(1주기) 분의 시간을 측정해 이 값으로부터 크랭크 각의 1°에 걸리는 시간을 계산하고 있다.

　　즉 크랭크 각의 1°에 걸리는 시간은 크랭크 각의 1주기(180°)에 걸리는 시간에 180를 나누어 계산할 수 있다. 이 값을 기준으로 압축 상사점은 BTDC 75°(차종에 다소 차이가 있음)을 기준으로 ROM 내에 기억되어 있는 데이터 값에 따라 점화시기를 결정하고 있다. 이 값을 식으로 표현하면 점화시기 = 크랭각이 1°에 걸리는 시간 ×(BTDC 75° - ROM 내에 기억되어 있는 점화시기값)로 나타 낼 수 있다. 점화 폐각도는 위의 점화 시기를 기준으로 엔진의 운전 상태에 따라 변화하게 되므로 ROM 내에 3차원 맵(MAP)화 되어 있는 데이터 값에 의해 결정된다.

사진4-37 배전기의 내부

사진4-38 CAS 내장형 배전기

2. 점화시기 제어

점화시기 제어는 분사 펄스 신호와 엔진의 회전수 및 ROM 내의 데이터 값에 의해 결정된다는 것은 앞서 기술하였지만 이 점화시기 제어는 엔진의 운전 상태에 따라 일반 주행시 점화시기와 아이들시 점화시기, 그리고 시동시 점화시기로 구분하여 볼 수 있다.

[1] 일반 주행시 점화시기

일반 주행시 점화시기란 스로틀 밸브가 열린 상태에서 정속 주행을 포함 가속 주행 상태에서의 점화시기를 말하는데 통상 점화시기는 기본 분사 펄스 신호와 엔진 회전수를 기준으로 엔진의 부하에 따라 점화시기가 변화하는 값을 차종에 따라 시험에 의해 ROM 내에 기억시켜 놓고 이 값을 기본으로 엔진의 운전 조건에 따라 보정값을 정해 최종적으로 점화시기를 결정하고 있다. 한편 난기중에 실린더 내의 가솔린은 기화 상태가 좋지 않고 연소가 불안정해 연소 속도도 지연되기 때문에 냉각수온이 낮은 경우에는 점화시기를 진각하여 주고 있다.

따라서 그림[4-38]과 같이 보정 점화 진각을 하기 위해 TPS(스로틀 포지션 센서) 및 WTS(수온 센서)가 입력으로 사용되고 있다. 여기에 노크 센서가 사용되는 차량의 경우는 노크 센서의 신호를 받아 ECU(컴퓨터)는 노킹 영역으로 판정하면 점화시기를 그 분만큼 지각하여 점화시기를 조정하도록 하는데 사용하고 있다. 이 경우는 노크 센서가 장착된 차량에 제한 된 것이므로 노크 센서가 없는 차량의 경우는 일반 주행시 점화시기를 제어하게 된다.

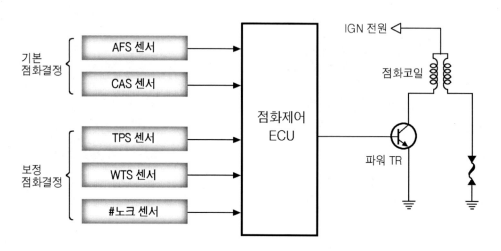

그림4-38 점화제어와 관계있는 센서

실제 점화시기의 산출은 그림[4-39]와 같이 초기 SET 점화시기와 기본 점화진각도, 보정 점화진간도에 노킹 컨트롤(터보차저 사양 차량만 해당) 점화 진각도를 더한 값으로 구할 수 있다.

그림4-39 실제 점화시기 결정의 보정 계수

① 초기 SET 점화시기

초기 세트(SET) 점화시기는 일반적으로 BTDC(상사점전) 5°로 고정되어 있는 값으로 시동시 점화시기나 점화시기 점검용으로 사용되고 있다. 이 값은 일반 주행시 점화시기와 관계없이 BTDC 5°로 고정되어 있어 초기 시동시 연료 분사와 동기되도록 하고 있는 점화시기이다.

② 기본 점화 진각도

기본 점화 진각도는 엔진의 흡입 공기량과 엔진의 회전수에 의해 결정되는 기본 분사펄스 신호와 엔진의 회전수 신호로 결정되는 일반 주행 상태에서의 기본 점화 진각도와 아이들(공회전) 상태에서의 점화 진각도를 포함하고 있다. 아이들(공회전) 상태에서 기본 점화 진각도는 차종에 따라서 다소 차이는 있지만 일반적으로 BTDC(상사점전) 7°로 하고 있다.

결국 기본 점화 진각도는 기본 연료 분사 펄스에 대해 엔진 회전수에 따라 ROM 내에 미리 기억되어 있는 3차원 맵(MAP)화 된 점화 진각도이다.

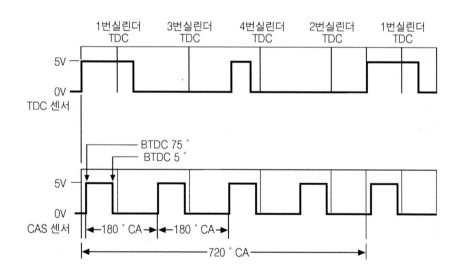

🔺 그림4-40 TDC센서 & CAS 신호(광전식)

사진4-39 광전식 CAS, TDC센서

사진4 10 CAS 내장 배전기

③ 보정 점화 진각도

점화시기 제어에도 연료 분사 제어와 같이 기본 점화 진각도에 운전 조건에 따라 변화하는 값을 보정하기 위한 보정 점화 진각도 제어를 하고 있다. 보정 점화 진각도는 엔진의 부하 이외의 운전 조건의 변화에 대응하여 점화시기를 상세하게 보정하기 위한 것으로 수온 보정, 대기압 보정, 흡기온 보정이 있다.

㉮ 수온 보정 : 수온 보정이라는 것은 엔진의 냉간시 운전성을 향상하기 위해 점화시기를 냉각수 온도에 대응하여 기본 점화 진각도에 보정하기 위한 진각도 제어를 말 한다. 냉각수 온도가 낮을 때에는 기본 점화 진각도에 그림〔4-41〕의 나타낸 특성분만큼 보정하여 진각하게 된다.

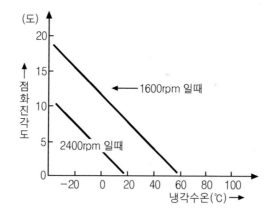

그림4-41 수온 보정의 진각도 특성

㉯ 대기압 보정 : 대기압 보정이란 앞서 설명한 연료 분사 제어와 같이 산악 지대를 주
행할 때 대기압에 따라 연료 분사를 대기압 보정하는 것에 맞추어 고지대의 운전성
을 확보할 목적으로 대기압이 낮을 때 점화시기를 진각하는 보정 제어를 말한다.

㉰ 흡기온 보정 : 흡기온 보정이란 노킹(knocking)을 방지할 목적으로 흡입 공기가 낮
거나 높을 때 점화시기를 지각하여 보정 제어를 하고 있는 것을 말한다.

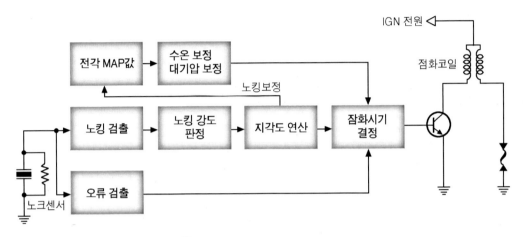

🔺 그림4-42 지각도 결정 흐름도

④ 노킹 제어

노킹 현상은 엔진이 저속 고부하 상태에서
자주 일어나는 것이 특징을 갖고 있는데 그림
〔4-43〕의 특성과 같이 노킹이 자주 일어나는
영역을 노킹 영역이라 한다. 노킹이 자주 일
어나는 노킹 영역을 설정하여 이 영역에서는
점화시기를 어느 정도 지각하여 주면 노킹을
예방 할 수 있다. 엔진의 각 운전 상태에서의
점화시기는 가능한 이상적으로 설정하여 놓
고 노킹이 발생 할 때에만 점화시기를 지각하
여 주면 노킹을 제어 할 수가 있다. 점화시기
제어에서 이것을 노킹 제어(노킹 컨트롤)라 한다.

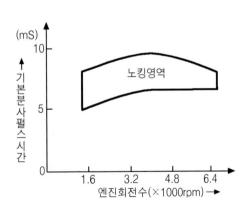

🔺 그림4-43 노킹 제어 영역 특성

터보차저 차량의 경우는 터보차저가 작동해 노킹이 발생 예상되는 고부하 영역에서 노킹을 검출하면 엔진 보호를 목적으로 기본 점화시기를 지각하여 노킹을 방지하는 기능이 있다. 노킹제어 영역은 엔진 고부하 상태에서 흡입 공기량 값에 엔진 회전수를 나눈 값으로 구할 수 있는데 엔진 1회전당 흡입 공기량이 규정치 보다 많은 경우를 노킹 영역으로 설정하고 있다.

노킹 제어 영역은 엔진 1회전 당 흡입 공기량이 규정치 이상시 최대 지각량은 보통 크랭크 각 12°로 설정하고 있다. 노킹 제어 기능이 노크 센서의 단선 또는 단락에 의해 이상이 생기는 경우에는 노킹에 의해 피스톤이 손상이 되지 않도록 자동적으로 점화시기를 5 ~ 7° 정도로 고정시켜 지각하도록 제어하고 있다. 이것을 전자 제어에서는 페일 세이프 모드(fail safe mode)라 표현하고 있다.

(2) 아이들시 점화시기

아이들시 점화시기란 엔진 회전수와 관계없이 기어가 중립 상태에서 스로틀 밸브가 전폐(완전 닫힌 상태) 상태의 점화시기를 말하며 스로틀 밸브가 전폐 상태에서 아이들 점화시기의 특성도는 그림[4-45]에 나타낸 특성도와 같다.

기어가 중립 상태인 경우에는 엔진 회전수가 높아도 실제 엔진에는 부하가 걸리지 않기 때문에 아이들 회전수 이상이 되어도 점화시기는 변화하지 않고 일정한 것을 볼 수 있다.

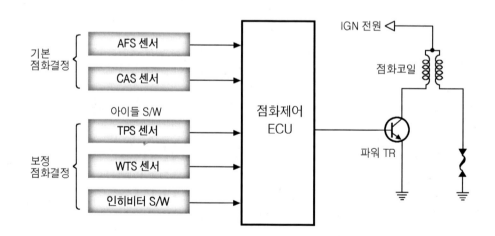

🔺 그림4-44 아이들시 점화시기와 관련된 센서

그러나 기어가 변속이 되면 엔진에 부하가 걸려 아이들 상태라도 점화시기는 아이들 점화시기보다 진각하여 제어하게 된다. 이 경우 기어 변속은 인히비터 스위치의 중립 신호를 기준으로 변속 상태인가, 중립 상태인가를 ECU(컴퓨터)는 판정하여 점화시기를 제어하게 된다.

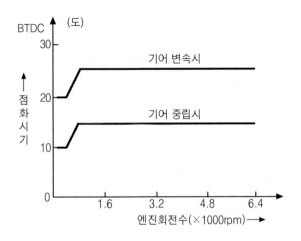

🔺 그림4-45 아이들시 점화시기 특성

한편 엔진의 난기중인 상태에서는 아이들 회전수를 안정시키기 위해 엔진의 냉각수 온도를 검출하여 점화시기를 진각하고 있다. 따라서 아이들시 점화시기를 결정하기 위해서는 그림〔4-44〕와 같이 기본 점화시기를 결정하는 AFS(에어 플로 센서)와 CAS(크랭크 각 센서) 신호를 기준으로 하고 아이들 상태를 검출하여 점화시기를 조정하기 위해서는 스로틀 개도 신호인 TPS와 아이들

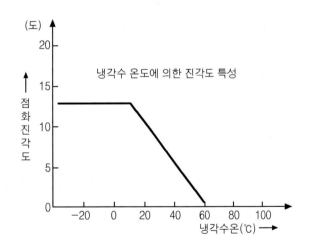

🔺 그림4-46 냉각수 온도에 의한 진각도

스위치, 냉각수 온도를 검출하는 WTS(냉각 수온 센서), 기어 변속을 검출하는 인히비터 스위치 신호가 입력되어 아이들 점화시기를 조정하고 있다.

249

[3] 시동시 점화시기

시동시에는 배터리 전압이 저하 및 엔진이 냉각 상태 등에 의해 엔진이 대단히 불안정하게 되기 때문에 점화시기를 강제적으로 BTDC(상사점전) 5°로 고정하여 점화하고 있는 것을 시동시 점화시기 또는 초기 SET 점화시기라 한다. 또한 자동차의 경우에는 같은 조건의 운전 상태라도 냉각수 온도나 대기압 등의 영향으로 정확한 점화시기를 얻을 수 얻기 때문에 별도로 점화시기 조정용 단자를 이용해 강제로 점화시기를 BTDC(상사점전) 5°로 고정하여 점검용으로 이용하도록 하는 차량도 있다.

점화시기를 고정하는 사냥의 성우 엔진 회전수가 1200 rpm 이상 상승하면 일반 주행 상태로 점화시기를 제어하기 때문에 점검시 주의 할 필요가 있다.

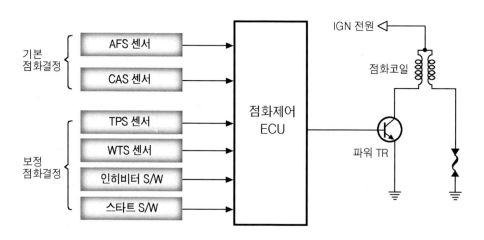

그림4-47 시동시 점화시기와 관련된 센서

---

point ●

점화시기 제어

1 점화시기의 결정

① 기본 점화시기 결정 : 기본 분사 펄스 신호와 엔진 회전수 및 ROM 내의 점화시기 데이터에 의해 결정
  - 크랭크 각 1°의 시간 = 크랭크각 1주기 시간 ÷ 180
  - ※ 점화시기 = 크랭크 각 1°의 시간 × (75° − ROM 내의 점화시기)
  - 실제 점화시기 = 초기 SET 점화시기 + 기본 점화 진각도 + 보정 점화 진각도 + 노킹 제어(터보 사양)

2 **실제 일반 주행시 점화시기**

① 초기 SET 점화시기 : 점화시기 점검시나 시동시 점화시기로 보통 BTDC 5°로 고정

※ 1200 rpm 이상시 초기 SET 점화시기 제어 해제

② 기본 진각도 : 흡입 공기량에 따라 엔진 회전수에 대응하는 점화시기로 ROM 내에 맵화 돼 기억된 점화시기

③ 보정 점화 진각도 : 엔진의 운전 조건에 따라 변화하는 것을 맞추기 위해 보정하여 주는 점화시기

- 수온 보정 : 운전성 향상을 위해 냉각수 온도가 낮을 때 진각하는 보정
- 대기압 보정 : 고지대의 대기압차를 보정하기 위한 진각 보정
- 흡기온 보정 : 노킹을 방지하기 위해 흡기온도가 낮을 때나 높을 때 점화시기를 지각하는 보정

④ 노킹 제어 : 노킹 발생이 예상되는 고부하 영역에서 노킹이 발생되는 엔진을 보호할 목적으로 지각하는 보정

※ 노킹 제어 영역 : 보통 엔진 1회전당 흡입 공기량이 규정치 이상시 최대 지각량을 약 12° 정도이다.

3 **아이들시 점화시기**

엔진 회전수와 관계없이 기어의 중립 상태에서 스로틀 밸브가 전폐 상태의 점화시기를 말한다. 보통 아이들 상태의 점화시기도 포함된다.

■ 3. 통전 시간 제어

[1] 점화 신호

전자 제어 엔진의 점화시기는 연료 분사 후 이루어지므로 기본 연료 분사를 결정하는 기본 분사 펄스 신호와 엔진 회전수와 ROM 내의 데이터 값에 의해 결정되며 실제 점화시기는 그림[4-48]과 같이 기본 점화를 결정하는 신호와 운전 조건에 따라 변화하는 보정 점화 신호에 의해 결정하게 된다. 이렇게 결정된 점화시기는 ECU(컴퓨터)는 점화 신호를 출력하여 파워 TR(트랜지스터)의 베이스 전류를 차단하게 되고 파워TR의 베이스 전류 차단은 점화 1차 코일의 전류를 차단하게 돼 고압을 발생하게 한다.

고압 발생은 점화 플러그로부터 불꽃 방전을 발생하게 해 연소실의 혼합 가스를 착화시키게 된다. 한편 포인트 방식의 점화 장치는 디스트리뷰터의 캠 축을 통해 실린더의 압축 상사점이 결정되면 접점을 차단해 점화 1차 코일을 차단하도록 하여 점화 플러그에 불

꽃을 발생하도록 하여 연소실에 혼합 가스를 착화 시키도록 하고 있다.

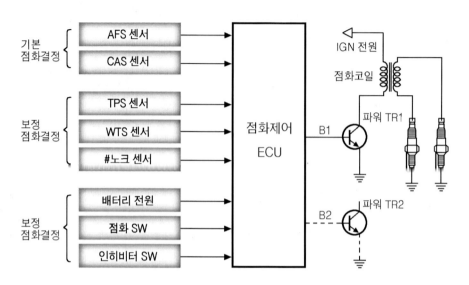

그림4-48 점화제어의 입력센서와 점화회로

　　그러나 최근의 자동차는 엔진의 고성능화로 디스트리뷰터(배전기)가 없는 DLI (Distributor Less Ignition) 방식을 적용하고 있는 차량의 증가 추세에 있어 과거에 사용된 포인트 방식의 디스트리뷰터 캠 축을 통해 실린더의 위치를 검출하는 대신 전자 제어 엔진에서는 그림〔4-49〕와 같이 CAS(크랭크 각 센서)를 통해 실린더의 위치를 검출하고 이 신호를 기준으로 점화시기를 결정하도록 하고 있다.

사진4-41 동시 점화 방식(DLI)

사진4-42 독립 점화 방식(DLI)

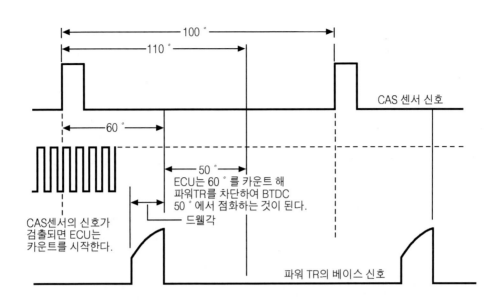

CAS 센서 신호

ECU는 60°를 카운트 해
파워TR를 차단하여 BTDC
50°에서 점화하는 것이 된다.

드웰각

CAS센서의 신호가
검출되면 ECU는
카운트를 시작한다.

파워 TR의 베이스 신호

🔺 그림4-49 점화신호의 결정

예를 들면 그림〔4-49〕와 같이 ECU가 압축 상사점을 검출하는 TDC 센서 또는 CPS (캠 포지션 센서) 신호를 통해 압축 상사점전 70~110° 근처에 설정된 값과 CAS(크랭크 각 센서)의 신호를 감지하면 이 신호를 기준으로 ECU는 카운트를 개시하기 시작한다. 카운트를 한 값이 점화시기에 다다르면 ECU(컴퓨터)는 점화 신호를 출력하여 점화 1차 코일의 전류를 차단하게 한다.

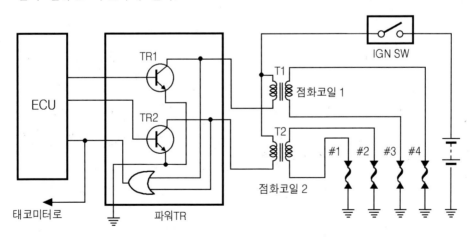

🔺 그림4-50 DLI 점화회로(4기통)

즉 카운트를 한 값이 60° 이라면 점화 신호(파워 TR의 베이스 신호)는 파워 TR의 베이스 전류를 차단하여 점화 1차 전류를 차단하게 한다. 파워 TR의 베이스 전류를 차단하는 시점이 BTDC 50°가 되는 것이다. 그러나 이렇게 파워 TR이 점화 코일의 1차 전류를 차단으로 인해 점화 플러그에 불꽃방전을 하여도 연소실의 혼합 가스 착화는 불꽃 방전의 세기와 시간에 따라 착화 미스로 이어질 수 있는 문제점이 따르게 된다. 이것은 점화 플러그의 불꽃 방전의 세기와 시간에 직접 관계되는 점화 코일의 2차 출력 전압이 점화 1차 전류에 비례하기 때문이다.

사진4-43 CPS(캠 포지션 센서)

사진4-44 CPS의 장착위치

[2] 통전 시간 제어

포인트식 점화 장치에서 말하는 폐각도 제어 또는 캠각 제어라고 하는 것은 점화 1차 전류의 단속 시간을 제어하는 것을 말하는 것으로 결국 점화 1차 전류의 에너지의 크기를 제어하여 점화 2차 코일을 통해 연소실에 좋은 불꽃 방전을 만들기 위한 것이다. 이것을 드웰 각(dwell angle) 제어 또는 점화 통전 시간 제어라고도 부르고 있다.

드웰 각 또는 통전 시간은 엔진 속도가 고정된 상태라면 고정된 드웰 각으로 점화 1차 전류를 제어하며 되지만 드웰 각은 그림[4-51]과 같이 엔진 회전수가 상승하거나 배터리 전압이 저하하면 점화 1차 전류는 감소하게 되고 점화 2차 출력도 감소하여 결국 점화 플러그 불꽃 방전의 전기 에너지는 저하되어 점화 성능은 떨어지게 된다.

결국 드웰 각 제어 또는 통전 시간 제어라는 것은 배터리 전압 저하나 엔진의 회전수 상승에 의한 점화 1차 전류가 저하하는 것을 방지하기 위해 점화 1차 전류를 일정히 유지

할 수 있도록 제어하여 주는 것을 말하는 것이다. 이렇게 하여 점화 1차 코일에 흐르는 전류를 약 5~6A 정도의 전류가 배터리 전압 강하나 엔진의 회전수에 의해 저하되지 않도록 하고 있다. 일반적으로 드웰 각은 파워 트랜지스터가 ON 상태인 동안 크랭크의 회전각 나누기 점화 간극에 상당하는 크랭크의 회전각으로 나타내고 있다.

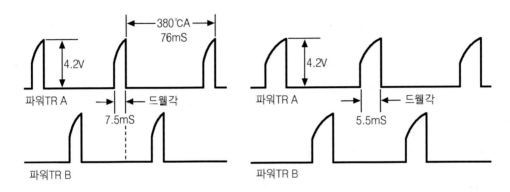

🔺 그림4-51 파워TR(트랜지스터)의 베이스 신호

한편 드웰 각 제어를 점화 1차 코일의 통전 시간으로 표현하여 보면 배터리 전압이 저하하면 점화 1차 코일의 통전 시간을 길게 하고 엔진 회전수가 상승해도 통전 시간이 감소하지 않고 일정하게 유지하도록 하는 것을 통전 시간 제어라 말 한다. 파워 트랜지스터의 베이스(base) 신호가 그림[4-51]과 같이 HIGI 상태로 올라가 있는 동안의 시간이 점화 1차 코일의 통전 시간, 즉 드웰 각이 된다.

그림[4-51]의 파워 TR의 베이스 신호는 2코일 사용한 점화 방식으로 1개의 점화 코일이 2개의 실린더를 점화하도록 하는 동시 점화 방식이다. 그림[4-51]과 같이 2개의 점화 코일을 사용하는 점화 방식에서 1개의 파워 TR 신호가 OFF에서 OFF까지 걸리는 시간은 크랭크 각이 360°가 되어 결국 2개의 파워 TR 신호가 OFF에서 OFF까지 걸리는 시간은 크랭크 각 180°에 해당하게 된다.

따라서 그림에서 나타낸 드웰 각은 아이들시에는 약 16.4°를 나타나게 되고 엔진의 회전수가 3500rpm 인 경우에는 56.5°가 되는 셈이 된다.

또한 2개의 점화 코일을 이용해 점화하는 방식이 1개의 점화 코일을 사용하는 방식보다 통전 시간 제어에 있어서 유리한 것은 1개의 점화 코일을 사용하는 경우 엔진이 고속

회전하면 통전 시간을 제어한다고 하더라도 점화 플로그로부터 충분히 방전시켜야 할 시간이 필요하게 되므로 통전 시간을 크게 하는 데에는 한계가 있게 된다. 이것은 통전 시간의 최대값은 점화하는 동안의 캠의 회전각－방전 시간 중에 캠의 회전각으로 결정되어 지기 때문이다.

🔺 사진4-45 동시점화용 파워 TR

🔺 사진4-46 동시점화용 점화코일

이 통전 시간의 최대값은 1개의 점화 코일 방식과 2개의 점화 코일 방식에서도 동일하다. 그러나 2개의 점화 코일을 사용하는 경우는 점화하는 동안 캠 각이 1개의 코일을 사용할 때보다 2개의 점화 코일을 사용하는 경우가 점화 기간이 2배가 되기 때문에 2개의 점화 코일을 사용하는 방식이 결국 통전 시간을 그 만큼 크게 할 수 있어 유리하다. 예를 들면 점화 플러그로부터 방전하는 방전 시간이 2(㎳)이고 최고 출력 발생 회전수인 6000rpm을 가정하여 생각하여 보면 1개의 점화 코일을 사용하는 경우 점화 간극은 캠각의 90°인 반면 2개의 점화 코일을 사용하는 경우는 180°가 된다.

엔진 회전수가 6000rpm에 방전 시간이 2(㎳)는 캠 각 36°에 해당 한다. 따라서 1개의 점화 코일을 사용하는 경우 가능한 통전 시간(드웰 각)은 90° - 36° = 54°가 되지만 2개의 점화 코일을 사용하는 방식의 경우 가능한 통전 시간(드웰 각)은 180° - 36° = 144°가 되므로 2개의 점화 코일을 사용하는 방식이 엔진의 고속 회전에서 1개의 점화 코일을 사용하는 경우보다 2개의 점화 코일을 사용하는 경우가 2배 만큼 가능한 통전시간 (드웰 각)을 제어 할 수 있는 범위가 넓어지는 셈이 된다. 따라서 최근에 전자 제어 엔진은 점화 코일을 1개 사용하여 디스트리뷰터(배전기)를 이용해 점화 신호를 실린더에 공급하는 방식보다 점화 코일 2개를 사용해 실린더 2개 또는 점화 코일 1개에 1개의 실린더를 점화시키는 독립식 점화 장치를 사용하는 DLI(Distributor Less Ignition)이 점화 방식이 증가 추세에 있다.

지금 까지 통전 시간 제어 또는 드웰 각 제어에 대해 설명하였지만 전자 제어 엔진은 고장 점검에서 그 다지 신경을 쓰지 않아도 된다. 이 값은 앞서 설명한 바와 같이 점화 기간은 엔진 회전수당 정해져 있는 시간에서 엔진의 운전 조건에 따라 ROM 내에 기억되어 있는 데이터 값에 따라 자동으로 변화하기 때문에 실제 통전 시간 제어가 어떻게 이루어지고 있는 지만 알고 있으면 차량을 진단하는 데에는 문제가 되지 않는다.

point

통전 시간 제어

1 점화 신호

(1) **점화 신호의 기준이 되는 센서**
- TDC 센서(CPS) : 압축 상사점을 검출하는 센서
  ※ 압축 상사점 설정 : 70~110°
- CAS : 크랭크 각의 회전 신호로 점화 신호의 기준이 되는 센서

(2) **점화 신호** : ECU는 CAS의 기준 신호를 확인 하면 카운트를 시작하여 점화시점이 다다르면 파워 TR의 베이스를 통해 점화 신호를 출력한다.

2 통전 시간 제어

(1) **통전 시간** : 점화 1차 코일이 ON되는 시간을 말한다(즉 파워 TR의 베이스 신호가 HIGH 레벨이 되어 파워 TR이 ON되어 있는 시간을 말함)
  ※ 통전 시간 제어 = 드웰 각 제어 = 폐각도 제어 = 캠각 제어는 같은 말
- 통전 시간=파워 TR ON 동안 크랭크 회전각÷불꽃 방전 동안 크랭크 회전각

(2) **통전 시간 제어를 제어하기 위한 이유**
  배터리 전압이 저하나 엔진의 회전수가 상승하여도 통전 시간이 일정하면 실제 불꽃을 방전하는 시간이 짧아져 점화시 착화 미스로 이어지게 되는 것을 방지하기 위해 배터리 전압이 저하하면 통전 시간을 길게 하고 엔진 회전수가 상승하여도 통전 시간이 일정하게 확보 할 수 있도록 제어하는 것을 통전 시간 제어라 한다.

(3) **1개의 실린더에 2개 이상 점화 코일을 사용하는 이유**
  1개의 점화 코일을 사용하는 경우는 점화 신호 구간(파워 TR OFF 구간)이 일정 하지만 2개의 코일을 사용하는 경우 점화 신호 구간(파워 TR OFF 구간) 을 짧게 할 수 있어 그 만큼 통전 시간을 길게 할 수 있는 이점이 있다.

 공회전 속도 제어

■ 1. 공회전 속도 제어 장치

공회전 속도 제어(아이들 스피드 제어)는 그림[4-52]와 같이 스로틀 밸브가 전폐되어 있는 상태에서 실린더 내의 흡입 공기량을 스로틀 밸브의 통로 외에 별도의 바이 패스 통로를 통해 흡입 공기의 량을 0~15% 정도 ISC 액추에이터를 통해 가감 하는 장치로 솔레노이드 코일을 이용한 액추에이터 방식과 모터의 스텝수를 제어하는 스텝 모터 방식이 이용되고 있다. 엔진의 공회전 속도는 낮으면 소음이나 진동에는 좋지만 너무 낮으면 엔진 출력이 낮아져 부하의 증가에 의해 엔진의 회전수가 불안정하게 되고 심한 경우에는 시동이 꺼지는 경우가 발생하게 된다.

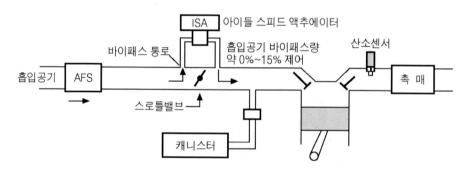

그림4-52 공회전 속도제어 장치

사진4-47 호스식 ISC 액추에이터

사진4-48 부착식 ISC 액추에이터

반대로 공회전 속도가 너무 높으면 연비가 악화되고 이에 따른 배출 가스도 증가하게 되는 문제로 엔진의 냉간시나 부하시 엔진의 공회전 속도(아이들 스피드)를 제어 해 줄 필요가 있다. 따라서 공회전 속도 제어(아이들 스피드 제어)는 ECU(컴퓨터)를 통해 스로틀의 바이 패스 통로를 액추에이터 및 스텝 모터를 통해 미세 조절이 가능하기 때문에 그림[4-53]과 같이 엔진이 입력 신호 조건에 따라 공회전 회전수를 제어해 주고 있다. 공회전 속도(아이들 속도 제어) 제어에는 엔진의 운전 조건에 따라 다음과 같이 제어 들이 있다.

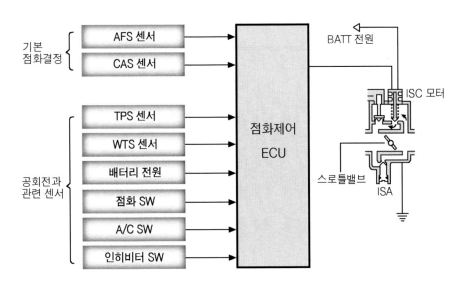

🔺 그림4-53 공회전수와 관련있는 입력 센서

[1] 시동시 제어

시동시 엔진의 시동성을 향상하기 위해 냉각수 온도에 따라 흡입 공기량의 제어하는 공회전 속도 제어(아이들 스피드 제어)를 말한다.

[2] 퍼스트 아이들 제어

시동 후 엔진의 웜-업(warm up) 시간을 단축하기 위해 냉각수 온도에 응답하여 정해진 회전수를 하는 퍼스트 아이들(fast idle) 제어가 있다. 초기 시동시 엔진 rpm이 목표 회전수 까지 상승하였다 냉각수 온도가 서서히 상승하면 엔진 회전이 공회전 상태로 안정로 안정되는 제어를 말한다.

(3) 아이들 업 제어

에어컨 스위치를 ON 시 또는 자동 변속기 차량의 경우는 기어의 중립 상태에서 D-레인지로 전환할 때 오토 트랜스미션의 충격을 완화하기 위해 정해진 목표 공회전수를 제어하는 기능, 및 기타 전기 부하에 의해 엔진 회전수가 떨어지는 것을 방지하기 위해 일정 목표 회전수를 제어하여 기능을 아이들 업(idle up)제어라 한다. 이 기능은 차종에 따라 전기 부 하를 감지하는 상태가 다소 차이가 있을 수 있으나 근본적인 기능은 동일하다.

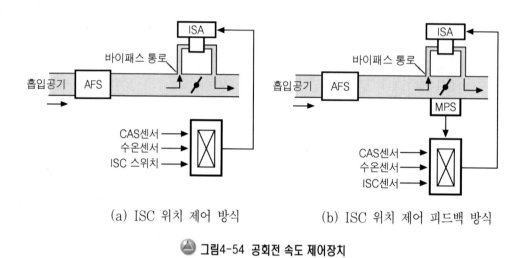

(a) ISC 위치 제어 방식   (b) ISC 위치 제어 피드백 방식

🔺 그림4-54 공회전 속도 제어장치

(4) 대시 풋(dash pot) 제어

주행중 급감속시 스로틀 밸브가 급격히 닫혀 실린더의 내의 과농한 공연비에 의해 배출가스 증가 및 차량의 충격을 감소하기 위해 엔진의 회전수를 서서히 감소하는 기능으로 ISC 액추에이터를 제어하여 스로틀 밸브가 급격히 닫히는 경우에도 엔진의 회전수가 서서히 감소하도록 제어하는 기능을 말한다.

(5) 림 홈(limp home) 기능

림 홈(limp home)제어란 공회전 속도에서 페일 세이프(fail safe) 기능과 같다. 이 기능은 ISC 액추에이터의 전원의 단선이나 출력 신호선이 단선으로 제어가 불가능 한 경우를 대비해 운전에 필요한 최소 회전수가 유지 되도록 ISC 액추에이터가 일정분 열려 있도록 하는 기능을 말한다.

사진4-49 호스식 ISC 조정장치

사진4-50 부착식 ISC 조정장치

2. 공회전 속도 제어 방식

(1) 솔레노이드 방식의 공회전 속도 제어

스로틀 밸브의 바이 패스 통로의 개폐 정도를 조절하는 액추에이터에는 그림[4-54]와 같이 솔레노이드 코일을 이용한 액추에이터 방식과 스텝 모터를 이용해 모터의 스텝 수를 제어 하는 스텝 모터 방식이 적용되고 있다.

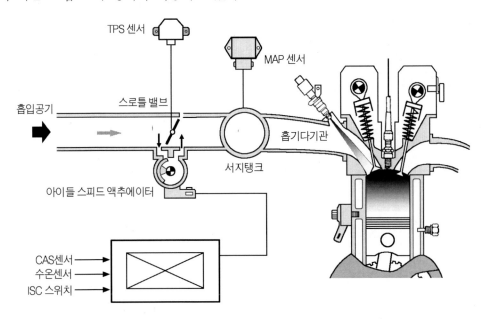

그림4-55 로터리 솔레노이드 방식의 바이패스 통로 제어

솔레노이드 코일을 이용한 액추에이터 방식은 코일에 흐르는 전류값의 크기에 따라 밸브를 회전하도록 하여 바이패스 공기의 흐름 통로 면적을 조절하는 전자 밸브이다. 즉 이 방식은 ECU(컴퓨터)로부터 입력 조건에 따라 ISC 액추에이터 출력 신호원으로 듀티 제어(펄스 폭 제어) 신호를 출력하여 ISC 액추에이터의 밸브 개폐 정도를 결정하고 있다. 이 방식은 비교적 구조가 간단하며 밸브 자체가 솔레노이드 코일을 이용, 회전하게 하므로 스로틀의 상류측과 하류측의 압력차에 의한 영향을 받지 않고 밸브를 개폐 할 수 있는 이점이 있다.

또한 리니어 솔레노이드 방식의 액추에이터는 제어하는 공기량이 작은 량을 제어하는 방식으로 흡입 공기 밸브를 같이 사용하고 있는 방식이다. 이 방식도 로터리 솔레노이드 방식과 동일하게 솔레노이드 코일에 전류량을 제어하는 방식으로 ECU(컴퓨터)로부터 듀티 제어(펄스 폭 제어)를 통해 액추에이터의 밸브 정도를 제어하는 방식이다.

🔺 사진4-51 로터리 솔레노이드 방식

🔺 사진4-52 리니어 솔레노이드 방식

[2] 스텝 모터 방식의 공회전 속도 제어

스텝 모터를 이용한 방식은 스텝 모터의 계자 코일에 흐르는 전류를 단계적으로 흘려 모터의 회전을 정회전 또는 역회전 시키는 방식으로 스텝 모터의 펄스 신호에 의해 정교하게 밸브의 개폐를 제어 할 수 있는 특징이 있다. 이 방식은 차종에 따라 다소 차이는 있지만 DC 모터를 이용해 스로틀 밸브를 직접 열고 닫는 방식과 그림[4-56]과 같이 스로틀 밸브의 바이 패스 통로를 스텝 모터의 회전수에 따라 개폐 정도를 결정하는 스텝 모터 방식이 사용되고 있다. 스로틀 밸브를 직접 구동하는 방식은 비교적 큰 토크가 요구되기 때문에 DC 모터를 사용하여 스로틀 밸브의 개폐 위치를 제어하고 있다. 이 방식은 주로 크루즈 컨트롤 시스템(cruise control system)에 적용되는 차량이나 액셀러레이터 포지션 센서를 이용해 스로틀 개도를 제어하는 ETC(전자 스로틀 방식)에 채택하고 있다. 그림[4-56]과 같은 방식은 바이패스 통로가 2개를 가지고 있는데 하나는 스크류를 조정하여 바이 패스 공기량를 조절하는 ISA(아이들 스피드 어드저스트) 스크류가 있어서 공회전 속도 제어 후 공회전 속도를 미세 조정하기 위해 사용하고 있는 스크류이다.

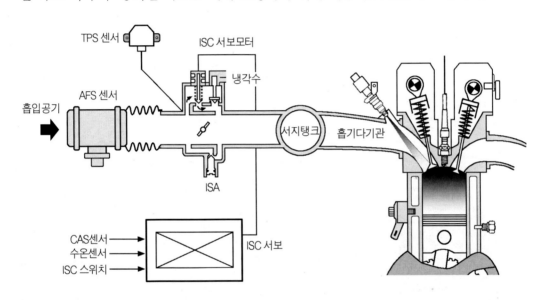

그림4-56 스텝 모터 방식의 바이패스 통로 제어

이 방식에는 FIAV(Fast Idle Adjust Air Valve)가 바이 패스 통로에 설치되어 있어서 냉각 수온에 의해 바이 패스 통로를 조절하고 있다. FIAV 밸브가 설치된 ISC 제어 방식은 서모 왁스 방식으로 엔진이 냉간시 공회전 속도(아이들 스피드)를 높이기 위해 사용되며 냉각 수온이 약 50℃ 정도에서 전폐하도록 하고 있다.

3. 공회전 속도 제어

공회전 속도 제어(아이들 스피드 제어)의 기본적인 조건은 스로틀 밸브가 전폐 상태인 경우, 트랜스미션의 기어 위치가 중립에 있는 경우이며, 기어의 중립 상태가 아닌 경우에는 대쉬 포트 제어와 감속시 차속이 정지 직전(5km/h 이하시 정도)으로 떨어진 경우에 행한다. 한편 공회전 속도 제어(아이들 스피드 제어)는 기어가 중립 상태인 경우 일지라도 엔진의 연소 상태를 확인 할 수가 있으며 초기 아이들 업 제어 가 정상적으로 작동하지를 확인하여 봄으로 엔진의 작동 상태를 알 수 있는 중요한 제어이다.

공회전 속도 제어(아이들 스피드 제어)는 ECU(컴퓨터)가 공회전 속도 제어를 듀티 신호값으로 명령하면 아이들 액추에이터는 명령에 따라 공회전 속도(아이들 회전수)를 제어하는 아이들 액추에이터 방식이 있으며 이 방식은 ECU(컴퓨터)으로부터 듀티 신호(펄스 폭 제이 신호)를 출력하면 듀티 신호값 만큼 아이들 액추에이터를 정회전, 또는 역회전하여 바이패스 통로의 면적을 조절하도록 하고 있는 방식이다. 즉 공회전 속도(아이들 회전수)가 설정된 목표값을 제어하기 위해 아이들 액추에이터의 바이패스 통로의 면적을 듀티 신호(펄스 폭 제어 신호)로 제어하는 방식이다. 이 방식은 그림〔4-54〕의 (a)와 같이 입력 신호에 대응하여 목표 회전수를 제어하는 일 방향 제어 방식이다.

▲ 사진4-53 스로틀 보디의 전면

▲ 사진4-54 스로틀 보디의 후면

검출하여 피드-백 할 수 있도록 MPS(모터 포지션 센서)가 부착되어 있어 목표 회전수의 제어 위치를 피드-백 하도록 하고 있는 방식이다.

공회전 피드-백 제어인 경우에는 ECU(컴퓨터)가 그림〔4-53〕과 같이 입력 센서에 대응하여 미리 설정된 목표 회전수가 되도록 ISC 서보 모터를 제어하게 된다. ECU는 ROM(읽기 전용 메모리)에 미리 기억되어 있는 아이들 목표 회전수와 실제 엔진의 회전수를 ECU는 비교하여 실제 공회전 속도(아이들 회전수)가 높은 경우에는 공회전 속도를 낮게 제어하도록 ISC 서보 모터에 출력 신호를 내보낸다. 반대로 실제 엔진의 회전수가 목표 회전수 보다 낮은 경우에는 ECU(컴퓨터)는 공회전 속도를 높이도록 ISC 서보 모터에 출력 신호를 내 보내게 하는 방식을 공회전 피드백 제어 방식이라 한다.

그림〔4-57〕은 아이들 업 제어의 블록 다이어그램을 나타낸 것으로 공회전 목표 회전수가 냉각 수온의 입력값에 대응하여 설정되어 있는 것을 알 수가 있다. 실제 공회전 속도(아이들 회전수)는 냉각수 온도에 의해 크게 영향을 받고 있다. 차종에 따라 다소 차이는 있지만 실제 냉각수 온도가 약 60℃ 이상에서 공회전 속도(아이들 회전수)가 일정하게 유지되는 것이 일반적이다.

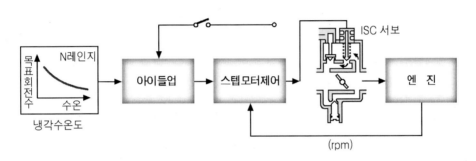

🔺 그림4-57 아이들 업 제어의 흐름도

🔺 사진4-55 부착된 TPS

🔺 사진4-56 부착된 아이들 스위치

그림〔4-58〕은 패스트 아이들 제어의 블록 다이어그램을 나타낸 것으로 아이들 업 기능과 같이 냉각수 온도에 대응하여 공회전 목표 회전수를 제어하는 것을 알 수가 있다.

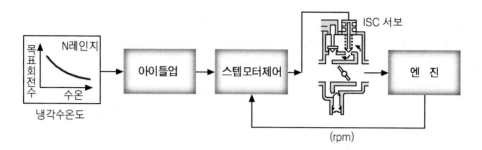

🔺 그림4-58 패스트 아이들 제어 흐름도(냉간시)

공회전 속도(아이들 회전수)는 그림[4-60]과 같이 냉각수 온도가 약 60℃ 이상이 되면 일정하게 공회전 속도를 제어하지만 그림[4-59]와 같이 에어컨 스위치가 ON 상태에 있거나, 파워 스티어링을 조작하거나, 오토미션의 시프트 레버를 N-레인지에서 D-레인지로 전환하면 일정하게 유지하던 공회전 속도(약 700~800 rpm 정도)가 아이들 업 기능에 의해 공회전 속도(아이들 회전수)가 상승하는 것을 그림[4-60]의 특성도를 통해 알수가 있다.

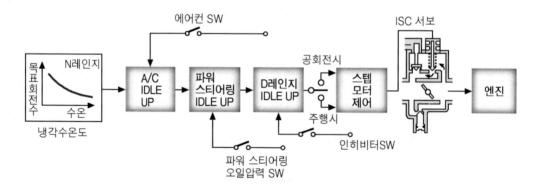

🔺 그림4-59 공회전 속도 위치 제어 흐름도

또한 냉각 수온이 약 90℃ 이상이 되면 공회전 속도(아이들 회전수)가 상승하는 것을 알 수가 있는데 이것은 냉각수의 순환량이 증가하고 냉각 수온이 상승해 쿨링-팬이 고속으로 회전하도록 되어 있어 전기 부하에 의한 아이들 회전수가 저하하는 것을 방지하기 위해 목표 회전수를 상승하도록 제어하고 있다.

차종에 따라 차이는 있지만 보통 공회전 속도 제어 기능 중에는 파어 스티어링의 조작이나 헤드라이트 같은 전기 부하에 대응하여 공회전 속도(아이들 회전수) 제어 기능도 가지고 있다.

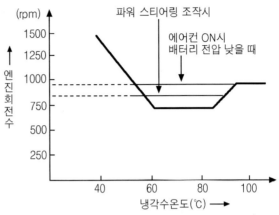

그림4-60 아이들 회전수 제어 특성도

사진4-57 부착된 ISC 스텝 모터

 point

회로의 본질

1 공회전 속도 제어(아이들 스피드 제어)

1. 공회전 속도 제어 장치

(1) 공회전 속도 제어

- 공회전을 하기 위한 목적 : 엔진의 회전속 안정성 확보 및 승차감 향상, 연비 개선 및 배출 가스 저감에 있다.
- 공회전 조건 : 기어 위치가 중립 상태, 스로틀 밸브 전폐 상태, 스로틀 밸브가 전폐 상태인 상태에서 아이들 SW가 ON상태이고 차속이 5km/h 이하일 때

※ 흡입 공기 제어량 : 스로틀 밸브의 바이패스 통로를 개폐 정도에 따라 0~15% 정도 제어

① 시동시 제어 : 시동성을 향상하기 위해 냉각수 온도에 대응한 제어

② 퍼스트 아이들 제어 : 시동후 웜-업 시간을 단축하기 위해 냉각수 온도에 대응하여 목표 아이들 회전수를 제어

- 냉각수 온도가 약 60 ℃ 이상에서부터는 공회전 속도는 일정

③ 아이들 업 제어 : 차량의 전기 부하 등에 의해 엔진 회전수가 떨어지는 것을 방지하기 위한 제어

④ 대시포트 제어 : 급감속시 엔진의 충격, 유해 배출 가스 배출을 방지하기 바이패
스 통로를 제어하는 기능

⑤ 림-홈 기능 : 페일 세이프 기능과 동일한 기능으로 전원 또는 ISC 액추에이터
단선시 바이패스 통로를 일정분 열려 있도록 하는 기능 또는 ISC 액추에이터를
제어하는 것을 말한다.

2. 공회전 속도 제어 장치

① ISC 액추에이터 방식 : 솔레노이드 코일을 이용한 액추에이터 방식
- 호스 연결형과 스로틀 밸브의 부착형을 사용하고 있다
- 작동 전압 : 듀티 신호 전압(펄스 폭 변환 신호 전압)
- 제어 방식 : 단 방향 제어

② 스텝 모터 제어 방식
- 작동 전압 : 디지털 신호 전압(펄스 신호 전압)
- 제어 방식 : 피드백 제어
- 스텝 모터 위치 제어 : 주행시는 아이들 목표치 보다 조금 바이패스 통로를 제어
하고 정지시는 아이들 목표치 보다 바이패스 통로를 더 열어 제어한다.
- ※ 피드백 제어 : ECU는 ROM 기억 장치에 미리 기억되어 있는 목표 회전수와 실
제 엔진 회전수를 비교하여 공회전수를 제어하는 방식
- MPS : 바이패스 통로의 개도 정도를 검출하는 센서로 실제 아이들 회전수를 비교
하기 위해 피드백 되는 센서이다.

연료 펌프 제어

1. 컨트롤 릴레이의 기능

전자 제어 엔진을 구동하기 위해 필요한 전원 공급을 절환하는 전자식 스위치가 컨트롤
릴레이(control relay)이다. 이 컨트롤 릴레이에는 연료 펌프 모터에 전원을 공급하는 연
료 펌프 릴레이와 기타 인젝터 및 연료 펌프 릴레이의 전원을 공급하는 컨트롤 릴레이로
구분되어 지는데 분리형 릴레이는 표(4-5)와 같이 컨트롤 릴레이와 연료 펌프 릴레이가
2개 각각 독립해서 사용하는 경우와 사진 [4-61]과 같이 컨트롤 릴레이 내에 연료 펌프
릴레이를 내장하여 일체화 시킨 릴레이 사용하고 있는 경우가 있다. 따라서 연료 펌프 릴
레이와 컨트롤 릴레이를 구분하여 부르지 않고 컨트롤 릴레이 또는 파워 릴레이라고 부르

고 있다.

컨트롤 릴레이의 기능은 자동차의 메이커와 차종에 따라 다소 차이는 있지만 근본 원리는 크게 다르지 않다. 예컨대 컨트롤 릴레이의 기능 중 연료 펌프 릴레이 만을 구동하기 위해 사용되는 경우와 연료 펌프 릴레이의 전원 공급은 물론 인젝터, ISC 액추에이터, 크랭크 각 센서 등의 전원 공급용으로 사용하는 차량도 있다.

[표4-5] 컨트롤 릴레이의 기능		
릴레이 구분	컨트롤 릴레이 기능	연료 펌프 릴레이 기능
분리형	- 연료 펌프 릴레이의 진원 공급 ※ 분리형 : 컨트롤 릴레이와 연료 펌프 릴레이 분리형	- 연료 펌프 모터의 전원 공급
일체형	- ECU, 인젝터, ISC 액추에이터, 연료 펌프 릴레이의 전원 공급 ※ 일체형 : 컨트롤 릴레이와 연료 펌프 릴레이 일체형	- 연료 펌프 모터의 전원 공급

※참고 : 연료 펌프 릴레이를 컨트롤 릴레이라고 표현하는 경우도 있다.

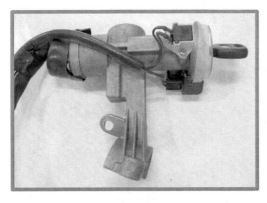

🔺 사진4-58 점화스위치 ASS'Y

🔺 사진4-59 일체형 컨트롤 릴레이

2. 연료 펌프 제어

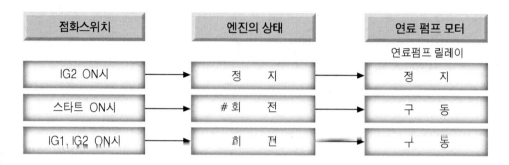

점화스위치	엔진의 상태	연료 펌프 모터
		연료펌프 릴레이
IG2 ON시	정 지	정 지
스타트 ON시	# 회 전	구 동
IG1, IG2 ON시	회 전	구 동

그림4-61 연료 펌프 모터의 작동 조건

[1] 분리형 컨트롤 릴레이

분리형 컨트롤 릴레이를 사용하는 경우 자동차 메이커에 따라 회로를 구동하는 방법은 다소 차이는 있지만 그림〔4-61〕과 같이 연료 펌프 모터가 엔진이 회전중에만 작동하도록 되어 있는 것은 동일하다. 그러면 컨트롤 릴레이와 연료 펌프 릴레이가 연료 펌프 모터에 전원을 어떻게 공급하는지를 살펴보도록 하자.

그림〔4-62〕와 같은 회로는 점화 스위치 ON시 엔진 오일 경고등 및 올터네이터의 충전 경고등은 점등되고 컨트롤 릴레이 내의 L1 코일은 자화되어 S1 접점은 ON 상태가 된다.

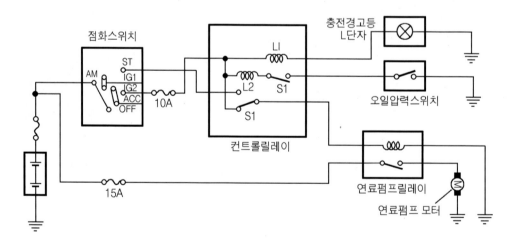

그림4-62 연료펌프 전원 공급 회로

S1 접점이 ON 상태가 되면 컨트롤 릴레이의 L2 코일은 오일 압력 스위치를 통해 IG2 전원의 전류가 흘러 L2 코일은 자화가 된다.

L2 코일의 자화는 S2 접점을 절환하게 된다. 이때 점화 스위치를 ST(스타트) 위치로 돌리면 S2 접점을 통해 연료 펌프 릴레이는 작동되고 배터리로부터 15A의 퓨즈를 거쳐 연료 펌프 모터에 전원을 공급하게 돼 크랭킹시 연료펌프 모터는 구동하게 된다. 여기서 점화 스위치를 ST(스위치)에서 IG2 위치로 절환하면 충전 경고등이나 오일 압력 스위치가 OFF 되어 컨트롤 릴레이의 L2 코일은 자화되지 않아도 S2의 접점은 IG2의 전원 공급을 받아 연료 펌프 모터는 회전을 계속하는 회로이다. 이와 같은 방식은 오일 압력 스위치가 이상이 발생하여 계속 OFF 상태가 되는 경우라면 IG2 전원이 S2 접점을 통해 연료 펌프 릴레이의 코일측에 지속 전원을 공급하게 되므로 엔진이 회전중이 아니라도 IG2 위치에서는 연료 펌프가 계속되는 경우가 발생하게 된다.

이에 반해 그림〔4-63〕과 같은 방식의 회로는 메인 릴레이를 통해 컨트롤 릴레이로 전원을 공급하고 컨트롤 릴레이 내에 있는 연료 펌프 릴레이는 크랭킹시 AFM(에어 플로미터)의 내에 있는 연료 펌프 스위치에 의해 작동되어 연료 펌프를 구동하고 있는 방식이다. 이 방식은 AFM의 접점 이상이 발생하는 경우에는 컨트롤 릴레이가 정상인 경우라도 연료 펌프 모터가 작동하지 않는 단점을 가지고 있어서 최근에는 그다지 사용하지 않고 있는 방식이다.

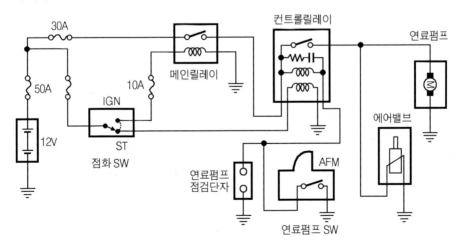

그림4-63 연료펌프 전원 공급 회로

(2) 일체형 컨트롤 릴레이

일체형 컨트롤 릴레이는 그림〔4-64〕와 같이 컨트롤 릴레이 내부에 연료 펌프 모터에 전원을 공급하는 연료 펌프 릴레이와 ECU, 인젝터, ISC 액추에이터, AFS(에어 플로 센서) 등에 전원을 공급하는 컨트롤 릴레이가 함께 내장되어 있는 릴레이로 일반적으로 컨트롤 릴레이 또는 파워 릴레이라 부르고 있다. 컨트롤 릴레이 내부에 내장된 연료 펌프 릴레이는 ECU가 제어하며 인젝터나 ISC 액추에이터의 전원을 공급하는 컨트롤 릴레이는 점화 스위치에 의해 구동하고 있다.

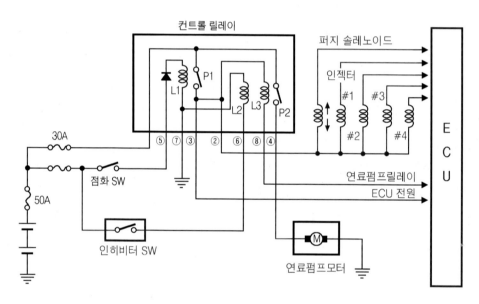

그림4-64 연료펌프 모터의 전원 공급 회로

① 연료 펌프 공급 회로의 동작

회로의 동작은 점화 스위치를 ON하면 컨트롤 릴레이의 L1코일을 통해 어스로 전류가 흘러 L1 코일은 자화되고 P1 접점은 ON 상태가 되어 P1 접점을 통해 배터리로부터 공급하고 있던 전원은 ECU로 공급하고 다른 한선은 인젝터 및 L3 코일에 전원을 연결하고 있다가 엔진이 회전을 하여 CAS(크랭크 각 센서)로부터 엔진 회전수 신호가 50rpm이상 ECU(컴퓨터)로 입력되게 되면 ECU는 연료 펌프 릴레이의 코일 L3를 통해 전류가 흐르도록 제어하게 되며 자화된 L3 코일은 접점 P2를 ON 시켜 연료 펌프 모터에 배터리로부터 연결되어 있는 전원을 공급하게 된다. 점화 스위치의 위치가 ST(스타트)에서 IGN(이

그니션) 위치에 오게 되면 인히비터 스위치를 통해 L2 코일에 전원을 공급하여 P2의 접점이 계속 ON 상태가 되도록 하고 있다. 또한 점화 스위치를 OFF 위치로 선택하는 경우에도 코일과 병렬로 콘덴서가 내장하고 있어서 약 6초간 P1 접점은 ON 상태를 유지하도록 하는 경우도 있다

▲ 사진4-60 일체형 컨트롤 릴레이

▲ 사진4-61 연료펌프 ASS'Y

② 연료 펌프 모터의 제어

연료 펌프 모터의 제어는 점화 스위치, 인히비터 스위치, 크랭크 각 센서 신호를 ECU가 입력 받아 엔진이 회전중에만 연료 펌프 릴레이가 구동하도록 제어하는 것을 연료 펌프제어라 한다.

point ●

공회전 속도 제어(아이들 스피드 제어)

1 컨트롤 릴레이의 기능

1. 컨트롤 릴레이의 구분
   - 분리형 : 컨트롤 릴레이(메인 릴레이) 및 연료 펌프 릴레이
   - 일체형 : 컨트롤 릴레이 = 메인 릴레이 + 연료 펌프 릴레이 또는 컨트롤 릴레이 = 컨트롤 릴레이 + 연료 펌프 릴레이

   ※ 일반적으로 메인 릴레이와 연료 펌프 릴레이를 합쳐 컨트롤 릴레이 또는 파워 릴레이라 부르고 있다.

2. 컨트롤 릴레이의 기능
   - 컨트롤 릴레이(메인 릴레이) : 인젝터, ISC 액추에이터(AAC 밸브), CAS(크랭크 각 센서), AFS(에어 플로 센서) 등의 전원 공급 또한 ECU의 전원 공급 신호 입력

- 연료 펌프 릴레이 : 연료 펌프 모터의 전원 공급
  (주) 자동차 메이커에 따라 다소 차이가 있음

2 컨트롤 릴레이의 작동

1. **연료 펌프 릴레이** : 크랭킹시 또는 엔진 회전중에만 작동
   ※ 엔진 회전수가 50rpm 이상시 연료 펌프 릴레이 구동
2. **컨트롤 릴레이** :
   - 점화 스위치 ON 시 작동
   - 점화 스위치 OFF 시 약 6초간 작동(컨트롤 릴레이 코일과 병렬로 콘덴서를 삽입한 경우)
   ※ 연료 펌프 모터의 제어 : IGN SW, 인히비터 SW, CAS의 신호를 ECU는 입력 받아 연료 펌프 릴레이를 구동하는 제어

 **8 기타 제어 기능**

1. 연료 커트(차단) 제어

전자제어엔진의 연료 분사 기능 중 연료를 커트(차단)하는 기능은 감속시 연료 커트와 고속 회전시 연료 커트 기능, 오버 부스트 기능으로 구분 할 수 있다. 감속시 연료 커트 기능은 배출가스를 억제하기 위한 기능이며, 고속 회전시 연료 커트 기능은 오버 런(over run)을 방지하기 위해 연료를 차단하는 기능이다. 터보차저 차량의 경우 과급압의 이상 상승을 방지하기 위해 오버 부스트를 제한하도록 연료를 커트하는 기능을 가지고 있다.

[1] 감속시 연료 차단 기능

감속시 갑자기 스로틀 밸브가 전폐(완전 닫히는 상태)가 되면 연소실의 혼합 가스는 부족한 상태가 돼 연소실의 혼합 가스는 불완전 연소로 인해 HC(탄화수소)는 급격하게 증가하게 된다. 이것을 방지하기 위해 감속 중에 연료를 커트(차단)하여 공연비가 매우 리치(과농한) 상태가 되는 것을 방지하여 HC(탄화수소)의 배출량을 억제하고 있다. 차량이 감속 상태를 검출하여 연료를 커트 하는 것은 스로틀 밸브의 개도가 전폐(완전히 닫힌 상태)에서 엔진의 회전수가 어느 회전 이상인 경우 감속에 의한 연료 커트를 ECU(컴퓨터)는 판단하게 된다.

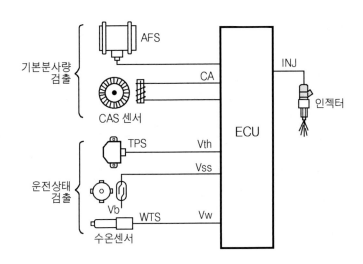

🔺 그림4-65 연료 커트 제어의 기본 모델

그림[4-65]와 같이 연료의 기본 분사량을 결정하는 것은 AFS(에어 플로 센서)와 CAS(크랭크 각 센서)의 입력 정보에 의해 결정하지만 차량의 감속 상태인지 판단하는 것은 스로틀 밸브의 개도 신호인 TPS(스로틀 포지션 센서)와 엔진의 회전수를 검출하는 CAS(크랭크 각 센서) 신호에 의해 결정한다. 감속시 연료 커트 회전수는 그림[4-66]에 나타낸 특성과 같이 차종에 따라 다소 차이는 있지만 일반적으로 스로틀 밸브가 전폐 된 상태에서 1500 rpm 이상이면 감속 제어로 판단하고 ECU(컴퓨터)는 연료를 커트하고 있다. 또한 냉각 수온이 낮은 경우에는 1500 rpm 보다 높은 경우에 연료를 커트하도록 하고 있다.

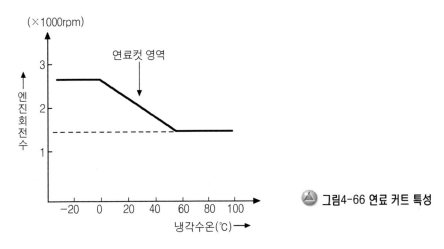

🔺 그림4-66 연료 커트 특성

사진4-62 가속 검출 스로틀 보디

사진4-63 차속 검출 드리븐 기어

[2] 고속 회전시 연료 차단 기능

스로틀 개도가 전개된 상태에서 엔진 회전수가 약 7000 rpm 이상인 경우 엔진의 허용 한계치를 넘지 않도록 연료를 차단하고 있다. 또한 차종에 따라 다르지만 차량의 최고 속도를 제한하기 위해 어느 차종은 시속 180(km/h) 이상인 경우 ECU는 차속 센서의 신호를 입력 받아 연료를 커트하는 경우도 있다. 연료 커트는 엔진 회전수를 검출하는 CAS(크랭크 각 센서) 신호에 의해 결정하지만 최고 속도 제한 기능은 차속 신호의 입력을 받아 결정한다. 차속 센서가 단선이 되어 입력이 되지 않는 경우에도 인젝터의 분사 펄스폭은 스로틀 개도 신호와 밀접한 관계를 가지고 있어 TPS(스로틀 포지션 센서) 신호, CAS 신호, AFS(에어 플로 센서) 신호에 의해 결정한다.

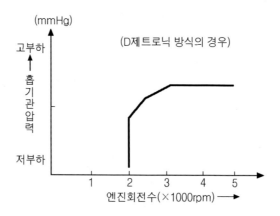

그림4-67 연료 커트 특성

(3) 오버 부스트 제한 기능(타보 차저 사양)

터보 차저 사양의 차량인 경우는 과급압이 비정성적으로 높아가면 연료의 공급량을 커트(차단)하여 엔진 출력을 억제 해 과급압이 이상 상승하는 것을 방지하고 있다. 이 기능은 부스터의 압력을 검출하는 부스터 압력 센서를 기준으로 판단하여 실행하고 있다.

■ 2. EGR 제어

(1) EGR 제어의 기능

자동 배출 가스중 NOx(질소산화물)은 인체의 중추 신경을 마비하고 호흡기의 점막을 손상하는 등의 유해 배출가스로 공기 중에 약 3/4 정도가 질소 성분으로 이루어져 있어서 자동차의 연소 과정에서 그 부산물로 NOx이 배출되지 않을 수가 없는 환경이 되어 있다. CO(일산화탄소), HC(탄화수소)의 배출 가스는 엔진이 불완전 연소의 결과로 발생하지만 질소산화물은 완전 연소에서 오히려 증가하게 되는 문제점을 가지고 있다.

NOx은 연소 온도가 약 2000℃ 정도가 되면 급격히 증가하는 경향이 있기 때문에 NOx을 감소하기 위해서는 연소실의 온도를 낮추는 방법을 생각 할 수 있다. 따라서 연소실의 온도를 낮추기 위해 배출중의 가스의 일부를 흡기측에 되돌려 연소실 온도를 낮추는 것을 EGR(Exhaust Gas Recirculation : 배기가스 재순환)기능이라 한다.

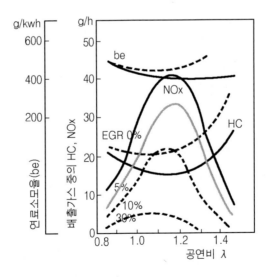

그림4-68 EGR율에 의한 연비 변화

실제로 연소실의 온도를 낮추기 위해 배출 가스 중 약 15% 정도를 재순환 시키면 연소실 내에 불활성 가스(CO_2)가 유입되어 연소실의 연소 작용은 최악의 상태로 되고 폭발 행정시 연소 온도가 낮아져 NOx의 양은 최고 60% 정도의 량이 현저하게 감소하게 된다. 그러나 배출 가스 중에 재순환율을 증가시키면 반대로 혼합기의 착화성이 떨어지게 돼 엔진 출력이 현저하게 감소하게 되는 문제점을 가지고 있어서 NOx의 많이 배출되는 운전 영역에 맞추어 재순환 율을 조절하여 줄 필요가 생기게 된다. 전자 제어 EGR 장치는 이러한 점을 감안 엔진의 운전 상태에 따라 EGR율(배출 가스 재순입)을 EGR 밸브를 통해 제어하고 있다.

$$EGR율 = \frac{EGR가스량}{(흡입 공기량 + EGR가스량)} \times 100\%$$

(2) EGR 제어 장치

가솔린 차량의 EGR 제어 장치는 기계식과 전자 제어식이 있으며 기계식 EGR 장치에는 흡기관의 부압을 이용한 부압 제어 방식과 연소 가스의 배압을 이용한 배압 제어식이 이용되고 있다.

부압 제어 방식의 경우는 스로틀 밸브에 가까이 있는 홀을 통해 흡기 부압(진공)이 발생되면 진공을 호스를 통해 EGR 밸브의 니플(nipple)과 연결되어 EGR 밸브의 다이어프램에 흡기관 부압이 작용하게 돼 다이어프램과 연결된 니들 밸브를 밸브시트로부터 들어 올려진 밸브를 통해 배기측의 가스가 흡기관의 부압에 의해 빨려 들어가도록 되어 있다. 이 방식은 흡기관의 부압을 이용하여 EGR율을 조절하는 비교적 간단히 EGR율을 조절하지만 엔진의 부하에 따라 EGR율이 증가하여 엔진이 고부하 영역에서는 오히려 엔진 출력이 떨어지는 결점을 가지고 있다.

반면 배압 제어 방식은 엔진의 연소 가스 배압(back pressure)이 흡입 공기량과 거의 선형적 관계를 가지고 있어 이것을 이용해 EGR 밸브의 부압이 항상 일정하게 제어하도록 BPT(Back Pressure Transducer) 밸브를 사용하고 있는 방식이다. BPT 밸브의 작동은 스로틀 밸브가 개방지게 된다. 벤추리부의 압력이 대기압 가까이 떨어지게 되면 BPT 밸브는 열려 EGR 밸브와 호스로 연결되어 있던 부압실이 대기압 상태로 돼 EGR

밸브는 닫히게 된다.

이와 같이 흡기간의 부압을 이용해 부압 상승에 따른 압력을 BPT 밸브를 통해 EGR 밸브를 조절하여 EGR율이 부압에 따라 크게 변화하지 않도록 하고 있는 방식이다. 이 방식은 엔진의 고부하 상태에서도 EGR율을 일정하게 조절할 수 있는 이점이 있어 기계식 방식으로는 많이 적용하고 있는 방식이기도 하다. 그러나 기계식 방식은 엔진 부하에 대응해 EGR율을 제어하는 영역폭(약 0~15%)이 적어 엔진의 운전 조건에 따라 EGR율을 제어할 수 있도록 전자 제어 방식의 EGR 제어를 도입하고 있다.

🔺 사진4-64 EGR밸브(부압식)

🔺 사진4-65 장착된 EGR 밸브

(3) 전자 제어식 EGR 제어

전자 제어 EGR 시스템은 그림[4-69]와 같이 엔진의 운전 상태를 각 센서로부터 검출하여 ECU(컴퓨터)는 EGR 제어 신호를 출력하여 EGR 솔레노이드 밸브를 구동하고 EGR 솔레노이드 밸브는 EGR 밸브의 개도를 제어하는 방식이다. EGR 제어는 엔진의 미리 설정된 EGR 량의 값이 ECU(컴퓨터) 내의 ROM(읽기 전용 메모리)에 맵핑화 되어 있어 흡입 공기량과 엔진 회전수에 대응하여 ECU(컴퓨터)는 최적의 EGR 제어 신호를 출력하게 된다.

EGR 제어 신호는 듀티(펄스 폭 변화 신호) 신호에 의해 EGR 솔레노이드 밸브를 듀티 제어하도록 하고 있다. 이 값은 엔진의 회전수와 엔진의 부하에 따라 기본 듀티값과 냉각수 온도 및 배터리 전압의 변화에 따른 보정 듀티값이 합으로 결정된다.

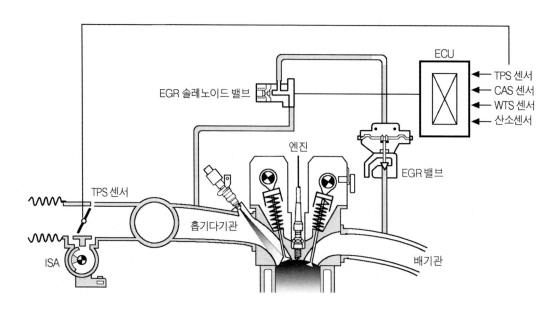

🔺 그림4-69 전자제어 EGR제어 시스템의 구성도

🔺 사진4-66 EGR 밸브

🔺 사진4-67 EGR 솔레노이드 밸브

① EGR의 동작 조건

　　EGR 제어는 다음 동작 조건을 모두 만족한 경우에 EGR 제어를 하게 된다. 냉각수 온도가 80℃ 이상인 난기 상태이며 엔진이 난기되어 산소센서가 활성화 되어 있을 때 산소센서가 피드백 제어를 하고 있는 경우는 대부분 EGR 제어도 같이 제어하고 있다. 또한 아이들 스위치가 OFF 상태(아이들 이외의 영역)일 때 EGR 제어를 하기 위한 조건을 만족하게 된다. 한편 EGR 제어를 하지 않는 경우는 냉각수 온도가 낮거나 시동시나 저속상태일 때 또는 저부하 영역 및 연료 커트 제어를 하고 있을 때는 EGR 제어를 하지 않게 된다.

3. 퍼지 컨트롤 제어

퍼지 컨트롤 제어는 연료 계통이나 실린더 케이내의 증발 가스를 제거하기 위한 장치로 증발가스는 주로 미연소 가스나 연료 탱크 내의 온도 상승으로 연료의 체적 팽창과 압력 상승으로 연료 탱크 내의 부압이 발생되지 않고 대기중으로 방출되는 것을 방지하기 위해 그림[4-70]과 같이 퍼지 솔레노이드 밸브를 이용하여 실린더의 미연소 가스나 연료 탱크의 증발 가스를 퍼지 솔레노이드 밸브를 이용 활성탄이 내장된 차콜 캐니스터를 통해 흡착하도록 하고 있는 장치이다.

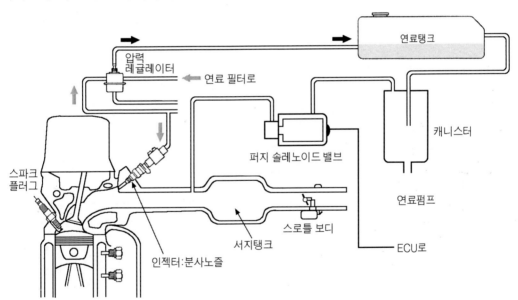

🔺 그림4-70 증발가스 제어 시스템 구성도

퍼지 컨트롤 밸브의 작동 조건은 엔진의 냉각수 온도가 80℃ 이상인 난기 상태이여야 하며 공회전 이외의 영역에서 공연비 학습을 하지 않는 경우 퍼지 컨트롤 밸브는 작동하

도록 되어 있다. 퍼지 컨트롤 밸브는 듀티 제어(펄스 폭 제어) 또는 ON, OFF 제어(듀티 0% : 밸브 닫힘, 100% : 밸브 열림)를 하며 듀티 제어는 주로 엔진 회전수 및 부하에 의해 결정된다.

🔺 사진4-68 퍼지 솔레노이드 밸브　　　🔺 사진4-69 차콜 캐니스터

4. 에어컨 릴레이 제어

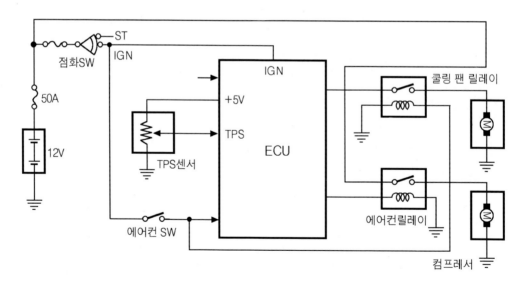

🔺 그림4-71 에어컨 작동 회로

앞서 공회전 속도 제어에서 설명한 바와 같이 에어컨 ON시 컴프레서 작동으로 엔진 회전수가 저하하면 아이들 업 기능을 통해 공회전 속도(아이들 회전수)를 제어하는 것을 설명한 것과 같이 에어컨 스위치를 ON시 ECU(컴퓨터)는 에어컨을 작동하라는 신호로 받아 들여 ECU는 에어컨 릴레이를 구동하도록 하고 있는 것을 에어컨 릴레이 제어라 한다.

ECU는 에어컨 스위치를 통해 에어컨이 작동을 알리면 그림〔4-71〕의 회로와 같이 ECU는 에어컨 릴레이를 구동하여 컴프레서의 마그네틱 클러치에 전원을 공급하도록 하고 있다. 또한 에어컨 릴레이 제어는 스로틀 밸브의 개도가 약 65° 이상 열리는 가속 운전시 ECU(컴퓨터)는 약 5초간 에어컨 릴레이 출력을 차단하여 가속 성능을 향상하도록 하고 있다.

 point

기타 제어 기능

1 연료 커트 제어

(1) 감속시 연료 커트 제어
- 감속시 스로틀 밸브의 전폐로 배출 가스가 증가하는 것을 방지하기 위해 연료를 커트하는 제어
- 스로틀 밸브가 전폐된 상태에서 엔진 회전수가 1500rpm 이상시

(2) 고속 주행시 연료 커트 제어
- 엔진의 오버 런을 방지하기 위해 연료 커트하는 제어
- 엔진 회전수가 약 7000rpm 이상시 연료 커트
- 주행 속도 제한을 위한 연료 커트(차종에 따라서 다름)

2 EGR, 퍼지 컨트롤 제어

(1) EGR 제어 장치의 종류
- 부압식 : 흡기관의 부압을 이용 EGR 밸브을 직접 제어하는 방식
- 배압식 : 흡기관의 부압을 이용 일정 부하에서 EGR량을 일정하게 유지되도록 배압 밸브를 조절하여 EGR 밸브를 제한하는 방식

※ EGR의 목적 : 연소 온도가 2000℃ 이상에서 급격히 증가하는 NOx를 절감하기 위해 배출 가스를 0~15% 정도 흡기측에 재순환하여 연소실의 온도를 낮추어 NOx를 감소

(2) EGR의 동작 조건
- 엔진의 냉각 수온 온도가 80℃ 이상인 난기 상태에서 고부하 운전시
- 산소센서의 피드백 제어 조건에서 대부분 작동

(3) 퍼지 컨트롤 제어
- 증발 가스를 방지하기 위해 크랭크 케이스의 증발 가스를 캐니스터로 흡착시키기 위해 퍼지 솔레노이드 밸브의 개도를 듀티 제어

(4) 에어컨 릴레이 제어
- 에어컨 컴프레서 릴레이를 구동하기 위해 에어컨 스위치 신호를 입력받아 에어컨 릴레이를 구동하는 제어

9 터보차저 제어

1. 연료 압력 제어

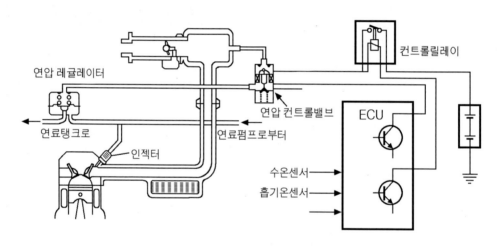

🔺 **그림4-72 연료 압력 제어 시스템**

터보차저(turbo charger)엔진은 실린더의 충진 효율을 높이기 위해 배기가스의 압력을 이용 터빈을 돌려 터빈과 같은 축에 있는 원심 압축기도 같이 회전을 하게 되면 흡기측에 다량의 배기가스가 유입하게 돼 연소실의 압력을 과급하는 장치를 터보차저라 한다. 터보 차저(turbo charger) 장치가 부착된 엔진을 줄여서 터보 엔진이라 칭하기도 한다.

터보 차저 엔진의 전자 제어 기능은 터보 차저 장치가 부착된 부가적인 기능 외에 자연 흡기 방식의 전자 제어 엔진의 기능과 동일하지만 이 절에서는 터보 차저 장치가 부착된 전자 제어 엔진의 기능 만을 설명하고자 한다. 터보 차저의 전자 제어 기능은 연료 라안의 압력을 제어하는 연료 압력 제어와 과급압 공기를 제어하는 과급압 제어와 가변 흡기 제어, 그리고 차량의 종류에 따라 터보 미터 제어 기능과 AFS(에어 플로 센서)의 리셋(reset) 기능을 가지고 있는 차량도 있다.

▲ 사진4-70 연료펌프 모터

▲ 사진4-71 연압 레귤레이터

[1] 연료 압력 제어

연압 제어는 터보 차저 장치가 장착된 엔진에 적용되는 것으로 엔진의 냉각수 온도가 고온 상태에서 시동을 할 때 연료 라인의 압력을 일시적으로 높이는 제어를 말 한다. 이것은 엔진 온도가 상승한 상태에서 엔진 시동을 끄면 엔진 내부는 통풍성이 좋지 않아 엔진룸 내부는 심한 경우는 약 130℃ 까지 상승하게 되고 인젝터 및 연료 라인에 관계되는 부분 또한 100℃ 가까이 온도가 상승하게 된다.

이렇게 엔진이 정지된 상태에서 연료 라인에 온도가 상승하게 되면 연료 라인은 엔진을 정지한 후에도 잔압이 걸려 있어 인젝터 및 연료 라인은 높은 온도로 비승하여 연료 라인 내에는 베이퍼(vapor)가 발생하고 만다. 이렇게 되면 연료 라인 내의 가솔린 일부가 기화되어 재 시동시 시동성이 떨어지는 현상이 발생할 수 있어 이것을 방지하기 위해 냉각수 온도가 고온 상태에서 재시동시 연료 압력을 일시적으로 높여 연료 라인 내에 베이퍼(vapor)를 빨리 빼내도록 하는 제어 기능을 연료 압력 제어 기능이다.

연료 압력 제어 시스템의 구성도는 그림[4-72]와 같이 연압 컨트롤 밸브를 ECU가 제어하여 연압 레귤레이터를 통해 제어하도록 구성되어 있다. 동작은 ECU(컴퓨터)가 수온 센서와 흡기온 센서의 신호를 받아 연압 컨트롤 밸브를 ON 시키면 연압 레귤레이터의 부압실에는 대기압이 도입되게 된다. 연압 레귤레터는 통상시 서지 탱크와 통하게 되어 있어 흡기관의 압력과 같은 압력이 되어 있는 상태이다. 연압 레귤레터의 다이어프램실에 대기압이 도입 될 때에는 연료 압력은 흡기관의 부압과 관계없이 2.55kg/㎠으로 일정하게 된다.

이 장치가 없는 경우는 시동시 연압이 2.55kg/㎠ 보다도 흡기관의 부압분 만큼 낮아져 시동성이 떨어지게 된다. 즉 연압 제어는 엔진이 고온 상태에서 시동성을 향상하기 위해 시동시 수온 센서 및 흡기온 센서의 신호를 받아 ECU(컴퓨터)는 일시적으로 연압 컨트롤 밸브를 통전하는 기능을 말한다.

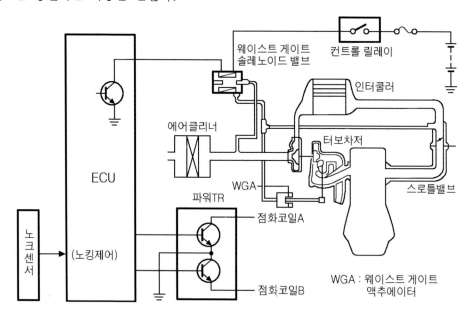

그림4-73 과급압 제어 시스템 구성도

2. 과급 압력 제어

터보차저 엔진은 연소실의 과급압 증가로 노킹 발생 환경이 자연 흡기 방식 엔진 보다 높기 때문에 그림〔4-73〕과 같이 노킹 센서의 신호를 받아 웨이스트 게이트 솔레노이드 밸브(일명 과급압 제어 솔레노이드 밸브라 칭하기도 함)를 제어하여 과급압 제어하는 장치이다.

ECU에는 과급압을 제어하는 목표치가 보통 휘발유(regular gasoline)와 고급 휘발유(premium gasoline)용의 2가지 종류의 데이터가 기억되어 있어 ECU는 휘발유의 종류를 노크 센서에 의해 판별하여 해당 연료의 노킹 영역을 제어하도록 하고 있다.

과급압 제어의 동작을 살펴보면 그림[4-74]와 같이 ECU는 웨이스트 게이트 솔레노이드 밸브(과급압 제어 솔레노이드 밸브)를 통해 웨이스트 게이트 액추에이터를 구동하도록 되어 있다. 웨이스트 게이트 액추에이터의 다이어프램 실에 작용하는 제어압은 웨이스트 게이트 솔레노이드 밸브를 이용 대기압 측에 일부를 경감 및 유지를 하여 2단계로 과급압의 고·저를 제어하도록 하고 있다. 웨이스트 게이트 솔레노이드 밸브를 통해 제어압을 일부 경감시키게 되면 웨이스트 게이트 액추에이터에 작용하는 압력이 저하하여 웨이스트 게이트 밸브의 열림 및 닫힘은 지연되어 각 주행 영역에서 과급압은 높게 된다.

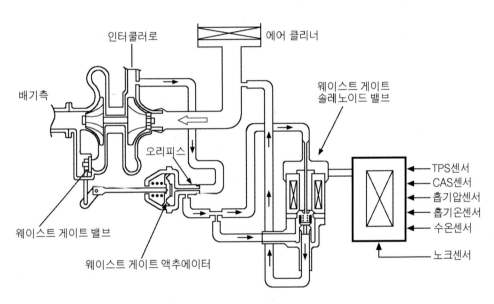

🔺 그림4-74 과급압 제어 흐름도

만일 사용 연료가 고급 휘발유라 가정하면 ECU(컴퓨터)는 노킹 컨트롤 시스템에 의해 노킹 영역에 따른 사용 연료를 판정하고 웨이스트 게이트 솔레노이드 밸브(과급압 제어 솔레노이드 밸브)를 ON시킨다.

웨이스트 게이트 솔레노이드 밸브가 ON상태가 되면 액추에이터의 제어용 압력은 에어 클리너 하단부로 보내지게 돼 그 만큼 과급압은 상승하게 된다. 이에 반해 사용 연료가 일

반 휘발유를 사용하는 경우는 ECU는 사용 연료를 판정하여 웨이스트 게이트 솔레노이드 밸브를 OFF 시켜 액추에이터의 제어용 압력은 에어 클리너 하단부로 보내주던 제어용 압력이 차단되어 그 만큼 과급압은 낮게 제어하게 된다.

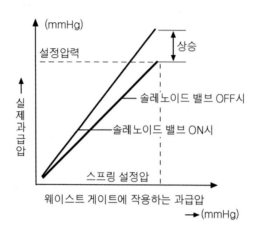

그림4-75 과급압 솔레노이드 밸브의 제어

3. 가변 흡기 제어

[1] 가변 흡기 시스템이 적용

가변 흡기 제어는 1 실린더에 2개의 흡기 밸브가 있는 DOHC 엔진에 적용되므로 DOHC 엔진에 터보차저가 장착된 차량에 적용된다. 1 기통에 2개의 흡기 밸브가 되어 있는 구조에 흡기 포트를 2개로 분활하여 하나는 프라이머리-포트, 다른 하나는 세컨더리-포트로 분활되어 있는 구조로 저속 영역에서는 프라이머리-포트로만 흡기를 공기를 공급하도록 세컨더리-포트를 개폐하여 컨트롤 밸브를 제어하고 있다. 이렇게 진공모터를 이용 컨트롤 밸브를 개폐하므로서 저속 영역에서 프라이머리-포트 만으로 흡기를 공급하게 되면 흡입되는 공기의 유속이 빨라져 관성 과급 효과와 같은 엔진의 저속 토크를 향상 할 수 있는 방법이다.

가변 흡기 제어 시스템은 그림[4-76]과 같이 서지 탱크로부터 2 계통이 분활된 흡기 포트의 세컨더리 포트 측에 진공 모터에 의해 개폐되는 컨트롤 밸브가 설치되어 있어서 진공 모터에 진공 탱크에 축적되어 있는 흡기 매니폴드 부압이 작용하면 컨트롤 밸브는 세컨더리 포트를 닫게 한다. 배큠 라인을 컨트롤 하는 것은 ECU(컴퓨터)의 명령에 의해 가변 흡기 솔레노이드 밸브를 ON 시켜 진공 탱크(진공 탱크)에 축적된 흡기 매니폴드의 부압이 진공 모터에 도입되도록 하기 위함이다.

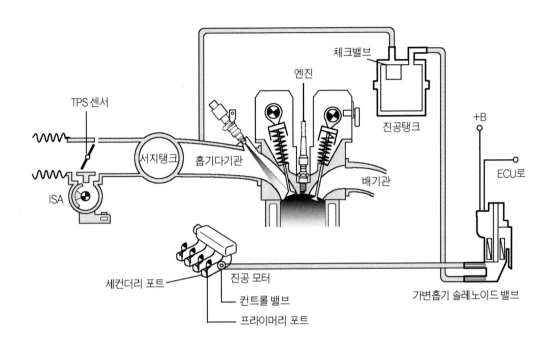

그림4-76 가변 흡기 제어 시스템의 구성도

[2] 시스템이 작동

가변 흡기 제어는 엔진 회전수가 4000rpm 이하인 저·중속 회전 영역에서는 ECU는 가변 흡기 솔레노이드 밸브가 ON 되도록 제어한다. 가변 흡기 솔레노이드 밸브가 통전이 되면 진공 탱크에 축적된 부압은 컨트롤 밸브를 닫아 프라이머리-포트 만 개폐되는 결과 가 돼 관성 과급 효과를 가져오게 한다.

엔진 회전수가 상승하여 5000rpm 이상이 되면 ECU(컴퓨터)는 가변 흡기 솔레노이 드 밸브를 OFF 시켜 가변 흡기 솔레노이드 밸브와 진공 탱크(배큠 탱크)를 연결한 호스 의 통로를 차단하게 돼 컨트롤 밸브는 개방되게 한다. 이 결과 프라이머리 포트와 세컨더 리 포트가 모두 열려 있는 상태가 돼 고속영역에서 토크를 향상하도록 제어하고 있다.

4. 기타 제어

[1] AFS 필터 리셋 제어

AFS(에어 플로 센서) 리셋 제어 기능은 자동차의 메이커에 따라 터보차저 사양 차량에 적용되는 기능으로 차량이 감속시 터보차저의 영향에 의해 흡입 공기량의 측정 오차를 감소하기 위해 이 기능을 두고 있다.

AFS의 리셋 제어 기능의 작동 시스템은 그림[4-77]과 같이 AFS 내부에 리셋(reset) 기능을 가지고 있어 ECU(컴퓨터)로부터 LOW 신호가 출력되면 AFS는 초기 상태로 리셋되도록 한다.

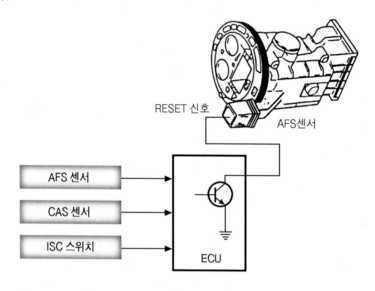

🔺 그림4-77 AFS 리셋 제어 시스템 구성도

터보 차저에 의한 과급 압력 상태에서 고부하 운전 중 감속을 하게 되면 ECU(컴퓨터)는 AFS로 리셋 신호를 출력하게 된다. ECU로부터 출력된 리셋 신호(LOW 신호)는 AFS에 입력되면 AFS 센서 내의 모듈레이터를 리셋하도록 해 고부하, 감속시 AFS의 측정값은 초기값으로 절환하도록 하는 기능이다.

[2] 배기온 경고등 제어

배기온 경고등 제어는 삼원 촉매 장치의 과열을 방지하기 위해 배기측이 과열되면 배기온 경고등을 점등시켜 운전자에게 사전 주의를 알려주는 기능이다. 배기온 경고등 제어 시스템은 배기측에 고온을 감지하는 고온 센서를 장착하여 센서부의 온도가 900℃ 이상 높은 온도가 되면 ECU(컴퓨터)는 이 신호를 받아 배기온 경고등 점등 신호를 출력하도록 제어한다. 배기온 센서는 높은 온도를 감지하는 센서로 열전대형 센서 또는 서미스터 센서를 이용하고 있다. 열전대형 센서는 온도에 따라 기전력이 발생하는 열전대 기전력형으로 약 37㎷ 이상 기전력이 1초 이상 ECU로 입력되면 배기온 경고등이 점등되도록 하고 있는 방식이다(이 값은 차종에 따라 다소 차이가 있음).

(3) 터보 미터 제어

터보 미터 제어는 계기판 내에 장착된 터보 미터를 작동하기 위한 제어를 말한다. 일반적으로 터보 미터는 압력 센서를 이용 흡기관 압력을 검출, 표시하는 방식이 많이 사용되고 있다. 압력 센서를 사용하지 않는 방식은 연료 기본 분사량을 산출하는 엔진 회전수당 흡입 공기량을 산출, 표시하는 방식을 채택하고 있다. AFS, CAS 신호에 의해 산출된 엔진 1회전당 흡입 공기량은 ECU가 산출하여 그림〔4-78〕과 같이 디지털 신호로 출력하면 타코 미터는 이 값을 평균값으로 표시하게 하고 있다.

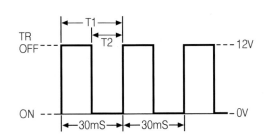

그림4-78 터보미터 구동 신호

point

터보 차저 제어

1 연료 압력 제어

(1) 제어 목적
- 엔진이 고온 상태 시동은 연료 라인 내에 베이퍼를 발생시켜 시동시, 시동이 지연되는 것을 방지하기 위해 일시적으로 연료 압력을 높이는 제어

(2) 연료 압력

① 자연 흡기 방식 : • 정 지 시 = 2.3~2.7 kg/㎠
 • 아이들시 = 2.7~3.4 kg/㎠

② 터보 차저 방식 : • 정 지 시 = 2.3~2.7 kg/㎠
 • 아이들시 = 2.7~3.4 kg/㎠

(3) 제어 조건 : 냉각수 온도 약 100℃ 이상시 연료 압력 제어

2 과급압 제어

(1) 제어 목적

– 사용 연료의 옥탄가에 따라 노킹이 발생하는 것을 방지하기 위해 실린더 내이 과급압을 2단계로 제어

(2) 제어 조건

– 노크 센서의 신호를 받아 미리 설정된 ROM 내의 데이터 값에 따라 웨이스트 게이트 솔레노이드 밸브를 ON, OFF제어

3 가변 흡기 제어

: DOHC엔진 + 터보 사양 차량

(1) 제어 목적 : 저중속 영역에서 흡입 공기의 관성 효율을 증대하기 위해 세컨더리 흡기 포트를 차단하여 저중속 영역에서 엔진 토크를 향상하고 있다(DOHC 엔진에 해당).

(2) 제어 조건 : RPM이 약 4000 rpm 이상시 가변 흡기 솔레노이드 밸브 ON
 RPM이 약 5000 rpm 이상시 가변 흡기 솔레노이드 밸브 OFF

4 터보 차저 제어(차종에 따라 기능 채택)

(1) AFS 필터 리셋 제어

① 제어 목적 : 차량 감속시 터보 차저 영향으로 흡입 공기의 측정량이 오차를 감소하기 위해 감속시 일시적으로 AFS를 리셋하는 제어

(2) 배기온 제어

① 제어 목적 : 촉매의 과열을 방지하기 위해 배기측의 온도를 감지하여 900℃ 이상시 배기온 경고등을 점등하여 운전자가 사전에 알 수 있도록 하는 제어

(3) 터보 미터 제어

① 제어 목적 : 과급압의 작동 상태를 계기로 식별할 수 있게 하는 제어

05
자기 진단

5 CHAPTER

자기 진단

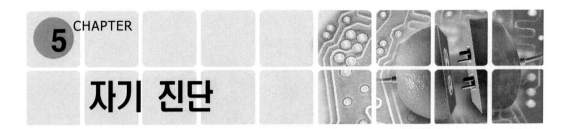

자기 진단 제어

1. 자기 진단 기능

전자 제어 엔진이 이상이 있는 경우나 배출 가스 관련 부품에 이상이 발생하는 경우 고장 내용에 따라 고장 코드(DTC)를 정하여 고장 내용에 따라 ECU 내의 RAM 메모리에 자동으로 기록되도록 하고 경고등(MIL : Malfunction Indicator Lamp)을 점등 시켜 운전자가 전자 제어 엔진에 이상이 있다는 것을 알려 주는 기능이 있어서 차량 이상시 점검 위치를 쉽게 확인 할 수가 있다. 또한 최근에는 ECU(컴퓨터)가 전자 제어 엔진의 구성 부품 성능을 모니터링 하도록 하고 있어 구성 부품의 서비스 데이터 만으로도 구성부품이 이상여부를 판단할 수 있도록 하여 한층 진단 점검이 쉽게 되었다.

본래 전자 제어 엔진의 자기 진단(diagnosis) 기능은 차량의 대기 오염을 방지할 목적으로 배출가스와 관련 부품이 이상이 있는 경우 MIL(경고등)을 점등 시켜 운전자에게 알려 가까운 정비 공장으로부터 가능한 일찍 정비 할 수 있도록 하기 위해 OBD를 규정하여 놓은 것이었지만 컴퓨터의 빠른 발전으로 ECU(컴퓨터)의 입·출력 이상시 freeze fram 기능(DTC 발생시 ECU에 기록할 수 있는 기능) 뿐만 아니라 ready test 기능(배출가스 장치의 모니터링)을 하는 기능을 가지게 되었다. 따라서 전자 제어 엔진 차량의 이상시 기본 점검으로 가장 우선 점검하여야 하는 것이 자기 진단(diagnosis) 기능이다.

자기 진단시 주의할 점은 점검시 DTC 코드(DTC : Diagnostics Trouble Code)가 발생하였다 하더라도 과거 정비시 발생한 DTC코드(고장 코드) 인지를 확인할 필요가 있어 DTC 코드를 삭제한 후 다시 동일 DTC 코드가 발생하는 지를 확인하여야 한다. 그렇

지 않은 경우 DTC 코드 내용 만으로 점검을 하게 되면 교환하지 않아도 될 부품을 교환하는 일이 생기는 오류를 범할 수 있기 때문이다.

🔺 사진5-1 자기 진단

🔺 사진5-2 자기진단 커넥터

2. 고장 코드 읽는 법

센서 및 액추에이터에 단선이나 단락이 발생하면 ECU에는 미리 설정된 전압값과 비교하여 이상으로 판정하고 미리 약속하여 둔 DTC 코드를 RAM 메모리에 기억시킨다. 이 DTC 코드 정보는 ECU(컴퓨터)의 RAM 메모리에 기억되어 있어 ECU로 공급하는 전원을 차단하지 않는 한 소거되지 않는다. 따라서 과거에 센서의 일시적인 단선이 단락에 의해 기억된 고장 코드는 IGN 퓨즈를 제거하거나 배터리 터미널을 떼지 않는 한 과거의 이력 상태를 기억하고 있어서 자기 진단시 주의하여야 한다.

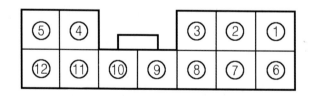

① ECI용(엔진)　　② EPS용(파워 스티어링)　　③ ECS용(서스펜션)　　④ ABS용(브레이크)
⑤ ASC용(크루즈)　　⑥ ELC용(오토 트랜스미션)　　⑦ A/C용(오토 에어컨)　　⑧ 기타
⑨ ON 쇼트 펄스 신호(DTC 코드 read)　　⑩ 자기진단 컨트롤 신호
⑪ Vss(서미 차속신호)　　⑫ 어스 단자

🔺 그림5-1 자기 진단 커넥터의 예

(1) 고장 코드 읽는 법

자기 진단을 하는 방법은 그림[5-2]와 같이 자기 진단 커넥터에 있는 원 쇼트 펄스 단자(DTC 점검용 단자)를 찾아 어스를 하면 ECU와 연결된 MIL(엔진 체크 경고등)은 점멸을 하게 된다. 이 값은 자동차 메이커별 미리 약속한 DTC 코드 값으로 출력하도록 하고 있어서 DTC 코드를 체크 램프(LED 체크 램프)를 통해 점멸 횟수 나 스코프를 이용하여 파형의 패턴을 읽을 수 있다. 최근에는 스캐너를 사용하여 DTC 코드(고장 코드)를 차종별 정리하여 자기 진단과 동시에 DTC 코드(고장 코드)의 내용이 스캐너의 표시장치에 표시되는 편리한 방법을 많이 사용하고 있다.

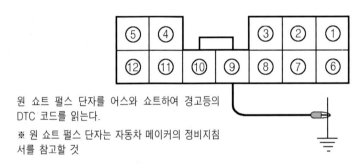

원 쇼트 펄스 단자를 어스와 쇼트하여 경고등의 DTC 코드를 읽는다.

※ 원 쇼트 펄스 단자는 자동차 메이커의 정비지침서를 참고할 것

🔺 그림5-2 고장 코드 읽는 법

고장 코드를 MIL(경고등)을 통해 직접 읽는 방법은 자동차 메이커 마다 다소 차이는 있지만 근본적으로 읽는 방법에 있어서는 크게 다르지 않다.

먼저 그림[5-2]와 같이 원 쇼트 펄스(DTC 코드 점검용 단자) 단자를 어스와 접촉하고 점화 스위치를 ON상태에서 체크 램프를 사용하여 ECU의 경고등 단자에 접속하면 그림[5-3]과 같은 펄스 신호가 체크 램프를 점멸하게 된다. 센서 및 액추에이터에 단선이나 단락이 없는 정상인 경우에는 체크 램프는 동일 주기로 점멸을 하지만 이상이 발생한 경우에는 그림[5-3]의 (b)의 예와 같이 앞의 동일 주기는 십자리를 나타내고 길게 지연(약 500 Ms)후 짧게 점멸하는 데이터는 단자리(영자리)를 나타낸다. 따라서 그림[5-3]의 (b)의 그림은 앞의 짧은 펄스의 이수는 3개이므로 3이 되고 길게 지연 후 1회 짧은 펄스는 한 개이므로 1이 돼 결국 DTC 코드(고장 코드)는 31이 된다.

그림[5-4]는 또 다른 메이커의 고장 코드를 읽는 법을 나타낸 것으로 펄스폭이 큰 것이 십자리 수로 펄스폭이 짧은 것은 단자리 수로 DTD 코드(고장 코드)의 읽는 방법이 약간

차이가 있는 것을 알 수가 있다. 이와 같이 고장 코드는 자동차의 메이커 별 약정한 코드 번호가 있어서 메이커가 발행하는 정비 지침서를 참고하면 해당 DTC 코드(고장 코드)에 대한 고장 내용을 알 수 있다.

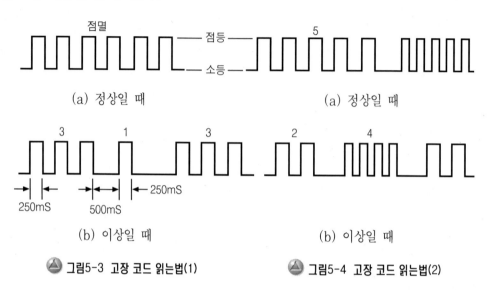

(a) 정상일 때 (a) 정상일 때

(b) 이상일 때 (b) 이상일 때

🔺 그림5-3 고장 코드 읽는법(1)   🔺 그림5-4 고장 코드 읽는법(2)

또 다른 차종의 경우에는 운전석 하단에 있는 퓨즈 박스에 백색의 진단 커넥터가 설치되어 있는데 점화 스위치를 ON 상태에서 진단 커넥터의 DTC 코드(고장 코드) 체크 단자 CHK와 점화 단자 IGN 간을 약 2초간 쇼트한 후 단선하면 계기판 내에 설치되어 있는 경고등이 점멸을 하는 방식도 사용되고 있다.

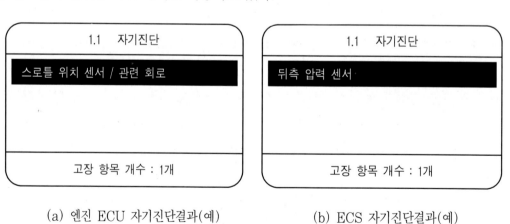

(a) 엔진 ECU 자기진단결과(예)   (b) ECS 자기진단결과(예)

🔺 그림5-5 스캐너에 의한 자기 진단 결과

그러나 최근에는 진단 커넥터의 고장 코드용 단자를 어스와 쇼트하여 체크 램프의 DTC 코드를 직접 읽지 않고 스캐너(스캔 툴)를 이용하여 자기 진단을 하면 스캐너는 DTC 코드를 읽어 그림[5-5]와 같이 자기 진단 커넥터로부터 발생하는 DTC 코드(고장 코드) 번호를 해석 해 해당 차종의 고장 내용을 디스플레이에 알기 쉽게 나타내도록 하고 있어서 편리하다. 그림[5-5]는 스캐너를 사용하여 자기 진단 결과 이상 코드 번호를 해석 해 LCD 디스플레이 상에 나타내도록 한 예이다.

3. 기본 점검

고장 현상은 고장 원인을 예시하여 주는 답안과 같은 것으로 자동차의 고장 진단 중 가장 중요한 것이 고장 현상이다. 그러나 고장 현상을 아무리 꼼꼼히 확인 하여 보았다고 하여도 원인이 바로 나타나지 않는 경우가 많다. 기계적인 고장인 경우에는 연관된 부품이 여러 개가 같이 파손되는 경우가 많지만 전자 제어 엔진과 같이 전기적인 고장은 고장원 인이 단선, 단락 또는 접촉 불량이나 원인 부품이 1개인 경우가 대부분으로 원인을 찾아 가기 위한 가장 가까운 방법이 기본 점검이다.

기본 점검이라 하는 것은 원인을 찾아가기 위해 점검을 하기 전에 고장 원인과 연관된 구성 부품의 작동 상태나 고장 원인에 직·간접으로 영향을 주는 부품의 상태를 간단히 점 검해 볼 수 있는 것이나 점검 전에 반드시 확인하여 보아야 하는 전원의 공급이나 어스의 연결 상태 등을 말 한다. 예컨대 엔진이 이상이 있는 경우 전문가라하면 우선 엔진 오일의 상태, 냉각수의 상태, 벨트의 장력 및 마모 상태 등을 미리 확인하여 보고 점검에 들어가 는 것과 같다. 전자 제어 엔진의 기본 점검 항목을 살펴보면 다음 표(5-1)과 같다.

🔺 사진5-3 자기진단 커넥터(20P)

🔺 사진5-4 스캐너에 의한 자기진단

항 목	세부항목	점검 포인트
(1) 자기 진단	•경고등 •자기 진단	•시동 후 경고등은 소등되는가? •자기 진단 결과 이상은 없는가?
(2) 전원 전압	•배터리 전압 •ECU 전원 •ECU 어스	•12V 이상 출력 되는가? •퓨즈 및 릴레이는 이상은 없는가? •엔진 어스 상태는 좋은가? ※ 이스선 . 특색 또는 갈색
(3) 인젝터	•전원측 배선 •ECU 측 배선 •인젝터 막힘 •인젝터 고착	•전원 전압은 정상인가? •ECU의 커넥터 핀 빠짐 현상은 없는가? •작동음은 있는가? (시뮬레이션 기능을 이용 점검하여도 좋다.) •작동음이 없다. (시뮬레션 기능을 이용 점검하거나 배터리를 직접 걸어 확인하여 보아도 좋다.)
(4) 연 압	•연압 •압력 레귤레이터 •연료 펌프	•연압은 이상이 없는가? ※ 엔진 정시시 : 2.3~2.7 kg/cm² 아이들시 : 2.7~3.4 kg/cm² •입구측이 막혀 압력 상승으로 연료 펌프가 가열하지 않는가? •연료 펌프 모터는 회전을 하여도 연압은 낮지 않은가? •연료 펌프 모터에 전원을 공급하는 컨트롤 릴레이의 작동은 이상은 없는가?
(5) 점화 시기	•아이들 스위치	•점화시기 점검 단자를 단락하여 점검하는 방식인가? •아이들 스위치 접점 이상으로 점화 시기는 불안전 하지 않는가?
(6) 점 화	•점화플러그 •점화 케이블 •좋은 불꽃 상태	•지정된 규격의 점화 플러그를 사용하고 있는가? (백금 플러그라고 신뢰하지 말 것) •저항 측정만으로 양·부를 판정할 수 없다. (저항 측정만으로 양·부를 판정할 수 없는 경우는 점화 파형을 확인한다.) •점화 플러그에 불꽃은 있는가? (좋은 불꽃을 확인하기 위해서는 점화파형을 확인한다.)

[표5-1] 전자제어엔진의 기본 점검 항목

항 목	세부항목	점검 포인트
(7) 아이들 회전수	• 아이들 제어장치	• ISC솔레노이드 밸브에 카본 퇴적으로 인한 밸브의 간섭은 없는가? • 흡기 계통의 개스킷 불량이나, 호스 손상으로 공기가 새는 곳은 없는가?
(8) 공연비 피드백	• 산소센서	• CO(일산화탄소) 농도가 높고 엔진이 헌팅은 없는가? • 가속시 공기의 흡입은 원활한가? • 산소 센서의 커넥터를 탈거해도 증상은 변화가 없는가?

표 (5-1)의 전자 제어 엔진의 기본 점검 항목은 참고 사항으로 실무에 있어서는 엔진의 고장 현상에 따라 기본 점검 항목을 선택하여 점검하는 것이 바람직하다.

point ●

자기 진단

1 자기 진단 기능

1. 자기 진단 제어
- 자기 진단 : ECU의 입·출력 신호 이상 여부를 자기 진단하여 이상시 정해진 고장 코드(DTC)를 기억하고 배출 가스 관련 부품에 이상이 있는 경우 경고등을 점등시켜 운전자가 인지 할 수 있도록 하는 기능

2. DTC 코드(고장 코드)
자동차 메이커가 정해 놓은 고장 코드 번호

3. 기본 점검
원인을 유추하기 선행하여 간단히 점검하는 것을 말함.
(예) 전자 제어 엔진 : 배터리 전압, 어스 상태, 자기 진단, 오일 상태 등

2 고장 코드

1. 고장 코드

DTC 코드 번호	고장 항목	고장 판정 조건
	[표5-2] 고장코드의 판정 조건(예 : 쏘나타)	
NO.1	• 산소센서	• 산소 센서가 약 350℃ 이상되어 활성된 상태이고 • 피드백 제어 영역 조건으로 운전을 하여 산소 센서의 출력이 발생하지 않는 경우
NO.2	• 점화신호	• 3초 이상 크랭킹 해도 CAS 센서 신호가 입력되지 않는 경우(CAS 센서 신호가 3초 이상 단선시)
NO.3	• AFS	• 칼만 와류식 AFS : 출력 주파수가 규정값 보다 낮은 경우 • MAP 센서 : 출격 전압이 규정값 보다 낮은 경우 • 엔진이 정지되어 있는 데도 불구하고 AFS의 신호가 출력되는 경우
NO.4	• 부스트 센서	• 출력 주파수가 이상하게 높거나 낮은 경우
NO.5	• TPS	• ISC 스위치 ON시 출력 전압이 규정값보다 높거나 낮은 경우
NO.6	• MPS	• 피드백 제어 방식의 경우 TPS 신호가 400mV 이하인 경우 (MPS는 TPS가 전폐 상태에 있을 때는 MPS 모터는 OFF 하고 있다.)
NO.7	• 수온센서	• 센서의 규정값이 규정값보다 크거나 작은 경우
NO.8	• 차속센서	• 주행중 차속 신호가 변화하지 않는 경우

DTC 코드 번호	고장 항목	고장 판정 조건
P0011	CPS	• 공급 전원 : 11V 이하시 • RPM : 610rpm<엔진 rpm<5000rpm • 엔진 오일 온도 : 20℃<오일 온도<110℃
P0016	CPS, CAS의 출력값이 편차	• 학습된 캠 샤프트의 위치값> 15° • 엔진 회전수가 80회 이상 회전시
P0030, P0031 P0032, P0036	산소 센서 히터	• 배터리 전압이 10V 이하시 • 3.5%<히터 제어 신호<96.5% • 배기측 온도가 300℃ 이하시 • 10초 이상 위 이상 신호 검출시
P0076, P0077	흡기 벨브 SOL 밸브	• 배터리 전압이 10V 이하시 • 출력 배선의 단서 및 단락 • 2초 이상 위 이상 신호 검출시
P0101	AFS의 성능	• 600rpm < 엔진 회전수 < 3450rpm일 때 • −0.5hpa < 흡기관 압력 < +0.5hpa • 학습값 편차가 0.5이하 또는 이상일 때 • 5초 이상 위 이상 신호 검출시
P0102, P0103	AFS 이상	• 배터리 전압이 10V 이하시 • 스로틀 밸브가 전폐 상태에서 • 0.073V < 흡입 공기량 > 4.927V • 2초 이상 위 이상 신호 검출시
P0111, P0112 P0113	흡기 온도 센서	• 전원 전압이 6V 이상 이고 • 냉각수 온도가 75℃ 이상에서 • 48℃ < 흡기 온도 센서 < 143℃일 때 • 엔진 시동 후 110초 경과 후 0.22V < 흡입 공기 온도 < 4.93V일 때 • 흡기 온도 센서의 응답 시간이 10분 이상 • 10초 이상 위 이상 신호 검출시
P0116, P0117	냉각 수온 센서	• 6V < 배터리 전압 < 16V • ECU가 연산한 냉각 수온값과 실제 냉각수 온도 차가 클 때
P0118	냉각 수온 센서	• 0.39V < 실제 냉각수 온도 > 4.94V • 시동 후 60초 경과하여 흡기온 센서가 −30℃ 이하일 때 • 1초 이상 위 이상 신호 검출시

[표5-3] 고장코드의 판정 조건(예 : NF쏘나타)

DTC 코드 번호	고장 항목	고장 판정 조건
P0119	냉각 수온 센서	• (이전 측정값 - 현재 측정값) 편차가 8.25℃ 이상 일 때 • 2초 이상 위 이상 신호 검출시
P0121, P0122	TPS	• 조건 : 점화 스위치 ON시 상태 　　　　　엔진이 회전중일 것 　　　　　학습 모드가 아닐 것 　　　　　TPS 회전각이 8°이상일 때 • 검출 : ECU가 계산한 TPS값과 실제 TPS값이 차가 한계값 이상시 • 0.3초 이상 위 검출 조건을 만족할 때 　※ TPS 전폐(닫힘) : 0.2V~0.8V 　　 TPS 전폐(열림) : 4.3V~4.8V
P0122, P0123	TPS	• 전원 공급 전압 6V 이상시 • 0.1V < TPS 전압 > 4.9V • 1초 이상 위 이상 신호 검출시
P0130	전방 산소 센서	• 조건 : 배기 온도 500℃ 이상 　　　　　공연비 피드백 제어 10초 이상 진행 • 검출 : 전방 센서 전압 < 0.47V • 5초 이상 위 이상 신호 검출시
P0131	후방 산소 센서	• 산소 센서 활성화 상태 • 검출 : 후방 센서 전압 > 0.449V • 1초 이상 위 이상 신호 검출시
P0132	산소 센서	• 산소 센서 전압 > 4.6V • 1초 이상 위 이상 신호 검출시
P0134	산소 센서	• 조건 : 연료 커트 영역 　　　　　산소 히터 폐회로 상태 　　　　　배기가스 온도 > 350℃ • 검출 : 산소 센서 전압 > 0.1V
P0136, P0137	후방 산소센서	• 0.45V < 센서전압 < 0.02V • 2초 이상 위 이상 신호 검출시
P138	후방 산소센서	• 센서전압 > 4.6V • 2초 이상 위 이상 신호 검출시

DTC 코드 번호	고장 항목	고장 판정 조건
P0196	OTS 성능 이상	• 조건 : 엔진 회전중 　　　　배터리 전압 6V 이상 　　　　냉각수 온도 센서 정상일 때 • 검출 : 20℃ > 오일 온도 > 100℃ • 15초 이상 위 이상신호 검출시
P0197, P0198	OTS	• 조건 : 냉각수온 99.8℃ 이하시 • 검출 : −36℃ > 오일 온도 > 153℃ • 5초 이상 위 이상신호 검출시
P0222, P0223	TPS 2	• 점화 스위치 ON시 • 0.12V > TPS 전압 > 4.9V • 0.05초 이상 위 이상 신호 검출시
P0230	연료 펌프	• 10V < 배터리 전압 < 16V • 전원 및 어스 단선, 단락 • 3초 이상 위 이상 신호 검출시
P0261, P0262	#1 인젝터	• 6V < 전원 공급 전압 • 검출 : 엔진 회전수 < 6016rpm • 신호선 단선, 단락 • 1.5초 이상 위 이상 신호 검출시
P0264, P0265	#2 인젝터	• 6V < 전원 공급 전압 • 검출 : 엔진 회전수 < 6016rpm • 신호선 단선, 단락 • 1.5초 이상 위 이상 신호 검출시
P0267, P0268	#3 인젝터	• 6V < 전원 공급 전압 • 검출 : 엔진 회전수 < 6016rpm • 신호선 단선, 단락 • 1.5초 이상 위 이상 신호 검출시
P0270, P0271	#4 인젝터	• 6V < 전원 공급 전압 • 검출 : 엔진 회전수 < 6016rpm • 신호선 단선, 단락 • 1.5초 이상 위 이상 신호 검출시
P0325	노크센서	• 조건 : 아이들시 또는 무부하 영역 　　　　엔진부하 > 250mg/TDC 　　　　엔진RPM > 2700rpm 　　　　엔진100 회전 이상 • 검출 : 신호 대 노이즈 레벨 편차 < 0.08V • 0.1V > 노이즈 레벨 > 4.5V

DTC 코드 번호	고장 항목	고장 판정 조건
P0335	CAS 회로	● 조건 : CPS, CAS 동기화가 이루어진 후 ● 512rpm < 엔진 회전수 ● 크랭크샤프트 5회전 이상 회전시
P0336, P0337	CAS 성능	● 3회 이상 캠 신호 검출에도 불구하고 크랭크 신호 검출이 안될 때 ● 크랭크샤프트 3회전 이상 회전시
P0340	CAS 회로	● 조건 : 캠 샤프트 신호 동기화 실상 후 ● 검출 : 돌기 신호 개수 이상(5회전 이상) 　　　　돌기 신호 개수 이상(3회전 이상)
P0341	CAS 성능	● 조건 : 흡기밸브 제어 솔레노이드 학습 종료 　　　　CAS 정상일 것 ● 검출 : 캠 신호가 한계값 이상, 이하시 ● 1초 이상 위 이상 신호 검출시
P0444, P0445	PCSV 밸브	● 점화 스위치 ON ● 6V > 전원 공급 전압 ● 신호선 단선, 단락 ● 6초 이상 위 이상 신호 검출시
P0501	차속 센서	● 조건 : 엔진 회전수 > 2112 rpm 　　　　냉각수 온도 > 60℃ 　　　　흡입 공기량 > 225mg / TDC ● 검출 : 차속신호가 입력되지 않을 때 ● 505초 이상 위 이상 신호 검출시
P0504	브레이크 스위치	● 조건 : 점화 스위치 ON ● 검출 : 브레이크 경고등 및 브레이크 스위치 10초 이상 ON시
P0506, P0507	ISC 액추에이터	● 조건 : 11V < 배터리 전압 < 16V 　　　　아이들 스위치 ON시 　　　　74.3 < 냉각수온도 < 143℃ 　　　　차량속도 = 0 　　　　흡입공기량 < 240mg/STK ● 검출 : 기준 공회전 속도 – 실제 회전수 > 100rpm ● 검출 : 실제 회전수 – 기준 공회전 속도 > 200rpm ● 5초 이상 위 이상 신호 검출시

DTC 코드 번호	고장 항목	고장 판정 조건
P0552, P0553	파워 스티어링 SW	• 조건 : 엔진 회전중 • 검출 : 0.1V > 센서 전압 > 4.7V • 26초 이상 위 이상 신호 검출시
P0560	시스템 전원	• 조건 : 점화스위치 ON 후 0.3초 경과 • 검출 : 배터리 전압 < 6V • 0.2초 이상 위 이상 신호 검출시
P0562, P0563	시스템 전원	• 조건 : 차량 속도 > 10km/h • 판정 : 10V > 배터리 전압 > 16V • 240초 이상 위 이상 신호 검출시
P0600	CAN 통신 에러	• 조건 : 배터리 전압 > 10V 　엔진회전수 > 30rpm • 판정 : CAN 메시지 이상 　1초 이상 CAN 메시지 없을 때 • 1초 이상 위 이상 신호 검출시
P0605	EEPROM	• 조건 : 점화 스위치 ON시 • 검출 : ECU의 내부 ROM 데이터값이 check sum 결과 오류가 있는 경우
P0625	알터네이터 F단자	• 조건 : 점화 스위치 ON시 　엔진 정지중 • 검출 : 알터네이터 부하 > 35% 듀티값 • 1초 이상 위 이상 신호 검출시
P0626	알터네이터 F단자	• 조건 : 엔진 회전중 　400rpm < 엔진 회전수 < 4000rpm 　배터리 전압 < 16V 　냉각수 온도 > 25℃ • 검출 : 알터네이터 부하 < 2% 듀티값 • 20초 이상 위 이상 신호 검출시
P0638	TPS	• 조건 : 점화 스위치 ON 시 　ECU의 TPS 위치 학습중 • 검출 : TPS 학습중 전압값이 한계치를 벗어날 때 　TPS 위치가 지정 위치를 벗어날 때 • 1.3초 이상 위 이상 신호 검출시

DTC 코드 번호	고장 항목	고장 판정 조건
P0642, P0643	센서 전원	● 조건 : 점화스위치 ON시 ● 검출 : 0.7V > 센서 전압 > 5.5V ● 0.1초 이상 위 이상 신호 검출시
P0650	MIL(경고등)	● 조건 : 점화스위치 ON시 ● 검출 : 10V < 배터리 전압 < 16V ● 0.5초 이상 위 이상 신호 검출시
P0652, P0653	산소센서 공급 전원	● 조건 : 점화스위치 ON시 ● 0.7V > 산소센서 전원 > 4.5V ● 1초 이상 위 이상 신호 검출시
P1505, P1506 P1507, P1509	ISCA	● 10V < 배터리 전압 < 16V ● 20% < ISA 듀티 < 80% ● 1초 이상 위 이상 신호 검출시
P2096, P2097	촉매, 산소센서	● 조건 : 피드백 제어시 ● 검출 : 연료 학습값 한계치 초과 ● 60초 이상 위 이상 신호 검출시

2. 전자제어 엔진 회로

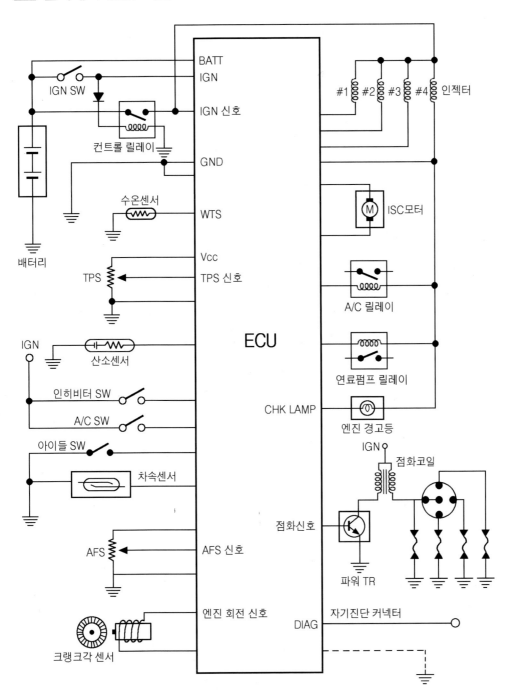

🔺 그림5-6 전자제어엔진 회로도(기본 회로)

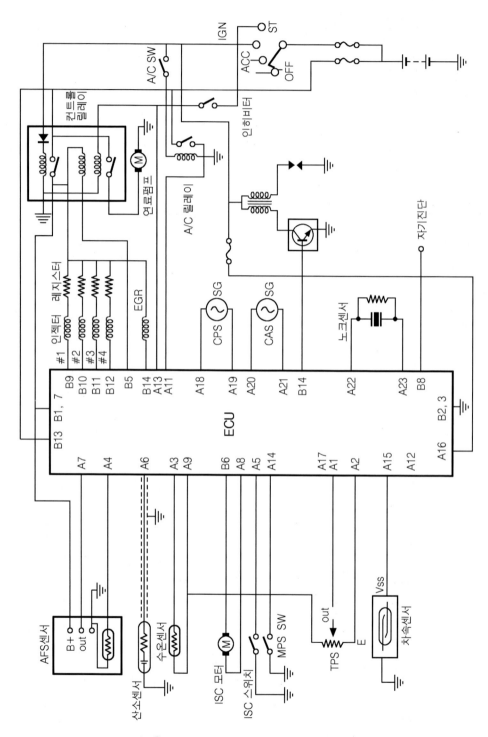

🔺 그림5-7 전자제어엔진 회로도(쏘나타)

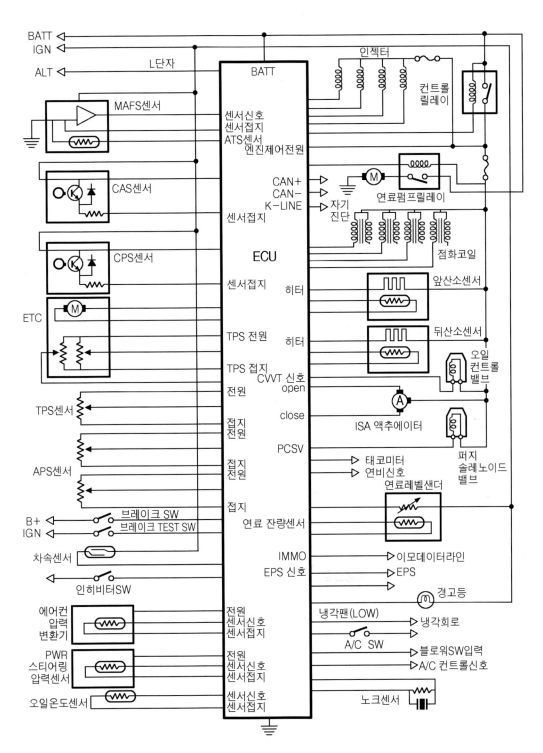

🔺 그림5-8 전자제어엔진 회로도(NF쏘나타)

■ 저자약력

김 민 복

• 1971 ~ 1974년   수도 전기 공업 고등학교 전자과 졸업
• 1974년   무선 설비 기사 3급, 특수 무선 기사 취득
• 1976 ~ 1979년   육군, 통신 학교 121기 (전역)
• 1975 ~ 1983년   명지대학 전자공학과 졸업
• 1983 ~ 1986년   현대 전자(주) 연구소 자동차 전장품 개발
                   (트립 컴퓨터, ETACS 하드웨어 설계)
• 1987 ~ 1992년   현대 전자(주) 자동차 전장품, 생산 기술 과장 (現) 하이닉스(주)
• 1986년   미쓰비시 전기(주) 엔진 ECU 품질 보증 연수
• 1987년   미쓰비시 전기(주) A/T ECU 품질 보증 연수
• 1992 ~ 1996년   현대 자동차 정비 연수원, 정비 교육
• 1997 ~ 1998년   현대 자동차 고객 지원 팀장
• 1999 ~ 2000년   기아 자동차 정비 연수원, 정비 교육
• 2000 ~ 2003년   현대, 기아 통합 본부 정비 교육
• 2003 ~ 현재   최신 자동차 전기, 자동차 센서, 자동차 기초 전기 등 집필
• (現) e-자동차 전기 연구원

※ e-mail : eecar1234@yahoo.co.kr

전기전자시리즈 **7**

◆ **전자제어엔진**

정가 20,000원

2005년 7월 4일 초판 발행	엮은이 : 김민복
2023년 2월 25일 제1판5쇄 발행	발행인 : 김길현
	발행처 : (주) 골든벨
	등 록 : 제 1987-000018호
	ⓒ 2005 *Golden Bell*
	I S B N : 89-7971-614-1-93550

㊌ 0 4 3 1 1 6 서울특별시 용산구 원효로 245 (원효로1가 53-1) 골든벨 빌딩

TEL : 영업부 (02) 713-4135／편집부 (02) 713-7452 ● FAX : (02) 718-5510

E-mail : 7134135@naver.com ● http : // www.gbbook.co.kr

※ 파본은 구입하신 서점에서 교환해 드립니다.